D1201945

АЛЕКСАНДРА
МАРИНИНА

Адрес официального сайта Александры Марининой
в Интернете http://www.marinina.ru

АЛЕКСАНДРА МАРИНИНА

ЧУВСТВО ЛЬДА

книга первая

Москва 2006

УДК 82-3
ББК 84(2Рос-Рус)6-4
М 26

Дизайн обложки *С. Груздева*

Маринина А. Б.

М 26   Чувство льда: Роман в 2-х книгах. Книга 1/
А. Б. Маринина. — М.: Эксмо, 2006. — 320 с.

ISBN 5-699-17852-X

Братья-близнецы Филановские никогда не видели своих
рано умерших родителей. Их воспитали бабушка и тетка.
И воспитали успешными, энергичными людьми. Еще с занятий фигурным катанием у них осталось «чувство льда», позво-
ляющее им держать равновесие в самых непростых жизненных ситуациях. Однако ни Александр, ни Андрей даже не
подозревают о тщательно скрываемых «скелетах в шкафу» —
неприглядных семейных тайнах. Близкие позаботились об
этом. Но прошлое, затаившись, ждет. И достаточно любой
случайности — например, этого нелепого убийства молодой
женщины, — чтобы жизнь опасно накренилась и выскользну-
ла из-под ног, как лед из-под коньков фигуриста...

УДК 82-3
ББК 84(2Рос-Рус)6-4

ISBN 5-699-17852-X

Москва, февраль 2006 года

Она уже много лет назад научилась просыпаться ровно за пять минут до звонка будильника, в 5.25. Еще семилетней девочкой Нана вставала в половине шестого, а в семь утра начиналась тренировка. Она не катается больше десяти лет, а привычка осталась, тем более Никита тоже, как и она, занимается фигурным катанием и у него тоже утренние тренировки.

Открыв глаза, Нана, опять же по давно сложившейся привычке, перебрала мысленно предстоящие сегодня дела. Поднять сына, проследить, чтобы сделал зарядку, накормить завтраком его и себя, отвезти на каток. Да, не забыть бы, сегодня двадцатое число — день «обязательного замера». Может, пропустить? Ничего страшного, если она проведет «замер» завтра, очень уж погода неподходящая, в такие дни у нее совсем нет ни сил, ни малейшего желания делать лишние телодвижения. Как говорят спортсмены, она сегодня явно «не в ногах». Нет, ерунда все это, раз установила себе двадцатое число каждого месяца, значит, так и будет. Нечего дурака валять. А то один день пропустишь, второй, третий... А потом спохватишься — и спина уже не гнется. Позвоночник — это здоровье, долголетие, это жизнь. Нельзя запускать.

С семи до девяти у нее свободное время, если поехать от Дворца спорта в сторону работы в семь, то дороги будут еще пустыми и она доберется минут за двадцать. До начала рабочего дня останется полтора часа. Что она собиралась сделать, когда вчера запирала кабинет? Оставила какие-то бумаги на утро? Кажется, нет. Ничего срочного. Совещание, как обычно, начнется в десять. Значит, можно заняться чем-нибудь приятным, например, составить график контрольных проверок на ближайшие три месяца. Составлять графики Нана любила и неукоснительно их соблюдала, это помогало ей поддерживать ощущение стабильности. Пока она каталась, у нее в комнате всегда на самом видном месте висел годовой план тренировочной подготовки, и каждый раз, глядя на него, она думала о том, что как бы ни складывалась жизнь, но за год она должна отдать тренировкам 960 часов, и в июне этих часов будет 43, а в сентябре уже 100, пик нагрузок придется на октябрь, потом наступит соревновательный период, и объем тренировок станет поменьше — нужно беречь силы для выступлений. Потом период соревнований закончится, и в апреле — мае наступит период восстановительный, и будет мало льда, больше отдыха, спортивных игр и общефизической подготовки. И так из года в год. Это вселяло уверенность: не может случиться ничего плохого, она не заболеет и не умрет, потому что есть же план, вот он, составлен тренером и повешен на стенку, и его обязательно надо выполнить. Страх внезапной смерти преследовал Нану Ким с раннего детства, с того самого дня, как умер от бурно развившегося отека легких ее маленький братик, и избавиться от этого страха она так и не смогла по сей день, зато научилась справляться с ним при помощи планов и графиков. Выполнять запланированное означало для нее контролировать свою жизнь, управлять ею, а ведь это так важно. Отец много лет назад говорил ей: «Ты катаешься не для того, чтобы стать чемпионкой, а для того, чтобы научиться управлять своим телом, каждой своей мышцей, каждым самым маленьким сосудиком. Управляя телом, ты учишься управлять собой, а управляя собой, ты будешь управлять всей своей жизнью. Если твоей жизнью не будешь управлять ты сама, это обязательно будет делать кто-нибудь другой».

Значит, составить график проверок по всем объектам и подразделениям, провести совещание... Ой, господи, пора подниматься, уже будильник верещит.

— Никитос! — крикнула она, натягивая трико. — Подъем! На зарядку становись!

Нана с удовольствием взглянула на радостную и совсем почти незаспанную мордашку двенадцатилетнего сына. Ему ранний подъем не в тягость, он так любит кататься, что готов вставать и раньше. Предложи ему тренироваться по ночам — вообще спать не будет, только пусти на лед.

— Тащи сантиметр, — скомандовала она, слегка размявшись и вставая на невысокую скамеечку.

Никита с готовностью принес сантиметр и привычно опустился на колени. Нана наклонилась, плотно сдвинув ступни и выпрямив ноги, стала тянуться вниз. Пальцы рук ушли за край скамейки. Сын замерил расстояние между краем скамейки и кончиками пальцев.

— Шесть сантиметров, — торжественно объявил он.

Хорошо. Значит, позвоночный столб пока еще сохраняет гибкость. Для тридцатипятилетней женщины, давно оставившей спорт, вполне приличный показатель. В период активных тренировок этих самых сантиметров было семь. Но ведь тринадцать лет прошло.

— Точно? — на всякий случай переспросила она.

— Ну... пять и восемь. Я округлил.

— Никитос, — строго произнесла Нана, — спорт не терпит приблизительности. Уж тебе ли не знать.

Никита уныло вздохнул. И без лишних слов было ясно, что она имеет в виду: у мальчика постоянно возникали проблемы с обязательными фигурами, где необходима просто-таки геометрическая точность и выверенность каждого движения до миллиметра. Просто удивительно, как ему удалось выполнить нормативы кандидата в мастера спорта. Конечно, он мальчик гибкий и прыгучий, скольжение у него хорошее, но вот со «школой» беда.

Завтракали молча, как всегда бывало в день утренней тренировки. Никита, унаследовавший от матери стремление ко всему готовиться заранее, еще дома, сидя за столом, мысленно рисовал фигуры, которые ему спустя час придется рисовать лезвием конька по льду. Впрочем, это ему только казалось, что он рисует мысленно. На самом деле, сам того не замечая, он рисовал чайной ложечкой на поверхности стола. Нана ему не мешала, но внимательно вглядывалась в невидимый рисунок. Вот Никита рисует петлю «вперед-наружу», и Нана явственно «видит», что стартовые дуги пересекают поперечную ось. Неужели у него так плохо с глазомером?

— Ты собираешься так выполнять фигуру? — осторожно спросила она.

— Нет, это я так сделал на прошлой тренировке. Светлана Арнольдовна сказала, чтобы я подумал, в чем ошибка.

— А она сама не сказала тебе?

— Нет, она велела самому подумать. Обещала сегодня сказать, если я сам не додумаюсь.

— Ну и как, додумался?

— Пока нет, — очень серьезно ответил Никита. — Вот думаю.

— Ладно, думай, — вздохнула Нана.

Другие времена, другие нравы, другие тренеры. Когда ей было столько, сколько сейчас Никите, ее тренер исправлял ошибки сразу же и таких домашних заданий не давал. В те времена боялись, что закрепится неправильный стереотип движения. А сейчас что, не боятся? Или появились новые школы тренерской работы? За тринадцать лет много воды утекло... Нана до сих пор общается со своим тренером, но та учит спортсменов по-старому, а Светлана Арнольдовна совсем молодая. Может, и вправду теперь работают по-другому. Светлана Арнольдовна! Смешно. Когда Светочка Лазарева в семь лет начинала заниматься в учебно-тренировочной группе, Нана Ким уже была в составе юниорской сборной страны.

Она быстро убрала со стола, вымыла посуду, оделась, накрасилась. Внимательно и придирчиво, как и каждый день, оглядела свое отражение в зеркале. Ну и дал же бог ей внешность! Нарочно не придумаешь. Отец, кореец из Казахстана, наградил дочь раскосыми темно-карими глазами, широкими скулами, жесткими прямыми волосами цвета воронова крыла и сухощавым компактным телом с сильными мышцами. Мать, наполовину грузинка — наполовину молдаванка, подарила крупный нос с горбинкой, который Нана ненавидела, красиво изогнутую верхнюю губу и потрясающую кожу, которую Нана считала своим единственным достоинством. Сколько же времени ей приходится каждый день проводить за макияжем, чтобы лицо не казалось таким широким, а нос — таким большим! Хорошо хоть с фигурой пока еще все в порядке. Просто удивительно, почему мужчинам так нравится ее внешность, которая ей самой кажется далеко не самой удачной.

К Дворцу спорта они подъехали без десяти семь.

— Ну что, Никитос, решил задачку?

— Нет. Может, подскажешь?

— Ладно, — засмеялась Нана, — подскажу. Когда ты заканчиваешь круг, в момент переходного толчка, ты вместе с опорной ногой поворачиваешь бедро свободной ноги. Это ошибка. Свободную ногу надо оставлять строго над следом. Понял? Помнишь, у тебя в простых кругах при старте назад-наружу перекрещивались стартовые дуги? Это была та же самая ошибка. Следи за свободным бедром.

— Точно?

— Точно, — уверенно ответила Нана.

Уж у нее-то со «школой» всегда был полный порядок. Кроме характерной внешности, она унаследовала от отца, чемпиона Европы по спортивной гимнастике, отличную координацию, умение чувствовать каждую мышцу и владеть ею, полностью контролировать свое тело.

Она развернулась на сиденье, подала сыну лежащую сзади сумку с формой, коньками и учебниками: после тренировки Никита побежит в школу.

— Пока, сынок, до вечера.

Он уже почти вылез из машины, но вдруг остановился и повернулся к ней:

— Мам, если ты так хорошо все знаешь, почему же ты не стала чемпионкой?

— Чемпион, сынок, это не только отличная подготовка. Чемпион — это особенный характер. У меня такого не было.

— А у меня есть?

— У тебя есть, — засмеялась она. — Пока, чемпион.

Нана вела машину по темной зимней Москве и улыбалась. У нее действительно было почти все для того, чтобы стать чемпионкой. Именно почти, потому что не было самого главного: честолюбия и склонности к борьбе. Целеустремленность, собранность, трудолюбие, умение мобилизоваться и контролировать себя — эти необходимые для фигуриста качества у нее были даже в избытке, а вот честолюбия и желания бороться за первенство не было совсем. Она просто любила кататься, наслаждалась каждой минутой пребывания на льду, радовалась, когда ее хвалили, но никогда не стремилась побеждать в соревнованиях и быть первой. Может быть, именно поэтому в ней всегда ценили то, что называется соревновательной надежностью: у Наны Ким никогда не сдавали нервы, она была на удивление стабильной спортсменкой, но при этом даже при лучших своих прокатах оставалась второй или третьей. Первой — никогда, даже если находилась на пике формы. В ней не было азарта и склонности к риску, ей было все равно, какое место занять, и в соревнованиях она участвовала только потому, что «так надо», так принято, иначе вообще кататься не дадут, отлучат от льда и возьмут в группу более перспективного спортсмена. Нана хорошо помнила, как много лет назад к ним на тренировку пришел знаменитый в те годы тренер, подготовивший нескольких олимпийских чемпионов. Все в группе знали, что он пришел высматривать талантливых ребят, и всем ужасно хотелось ему понравиться. Во время разминки в зале их тренер Вера Борисовна всех предупредила о том, что придет «сам», а потом отозвала Нану в сторонку.

— Скажи, ты хочешь быть чемпионкой? — заговорщическим шепотом спросила она.

— Нет, — честно ответила девочка, — не хочу.

— Почему?

— Не знаю, — пожала плечами одиннадцатилетняя Нана. — Не хочу, и все. А зачем?

— А чего же ты хочешь? Зачем занимаешься?

— Хочу просто кататься. Мне нравится.

Вера Борисовна мягко улыбнулась:

— Ты просто еще маленькая. Я хочу тебя предупредить: если сегодня ты понравишься «самому» и он возьмет тебя к себе, никогда и никому не говори, что не хочешь быть чемпионкой. Иначе тебя не будут тренировать, и ты не сможешь кататься. Поняла?

Нана сосредоточенно кивнула. Ладно, она никому не скажет. Нельзя так нельзя. Слово тренера — закон.

«Сам» простоял у бортика два часа и ушел. А через месяц в их группе осталось вместо пяти человек только четыре: великий тренер отобрал для своей группы очень талантливого мальчика. Мальчик этот стал впоследствии олимпийским чемпионом в танцах на льду. Тогда Нана еще мало что понимала в жизни, она просто тихонько порадовалась, что не нужно лгать, что-то скрывать, а главное — не нужно менять тренера и привыкать к новым порядкам и новым людям. Теперь же она точно знала, что, даже если бы «сам» ее тогда забрал к себе, она все равно не стала бы чемпионкой, несмотря ни на его бесспорный тренерский талант, ни на свои способности. Чемпион — это характер.

— Просто поразительно, — тихонько вздыхала тренер Вера Борисовна. — При таких родителях у девочки нет ни капли честолюбия и стремления быть первой. Ну как такое может быть?

Под «такими родителями» подразумевались папа и мама — чемпионы по спортивной гимнастике. Нана тогда сделала вывод, что не иметь честолюбия — плохо, стало быть, это стыдно, это недостаток, который надобно тщательно скрывать, чтобы ее не сочли неполноценной. Она не хотела огорчать Веру Борисовну, к которой была привязана всей душой, и честно, в полную силу каталась на соревнованиях, но все равно оставалась второй или третьей, потому что для победы нужно еще и желание победить, которого у Наны никак не обнаруживалось. Но главную свою задачу она выполняла: входила в десятку, потом в пятерку, потом в тройку сильнейших, скрывая от всех, кроме тренера, свой главный дефект — отсутствие стремления побеждать. Все, что она делала, она старалась делать на «пять с плюсом», но ей никогда не хотелось, чтобы ее пятерка с плюсом оказалась весомее, «круче», чем у других.

Зато Никита, слава богу, пошел не в нее. Он в свои двенадцать лет достаточно стабильно выполняет пять тройных прыжков и изо всех своих мальчишеских сил борется с тройным акселем — единственным прыжком, который пока еще получается плохо. У него есть кумир, он хочет быть «как Плющенко», который в таком же возрасте безошибочно исполнял все шесть прыжков. Да, здесь ее сынишка пошел в отца, у того честолюбия — хоть лопатой выгребай...

* * *

К концу совещания Нана почувствовала, что утреннее ощущение «не в ногах» было не случайным. В горле першило, разболелась голова, начали слезиться глаза. Черт, неужели грипп? Надо бы уйти домой и срочно приняться за лечение, но она столько всего напланировала на сегодня... Она перелистала ежедневник, отметила крестиками дела, которые можно перенести на три-четыре дня, а галочками — те мероприятия, которые перенести никак нельзя. Таких оказалось всего два, одно намечено на 13.30, второе — на 17.00. Сейчас без четверти двенадцать. Нана быстро прикинула расклад и попросила секретаря созвониться с человеком, встреча с которым назначена на 17.00, и попробовать договориться с ним на более раннее время. Отстреляться — и домой, нечего по всему издательству бациллы разносить.

— Нана Константиновна, вас хочет видеть Любовь Григорьевна, — сообщила секретарь Влада.

— Какая Любовь Григорьевна? — недоуменно нахмурилась Нана.

— Ну Любовь Григорьевна, — повторила Влада специальным голосом, который прорезался у нее всегда, когда речь заходила о владельце издательства Александре Филановском и членах его семьи. В данном случае речь шла о тетке шефа.

— Ах да. А что случилось?

— Не знаю. Она позвонила из машины, сказала, что уже подъезжает и хотела бы с вами переговорить.

— Конечно, Влада. Я буду у себя. Как появится — проводи сразу же. И сделай мне чаю погорячее, с лимоном.

Положив трубку, Нана достала из ящика стола зеркало. Боже мой, ну и видок у нее! Глаза красные, лицо отечное, нос, и без того неmaленький, стал, кажется, еще больше. Ну точно, у нее либо грипп, либо сильная простуда. И как быстро эта хворь на нее налетела! Ведь еще два часа назад, перед началом совещания, она смотрелась в зеркало и ничего необычного не увидела, более того, даже осталась довольна своим внешним видом.

Влада принесла чай, который Нана выпила медленно, маленькими глоточками. Глаза заслезились еще сильнее, но горло, кажется, поутихло. Может, послать Владу в аптеку, пусть купит что-нибудь подходящее, болезнь лучше всего задавливать в самом начале, тогда с ней легче справиться. Она снова потянулась к телефонной трубке.

— Влада, раздобудь мне какое-нибудь лекарство от простуды и гриппа.

— Это для вас?

Вопрос был не случайным, девушка хотела выяснить, нужно ли бежать в аптеку срочно, прямо сейчас, или лекарство требуется начальнице в принципе, к моменту ее ухода с работы.

— Да, я что-то расклеиваюсь прямо на глазах. Тебе удалось договориться о переносе встречи?

— Да, Нана Константиновна, они приедут к трем.

— Спасибо.

Ну вот, уже легче. В четыре она, бог даст, освободится и поедет домой. Нана открыла ежедневник и просмотрела записи до конца недели. Надо все разметить и оставить Владе, она знает, что нужно делать в таких случаях. Она уже занесла над страницей карандаш, когда поняла, что ничего не понимает. Видит каждую букву в отдельности, но как-то не очень отчетливо, и в осмысленные слова эти буквы ну никак почему-то не складываются. Температура поднялась, что ли?

В приемной послышались тяжелые уверенные шаги, распахнулась дверь, и на пороге кабинета возникла тетка шефа, Любовь Григорьевна. Высокая, худая, дорого и модно одетая, она все равно казалась суровой и бескомпромиссной «училкой», которую дети боятся и ненавидят. Стильно подстриженные седые волосы, холодные глаза за стеклами очков в оправе от Шанель, жесткие сухие губы, и вся она — олицетворенная требовательность и строгость.

— Добрый день, Нана. У вас найдется для меня четверть часа?

— Проходите, Любовь Григорьевна, — Нана жестом указала на мягкое кресло. — Я вас слушаю. Что-то случилось? У вас претензии к охране или к водителю?

Это было единственное, что пришло ей в голову, когда Влада сказала, что Любовь Григорьевна хочет зайти. Ну а зачем еще ей заходить к руководителю службы безопасности крупного издательства? Вряд ли доктора педагогических наук могут заинтересовать чисто коммерческие нюансы приобретения ее племянником типографии в Подмосковье или далекоидущие планы по переманиванию перспективных авторов. Наверняка все дело в охране или водителях, которые находятся в ведении Наны Константиновны Ким.

Филановская тяжело опустилась в кресло, но тут же выпрямила спину, сдвинула колени и посмотрела на Нану взглядом одновременно отрешенным и надменным.

— Нет, у меня дело конфиденциального свойства. Но прежде чем я его изложу, вы должны дать мне слово, что мои племянники ничего не узнают.

— Если это касается работы издательства, то я такого слова дать не могу.

— Работы издательства это никоим образом не касается. Это внутрисемейное дело.

— Тогда почему вы пришли ко мне, Любовь Григорьевна? Я — начальник службы безопасности издательства, а не семейный адвокат и не нотариус.

Больше всего в этот момент Нане хотелось отделаться от посетительницы. Головная боль быстро нарастала и стала уже почти непереносимой, кроме того, заложило нос и начался озноб. Если у внезапно заболевшего организма еще остался какой-то ресурс прочности, то его нужно поберечь для двух деловых встреч, которые никак невозможно отменить, и было смертельно жалко тратить этот драгоценный ресурс на какое-то внутрисемейное дело. Как на соревнованиях, мелькнуло в голове у Наны, когда неудачно упадешь и чувствуешь острую боль в колене или бедре при каждом движении, и понимаешь, что осталось откатать еще половину программы, и в этой второй половине, помимо всего прочего, два сложных прыжка и одно вращение, и ты просто не вытерпишь такую боль, если постараешься выполнить все запланированное, и нужно быстро, на ходу, перестраиваться и решать, какие элементы попытаться все-таки выполнить, а какие упростить, чтобы сохранить силы для сложных, за которые судьи дадут побольше баллов. Например, вместо каскада из двух тройных прыжков прыгнуть «три — два», тогда хватит сил сделать во вращении больше оборотов.

— Вы — начальник службы безопасности, — ровным голосом повторила за ней Филановская, — и это позволяет мне надеяться, что в вашем распоряжении есть сотрудники, умеющие выполнять деликатные поручения. Ведь есть?

— Есть, — кивнула Нана. — О каком поручении идет речь?

— Нужно найти одного человека.

— Зачем?

— Он... — Филановская на мгновение задумалась, словно подыскивая приемлемую формулировку, — он, скажем так, обладает сведениями, разглашение которых может нарушить мир и спокойствие в нашей семье. Это не имеет отношения ни к деньгам, ни к бизнесу, это абсолютно внутрисемейное дело, из-за которого мы все при неблагоприятном исходе можем перессориться.

— И все-таки, Любовь Григорьевна, кто этот человек? — настойчиво спросила Нана.

— Речь идет об отце моих племянников.

Фу ты, господи, ерунда какая, а она уже испугалась. Значит, об отце. Ладно, с этим она как-нибудь справится.

— Вот, — Любовь Григорьевна протянула Нане заклеенный конверт, — там все сведения, которыми я располагаю. Больше мне ничего не известно. Разумеется, работа будет должным образом оплачена. И еще раз позволю себе напомнить, что мои племянники не должны об этом знать.

Нана молча взяла конверт. В голове мутилось от боли, глаза почти ничего не видели. Пусть Любовь Григорьевна уже скорее уходит.

— Вы нездоровы? — В голосе Филановской прозвучало неподдельное сочувствие. — У вас совершенно больной вид.

— И самочувствие такое же, — Нана попыталась улыбнуться. — Как вы собираетесь скрыть от Александра Владимировича свой визит ко мне? Вас же куча народу видела в издательстве, и водитель, который вас привез, знает, что вы здесь были, и моя Влада знает, что вы приходили ко мне.

— Об этом не беспокойтесь, я сейчас зайду к Саше, у меня к нему дело. Вы же знаете, перед Восьмым марта он устраивает корпоративную вечеринку, и мне нужно обсудить с ним ряд вопросов. Я скажу, что заходила к вам.

— Зачем?

— Жаловалась на водителя. Мне не нравится, что он постоянно нарушает правила. Нас часто останавливают, и приходится терять кучу времени на объяснения с сотрудниками ГАИ. Или как оно теперь называется?

— Он действительно ездит с нарушениями? — обеспокоенно спросила Нана.

— Разумеется. Но теперь все так ездят. И разумеется, мне это не нравится. Я не хочу попасть в аварию.

— Вы хотите, чтобы вам заменили водителя?

— Я думаю, для первого раза будет достаточно, если вы сделаете ему внушение. Благодарю вас. Всего доброго.

Филановская поднялась и вышла из кабинета, громко стуча каблуками. Нана озадаченно посмотрела ей вслед и даже нашла в себе силы усмехнуться сквозь боль и озноб. Да уж, доктор педагогических наук.

Через несколько минут вернулась из аптеки Влада, высыпала на стол перед начальницей горку каких-то таблеток, порошков и микстур.

— Влада, детка, давай-ка сама, — слабым голосом попросила Нана. — Я уже ничего не соображаю, даже надписи прочитать не могу.

Секретарь взялась за дело, наливала воду, что-то растворяла, что-то капала. Нана покорно пила и глотала все, что ей давали, и ни во что не вникала. Вся ее спортивная жизнь приучила терпеть боль, и она умела терпеть боль в спине, в суставах, в ушибленных при падениях местах, терпеть и продолжать кататься, и прыгать, и вращаться, хотя от вращений немыслимо, просто запредельно болели руки: от высокой скорости вращения лопались сосуды. Головная боль была единственной болью, с которой Нана справлялась плохо и совершенно переставала соображать.

Половина первого. У нее есть еще час, чтобы прийти в себя.

— Никого ко мне не пускай и ни с кем не соединяй, — велела она Владе.

Секретарь вышла, Нана заперла за ней дверь и прилегла на неудобный кожаный диван. Сидеть на нем, конечно, хорошо, а вот лежать... Даже при ее не самом высоком росте ноги помещаются с трудом. И холодно как! А накрыться нечем. Если только шубой, но для этого нужно встать, а сил нет. Легла, не снимая пиджак, хорошо еще, что костюм трикотажный, не мнется. У уважающих себя руководителей имеется комната отдыха, и даже с собственным санузлом, и всегда есть возможность отдохнуть, полежать, накрывшись теплым пледом, прийти в себя, принять душ. И почему она такая упрямая дура? Ведь Филановский, когда они переезжали в это огромное новое здание, предлагал ей устроить при кабинете такую комнату, а она засопротивлялась, мол, ни к чему ей эти барские роскошества, она сюда работать приходит, а не отдыхать. Теперь вот жалеет...

Через пятнадцать минут озноб стал уходить, еще через пять головная боль ослабела, а через полчаса Нана почувствовала, что, пожалуй, переговоры она провести сумеет. Хорошо, что нет ничего сложного и скандального, обычная рутинная встреча, которую неудобно было отменять просто потому, что люди приехали из другого города и сегодня вечером собирались уезжать назад.

Она открыла глаза, повернулась, и взгляд ее упал на кресло, в котором еще недавно сидела Филановская. Надо что-то делать с ее поручением. Или потом? Ведь ничего срочного.

И все-таки она встала с дивана, отперла дверь и выглянула в приемную.

— Влада, найди мне Тодорова, если он в издательстве.

— Я его видела сегодня, — кивнула девушка, быстро нажимая кнопки на телефонном аппарате.

Конечно, ничего не случилось бы, если бы Нана позвонила Антону сама и попросила зайти. Но лучше действовать через секретаря. Почему-то Нана была в этом уверена.

Антон Тодоров был как раз тем человеком, которому можно и нужно поручать такие задания, с каким приходила тетка шефа. Помимо личной охраны руководства, охраны зданий, сооружений и материальных ценностей, проверки персонала издательства на благонадежность, коммерческой разведки и контрразведки, то и дело возникали ситуации, требующие деликатного и конфиденциального разрешения. Ситуации эти возникали не только с сотрудниками издательства, но и с авторами, причем с авторами даже чаще, а Александр Владимирович Филановский давно уже понял простую истину: чтобы автор с тобой работал, ему должно быть комфортно во всем, а не только в денежном отношении. Автора могут переманить в другое издательство, посулив ему более высокие продажи и, соответственно, гонорары, но в этот момент он вспомнит о том, как ловко, аккуратно и незаметно для постороннего глаза разрешались некоторые его личные вопросы, например, с сыном, попавшим в милицию, или с женой, оказавшейся на крючке у какой-нибудь мошенницы-ясновидящей, или с возникшим из ниоткуда бывшим одноклассником, прослышавшим о доходах автора и теперь осаждающим его просьбами дать денег, которые он наверняка никогда не вернет. Вспомнит автор об этом и еще десять раз подумает, прежде чем принимать выгодное предложение конкурентов, а подумавши, скорее всего, откажется. Вот на такие поручения и бросали Антона Тодорова. И справлялся он с ними, надо признать, вполне успешно. В службу безопасности издательства «Новое знание» он пришел из уголовного розыска и обладал не только необходимыми знаниями и навыками, но и нужными знакомствами.

— Нана Константиновна, пришел Тодоров, — прозвучал из интеркома голос Влады.

— Да, пусть заходит, — ответила Нана и быстро провела расческой по растрепавшимся волосам.

Антон плотно притворил за собой дверь и ласково улыбнулся:

— Привет.

— Здравствуй.

Нана с удовольствием позволила ему обнять себя и быстро поцеловать в губы. Рука Антона уже начала было привычное движение от ее обтянутого колготками колена вдоль бедра под юбку, но внезапно остановилась.

— Какая ты горячая! У тебя температура?

Он отстранился и внимательно оглядел ее лицо. Нана молчала.

— Господи, да ты совсем больная! Тебе домой надо, срочно.

— Сама знаю, — вполголоса пробормотала Нана. Говорить громко она не могла, каждый звук ударами кувалды отдавался в висках и затылке. — У меня две встречи, их нельзя отменить. Сейчас проведу обе и поеду.

— Да как же ты поедешь в таком состоянии? Тебе за руль садиться нельзя. Я тебя отвезу сам.

— На глазах у всего издательства? — усмехнулась Нана. — Не смеши меня. Кстати, открой дверь в приемную.

Их роман длился уже два года, и оба они делали все возможное, чтобы об этом не узнали на работе. Собственно, ничего крамольного в их отношениях не было: Нана давно в разводе, Тодоров вообще никогда не был женат, но романтические отношения между начальницей и подчиненным казались ей чем-то совершенно недопустимым, примерно столь же неприличным, как отсутствие честолюбия. И не только недопустимым, но и пошлым. Антон этого мнения не разделял, но ссориться из-за таких пустяков считал бессмысленным и старался, чтобы Нана была довольна и не нервничала.

Он послушно открыл дверь в приемную и, чтобы как-то оправдать свои действия, попросил Владу принести чай. Пусть девушка знает, что в их отношениях нет ничего личного, такого, что нужно обсуждать при закрытых дверях. Разговаривать можно тихо, она ничего не услышит, зато в любой момент сможет видеть, что в кабинете Наны Константиновны ничего непристойного не происходит.

— Для тебя есть работа, — проговорила Нана, протягивая ему оставленный Любовью Григорьевной конверт. — Приходила наша тетушка, ей нужно разыскать одного человека, все данные в конверте.

— Что за человек? — вздернул густые брови Тодоров.

— Понятия не имею. Там все написано.

— И зачем он ей?

— Антон, я понятия не имею, что ей надо. Ты же видишь, в каком я состоянии. Сейчас уже лучше, меня Влада какими-то снадобьями напичкала, а когда тетка заявилась, я вообще была в грязь, даже плохо понимала, что она говорит. Мне хотелось, чтобы она скорее ушла, и я не задала ей ни одного вопроса. Знаю только, что речь идет об отце шефа. Ну, и его брата, соответственно. Зачем-то этот тип ей понадобился.

На пороге появилась Влада с подносом в руках, и Тодоров тут же вскочил, взял поднос и поставил на стол перед Наной. Сделал он это не очень ловко, и чай из чашек выплеснулся на блюдечки. Влада тут же схватила салфетки и принялась устранять последствия тодоровской услужливости.

— Черт, до чего ж я неловкий, — смущенно пробормотал он.

— Да ладно, — Нана вяло махнула рукой.

Дождавшись, когда Влада выйдет в приемную, она продолжила, понизив голос:

— Короче, займись этим. Только имей в виду, у нашей тетушки жесткое условие: шеф и Андрей не должны об этом знать.

— Ну ясное дело, — хмыкнул Антон, отпивая горячий чай с лимоном. — Иначе она к тебе не пришла бы, а обратилась прямо к своему племяннику, чтобы он сам распорядился. Когда закончатся твои переговоры?

— Надеюсь, что к четырем.

— Хорошо, я как раз успею.

— Что ты успеешь?

— Доехать до твоего дома, оставить там свою машину и вернуться сюда на метро. Буду ждать тебя у выхода из метро, возле газетного киоска. Надеюсь, что пятьсот метров ты сумеешь проехать сама, а дальше я тебя повезу.

— Антон! — она умоляюще посмотрела на Тодорова.

— Ну что?

— А если кто-нибудь увидит?

— Да и черт с ним. А если ты в аварию попадешь? На тебя же смотреть страшно. Могу себе представить, как тебе плохо.

— Плохо, — удрученно согласилась Нана. — Ладно, давай тогда встретимся не у метро, а метров на двести подальше, в переулке, у следующего светофора. Туда никто из наших не забредает. Возле метро нас обязательно кто-нибудь увидит, все наши, у кого нет машины, пользуются этой станцией.

— Договорились. Что-нибудь купить? У тебя дома еда есть?

— Полно. Я вчера весь день у плиты простояла. Да, Антон, если Никита дома, проследи, чтобы он пообедал, ладно? И еще одно: зайди в аптеку, пожалуйста, купи марлевые маски. Не хватало мне только ребенка заразить, у него меньше чем через месяц юниорский чемпионат.

Она протянула Тодорову ключи от своей квартиры, и он спрятал их во внутренний карман пиджака вместе с конвертом, оставленным Любовью Григорьевной Филановской.

* * *

Любовь Григорьевна вошла в квартиру и тут же окунулась в давно надоевшие ей, вызывающие раздражение и тупую усталость звуки: из комнаты матери доносилась музыка Вагнера, от которой сводило скулы, и громкая декламация. Мать читала роль леди Макбет, сиделка подавала реплики за всех остальных персонажей. Ну почему это обязательно нужно делать под Вагнера, музыку которого Любовь Григорьевна не выносила?

У себя в комнате она переоделась в красивый домашний костюм — трикотажные брюки и кашемировый джемпер — и прошла в кухню, где домработница Валя исступленно надраивала керамическое покрытие плиты.

— Обед готов? — строго спросила Филановская.

— Да, Любовь Григорьевна, все готово. Тамара Леонидовна уже покушала. Вам подавать?

Филановская милостиво кивнула, присела за стол, потянулась к широкой стеклянной вазе с ржаными сухариками, взяла один, принялась грызть. Здесь, в кухне, музыка слышалась не так громко. Мать не слышит, что Любовь Григорьевна вернулась, и можно еще какое-то время провести в молчании. Валя — прислуга дисциплинированная, вышколенная, никогда не заговорит первой, пока ее не спросят.

Она уже пила кофе, когда музыка смолкла, и Любовь Григорьевна услышала, как распахнулась дверь и зашаркали неуверенные шаги, перемежающиеся стуком палки. Ну вот, счастье длилось недолго.

Тамара Леонидовна появилась на кухне в сопровождении сиделки.

— Валя! — с пафосом воскликнула она. — Кто эта женщина? Почему в доме посторонние? Ты совсем распустилась! Вот Любочка вернется, она тебе выволочку устроит.

Любовь Григорьевна молча продолжала пить кофе. Иначе как выжившей из ума старухой она свою мать давно уже не называла. Правда, только в мыслях. При посторонних она проявляла полное дочернее уважение. Валю мать, стало быть, узнает и даже имя ее помнит, а вот родную дочь идентифицировать отказывается. Что это, проявление болезни или привычка к лицедейству? Мать была когда-то великой актрисой, знаменитой не только в СССР, но и за границей, до семидесяти пяти лет она выходила на сцену, но теперь ей уже восемьдесят семь, осенью исполнится восемьдесят восемь, у нее множество болезней, она с трудом ходит, нуждается в постоянном присмотре, ничего не помнит и мало что соображает. Однако это не мешает ей продолжать оставаться великой актрисой.

— Тамара Леонидовна, это ваша дочка Люба, — терпеливо принялась объяснять сиделка.

— Ну какая же это Люба! — возмутилась та. — Что я, Любочку не знаю? Любочка совсем другая. А это какая-то чужая женщина. Убирайся из моего дома немедленно!

— Хорошо, — спокойно ответила Любовь Григорьевна, — вот сейчас кофе допью и уберусь.

Филановская-старшая попыталась изобразить рукой царственный жест «подите прочь», но пошатнулась, и сиделке еле-еле удалось ее подхватить.

— Пойдемте, Тамара Леонидовна, — ласково произнесла она, — пойдемте. Мы же с вами вышли походить, размяться, вот и пойдемте дальше.

— Я не хочу ходить, — капризно заявила бывшая примадонна, — мне тяжело, я устаю. И голова у меня кружится. Валя, я хочу обедать. Подавай.

— Вы уже обедали полчаса назад, — терпению сиделки поистине не было предела.

— Ты все врешь! Ты врешь! Тебе куска хлеба жалко для меня! Ты сама все съела, в доме еды нет, а на меня сваливаешь! Вот придет Любочка и тебя уволит. Дай мне немедленно телефон, я ей позвоню и скажу, чтобы возвращалась поскорее домой и разобралась тут с вами!

Ее оплывшее морщинистое лицо тряслось от негодования, глаза налились кровью, одной рукой она крепко держалась за сиделку, а другой пыталась поднять палку и замахнуться на домработницу. Терпение Любови Григорьевны лопнуло.

— Мама, прекрати этот цирк! Ты только что пообедала. Если ты голодна, Валя принесет тебе чаю и что-нибудь легкое.

Лицо старухи неожиданно прояснилось.

— Ой, Любочка! Так это ты? А я тебя не узнала, деточка. Ну что ты стоишь? — обратилась Тамара Леонидовна к сиделке. — Веди меня, мы же должны ходить.

Имени сиделки Любовь Григорьевна не помнила. Надзор за матерью требовался круглосуточный, сиделок было несколько, они работали то сутками, то менялись в течение дня, и что толку запоминать их? Это обязанность Саши — нанимать персонал, договариваться, решать организационные вопросы и оплачивать их работу, и Любови Григорьевне было, в сущности, абсолютно все равно, кто именно сидит с ее сумасшедшей матерью, лишь бы кто-то сидел и следил, чтобы она не упала, не вылила на себя кипяток, чтобы вовремя приняла лекарство и поела, чтобы без приключений сходила в туалет, чтобы была чистой и ухоженной и чтобы в комнате ее был порядок. И самое главное: сиделки должны были удовлетворять потребность старой актрисы в общении. Сама Любовь Григорьевна не испытывала ни малейшего желания разговаривать с матерью, выслушивать ее воспоминания и рассуждения о тяготах ее нынешнего состояния и уж тем более не собиралась подыгрывать ей в ее сумасшедших спектаклях. Тамара Леонидовна ежедневно играла какую-нибудь пьесу, то из своего прежнего репертуара, а то и что-нибудь новенькое, ею не сыгранное, вот как сегодня шекспировского «Макбета» например, и сиделки добросовестно помогали ей в этом.

Шаркающие шаги и стук палки то удалялись, то приближались. Квартира большая, просторная, есть где размять старческие ноги, чтобы мышцы окончательно не ослабели. Когда-то в этой огромной квартире их было четверо, потом пятеро, а теперь Любовь Григорьевна осталась вдвоем с выжившей из ума матерью.

Она попросила еще одну чашку кофе, выпила ее не торопясь. Пусть сиделка после обязательного променада уведет мать в ее комнату, тогда и Любовь Григорьевна уйдет к себе.

Наконец шаги стихли, вновь послышалась музыка. Любовь Григорьевна вернулась в свой кабинет, собрала бумаги, аккуратно сложила их в стопку, навела на столе порядок и только после этого села, достала из сумочки конверт и вытащила листок бумаги. За последние три дня она проделывала эту процедуру раз двадцать, каждый раз испытывая глупую, бессмысленную надежду на то, что на листке написано совсем не то, что ей помнится. Ей это просто приснилось, и не было никакой записки, не было этих страшных слов. Она открывала конверт, разворачивала листок и каждый раз убеждалась, что нет, не приснилось, не примерещилось. Все это было. Слова оставались теми же самыми, такими простыми и такими пугающими:

«Как ты думаешь, что будет, если они узнают?»

Москва, осень 1968 года

— Так, хорошо. Теперь посмотрела в окно и вспомнила что-нибудь интимно-романтическое, — деловито скомандовал фотограф по имени Женя.

Надя не удержалась, фыркнула и звонко расхохоталась. Какой же он забавный, этот Женя! Когда Сережа вел ее сюда, он говорил, что они идут в гости к самому великому фотографу-портретисту всех времен и народов, и Надя готовилась увидеть солидного дядечку в усах, бороде и свободном свитере толстой вязки, точь-в-точь как у Хемингуэя на самой знаменитой фотографии, висевшей в те годы почти в каждом доме. Дядечка-фотограф, если он самый великий, должен был, по ее представлениям, иметь густой бас и изысканно балагурить, используя в речи старомодные обороты, вроде «голуба моя», «барышня» или «не извольте беспокоиться». Именно такими рисовали представителей богемы (а кто же фотограф, если не богема?) в современном театре и кино, и зачастую они именно такими и оказывались, уж Наденьке ли не знать, ведь она выросла в семье, где папа — главный режиссер театра, а мама — знаменитая актриса. Поэтому она сначала удивилась, а потом развеселилась, увидев вместо солидного бородатого дядечки в толстом свитере невысокого субтильного плешивого Женю в клетчатой ковбойке с короткими рукавами и в вытянутых на коленках старых брюках. Она ни на минуту не поверила, что этот смешной сморчок сможет сделать по-настоящему хороший портрет, но позировала со всей серьезностью и добросовестно выполняла все указания фотографа, потому что не хотела обижать Сережу. Боже мой, она так сильно его любит, что готова ради него на все, что угодно! А уж такая-то малость...

— А интимно-романтическое — это как? — спросила она, бросив лукавый взгляд на сидящего в углу Сергея.

Сергей поймал ее взгляд и весело подмигнул в ответ.

— Ну, например, вспомни, как он объяснялся тебе в любви или как вы в первый раз поцеловались, — объяснил Женя.

— Он не объяснялся. Это сейчас не модно.

— А целоваться тоже не модно?

— Поцелуи — это буржуазный пережиток. Если люди любят друг друга, они составляют единое целое, а если не любят, то им незачем быть вместе. Что еще вы мне посоветуете вспомнить?

Надя откровенно веселилась, а присутствие Сергея придавало ей храбрости и желания казаться взрослой женщиной. Фотограф Женя, судя по всему, принимал ее слова за чистую монету, потому что ответил:

— Тогда думай о том, как вы сливаетесь в единое целое. Голову чуть влево, смотрим в окно и вспоминаем.

Надя послушно повернулась к окну, за которым не было ничего, кроме тяжелого, набухшего сердитым дождем осеннего неба. Квартира Жени находилась на девятом этаже, кроны деревьев сюда не доставали. Позировала она с удовольствием и вообще любила, когда ее фотографируют: Надежда Филановская была красивой девушкой, очень красивой, и знала об этом, как и о том, что наряду с красотой наделена и фотогеничностью. На снимках она всегда замечательно получалась.

— Очень хорошо! Еще чуть-чуть вспомнила... не думай о нас с Серегой, думай только о своем, про остальное забудь... И не моргаем!

На несколько секунд повисла пауза, которую разорвала вспышка фотоаппарата.

— Отлично! Остались в той же позе, продолжаем думать...

— Может быть, достаточно, Женя? — спросила Надя. — Вы уже почти два часа меня фотографируете.

— Наденька, чтобы получить три по-настоящему хороших снимка, нужно сделать не меньше ста кадров.

— Да ладно, Жень, — вмешался Сергей, — она права, хватит уже. Это ж не на выставку портрет, а для нас.

— Как скажешь, — фотограф явно был разочарован, ему хотелось еще поработать. — Тогда будем чай пить. Только последний снимок сделаю, ладно? Девушка так хорошо сидит, свет очень удачно падает.

Надя снова замерла, стараясь не моргать и придать лицу требуемое «интимно-романтическое» выражение, но у нее ничего не получалось, потому что в голову лезли всякие приземленные, вовсе не возвышенные мысли о том, как познакомить Сережу с родителями и что они скажут, когда узнают, что он женат, более того, через три месяца у него родится ребенок. Конечно, он разведется сразу же после рождения ребенка, ну, может, не совсем сразу, а где-то через месяц, но обязательно разведется, и тогда они поженятся. Надя Филановская была очень молоденькой, всего двадцать лет, но даже ее совсем небольшого жизненного опыта хватало для того, чтобы предвидеть реакцию родителей. Хотя, возможно, она зря паникует, папа и мама у нее люди современные, не косные, и когда они познакомятся с Сережей и поймут, какой он необыкновенный, какой замечательный, какой умный и тонкий, они, конечно же, одобрят ее выбор. Ну и что, что он женат! Кругом полно людей, которые разводятся и снова женятся, ничего в этом нет особенного. Ну и что, что он старше ее на четырнадцать лет, это даже лучше, чем выскакивать замуж за зеленых сопляков. Зелеными сопляками ее сестра Любочка называла всех, кто моложе ее самой, а ей уже двадцать шесть. И между прочим, отец Нади и Любы тоже старше мамы, на целых двенадцать лет старше, и они прекрасно живут вместе вот уже без малого тридцать лет и любят друг друга. А где двенадцать, там и четырнадцать, разница невелика.

Чай пили здесь же, в комнате, потому что кухню Женя превратил в фотолабораторию, где проявлял пленки, обрабатывал пластины, печатал и сушил снимки. Там, правда, осталась плита, на которой грелся чайник, но все остальное, включая холодильник и кухонную утварь, находилось в комнате. Сергей и хозяин квартиры горячо обсуждали августовские события в Чехословакии и на Красной площади, а Надя маялась от скуки, потому что политикой не интересовалась и ничего в ней не понимала, однако делала заинтересованное лицо и кивала, не сводя глаз с Сережи и продолжая думать о своем. Главным образом о том, как она его любит, и о том, какая она счастливая, потому что он любит ее.

— Они допустили одну ошибку, только одну, но так дорого за нее заплатили! — сокрушался Сергей.

— Какую?

— Они отменили цензуру. Если бы они этого не сделали, все бы у них получилось. Начали бы строить свой социализм с человеческим лицом, развивать рыночное хозяйство, реабилитировали всех, кто пострадал от репрессий, боролись бы с тоталитаризмом, номенклатурой и бюрократами, и никто бы им не помешал. Думаешь, Кремль рыночного хозяйства испугался? Да ему без разницы, пусть бы у чехов был частный сектор, как в Венгрии или в Югославии. Наши цековские заправилы именно отмены цензуры испугались, потому и ввели войска. Пока есть цензура, все можно делать и перестраивать потихоньку, не будоража умы, просто народ будет чувствовать, что постепенно жить становится легче и свободнее, и думать, что это и есть торжество идей социализма. И все довольны. А как только отменяешь цензуру, на людей начинает изливаться такой поток новых мыслей, что сознание не справляется, начинается разброд в мышлении, а это — прямая дорога к бунту.

— Думаешь, все так просто? — Женя с сомнением покачал головой. — Думаешь, тут, в Москве, все умные, а в Чехословакии одни дураки сидят и никто до этого не додумался? Так не бывает, Серега. И потом, что значит — делать потихоньку? Потихоньку, тайком делают что-то, когда знают, что это плохо, неправильно, а они знали, что правы. И между прочим, они действительно правы.

— Да правы, правы, конечно, кто же спорит, но надо же с умом действовать, а не вот так, в открытую! Они что, не понимали, с кем связались? Не понимали, что наше руководство этого не потерпит?

Надя не очень отчетливо представляла себе, о чем они спорят. О Пражской весне она вообще, кажется, ничего не слышала, потому что сама газет не читала, а на обязательной политинформации в Консерватории, где она училась, об этом как-то не говорили, вернее, говорили, но только уже в сентябре, когда закончились летние каникулы, и не особенно подробно. Так, между делом, упомянули, что в августе руководство ЧССР обратилось к СССР с просьбой ввести войска для укрепления обороноспособности Варшавского блока против НАТО. Ну ввели войска — и ввели. Митингов под лозунгом «Руки прочь от Вьетнама» было куда больше, звучали они куда громче, и название деревушки Сонгми, сожженной дотла американским лейтенантом Келли, известно каждому. А Наде Филановской было не до этого, она вся ушла в свою любовь и в нетерпеливое ожидание зимы: Сережина жена наконец родит ребенка, и он с ней разведется. Надя и Сергей тогда поженятся, и у нее начнется совсем другая жизнь, совсем новая, совсем взрослая, такая тревожно-манящая своей неизведанностью, но обязательно полная любви и нежности.

Около десяти вечера она заторопилась домой. Пока родители не знают о Сереже, нельзя приходить слишком поздно. Ну сколько же можно тянуть с официальным знакомством? Она учится, Сережа работает, встречаться они могут не каждый день, да и то только по вечерам, и эти три-четыре часа пролетают всегда так быстро! Конечно, они и в выходные встречаются, но все равно ей очень хочется, чтобы часов, проведенных вместе, было намного больше. А еще лучше, чтобы можно было не ночевать дома. Но это совершенно невозможно, пока мама с папой не одобрят ее будущего мужа.

— Сережа, когда ты к нам придешь? — спросила Надя, когда они шли от метро «Площадь Революции» по улице Горького в сторону ее дома. — Ну сколько можно тянуть?

— Я пока не готов, — скупо проронил он.

— А когда же? Сереженька, я не могу так больше, ты просишь, чтобы я не говорила родителям о тебе, и мне все время приходится что-то придумывать, врать, чтобы объяснять, куда я ухожу и откуда так поздно возвращаюсь. У меня уже фантазии не хватает. И вообще, я плохо умею врать и скоро попадусь. Давай я им скажу, а?

— Надюша, я прошу тебя... Я не могу знакомиться с твоими родителями, пока не разведусь, ну неужели тебе так трудно это понять? Как я буду смотреть им в глаза, если они будут знать, что у меня беременная жена? Да они меня на порог не пустят, более того, они запретят тебе со мной встречаться, будут контролировать каждый твой шаг, не будут подзывать тебя к телефону, и мы тогда вообще не сможем видеться. Ты этого хочешь?

Этого Надя, само собой, не хотела, однако ни на одну секунду не допускала мысли о том, что Сергей прав. Ну как такое может быть, чтобы родители ее не поняли и не одобрили? У нее такие замечательные мама и папа, такие умные, добрые, веселые, талантливые! Они просто не имеют права ее не понять. Наденька Филановская искренне и радостно любила и жизнь, и всех людей и потому пребывала в счастливом убеждении, что такая огромная любовь не может оказаться безответной. Конечно же, и жизнь будет к ней благосклонна, и люди ее тоже любят, а уж о родителях и старшей сестре Любе вообще речи нет. А коль любят, то ни за что не станут препятствовать тому, чтобы она была счастлива. Сережа упирается, потому что не знает, какая у нее замечательная семья. Ну и пусть. Главное — она знает и поэтому верит, что все будет хорошо.

Решение пришло неожиданно, и Надя сперва даже удивилась, что это ведь так просто, почему же она раньше не сообразила? И совсем не обязательно говорить об этом Сереже, она и сама прекрасно может все устроить. Вот только момент надо выбрать удачно.

Дома она еще не успела снять пальто, как в прихожую фурией вылетела старшая сестра Люба.

— Где ты шлялась? — зловещим шепотом начала она. — Сейчас тебе будет.

— У нас было комсомольское собрание, а потом митинг в защиту Вьетнама, — Наденька округлила глаза, всеми силами стараясь продемонстрировать недоумение. — А в чем дело? Я же предупреждала, что задержусь.

— Не было у вас никакого собрания, тебе какая-то твоя подружка звонила, с мамой разговаривала, вот и выяснилось.

— А почему мама дома? — удивилась Надя. — У нее же сегодня спектакль.

— Спектакль! — фыркнула Люба. — У Громова инсульт, спектакль отменили, заменили на «Бесприданницу», а мама в ней не играет. Она уже с семи часов дома.

Надо же, а Надя даже не заметила мамину машину возле подъезда. Впрочем, когда рядом Сережа, она вообще ничего не замечает, смотрит только на него и думает только о нем. Вот невезенье! Надя была вполне разумной девушкой и приходить домой так поздно, как сегодня, позволяла себе только в те дни, когда у мамы был спектакль, стараясь при этом вернуться раньше ее. Отец, главный режиссер этого же театра, в расчет как-то не принимался, потому что он, как правило, оставался до конца спектакля, а если бы ему позволили, вообще жил бы в театре. Если же он по каким-то причинам проводил вечер дома, то уж точно ни в какие телефонные разговоры с подружками дочерей вступать не стал бы и никаких вопросов им не задавал бы. Ничто в этой жизни не интересовало его больше, чем театр, и за возможность служить ему он отдал бы все, не считаясь ни с чем.

— Папа тоже дома? — дрогнувшим голосом спросила Надя.

— Нет, папа поехал в больницу, куда Громова увезли. Все-таки ведущий актер, занят во всех гастрольных спектаклях, и надо понимать, какие перспективы, оправится ли он к гастрольному сезону или надо вводить другого актера. В Москве можно репертуар скорректировать, а на гастроли-то надо везти самое лучшее. Папа, конечно, в ужасе, так что тебе, считай, пока повезло, ему не до тебя. Но мама!..

Люба вскинула руки, пытаясь жестом передать всю степень негодования, в которое впала Тамара Леонидовна.

Ну и ладно. Раз так — значит, так тому и быть. Все равно придется признаваться, так уж лучше сейчас.

Надя переобулась в домашние тапочки и решительно двинулась к себе в комнату. Однако не успела она пройти и двух шагов, как из гостиной донесся хорошо поставленный голос матери:

— Надежда, это ты пришла?

— Я, мам, — откликнулась девушка.

— Иди сюда.

Надя вошла в комнату, пытаясь выглядеть спокойной и одновременно стараясь побыстрее определить настроение матери. Настроение, похоже, было — хуже некуда, не зря же мама назвала ее Надеждой, а не Наденькой, как обычно. Тамара Леонидовна, в свои пятьдесят выглядящая лет на тридцать пять, без единого седого волоса в длинных густых темно-русых кудрях, сидела в кресле, облаченная в лиловый атласный пеньюар с рюшами. Спина прямая, голова гордо поднята, в изящной руке — дымящаяся сигарета, вставленная в тонкий мундштук. Воплощенная неприступность и бескомпромиссность. В общем, поняла Надя, ничего хорошего ее не ждет.

— Где ты была? Только не ври, что на комсомольском собрании. Так где же? Откуда ты явилась в одиннадцать часов?

— Я была... с мальчиком... ну, то есть с молодым человеком.

— Неужели? И давно ты с ним знакома?

Правду Надя говорить и не собиралась, иначе сразу выяснится, что она соврала не только сегодня, но делала это систематически на протяжении нескольких месяцев.

— Со вчерашнего дня. Знаешь, мама, он такой

славный. Хочешь, я приглашу его к нам? Ты с ним познакомишься и сама увидишь, какой он чудесный.

Лицо Тамары Леонидовны заметно смягчилось, теперь оно выражало живейший интерес. Уже не так важно, почему дочь солгала, гораздо важнее, что за мальчик у нее появился.

— Ну, насчет приглашения к нам — я бы спешить не стала, — в голосе матери появились царственные интонации, — может быть, он тебе скоро разонравится, так что и огород городить ни к чему. А кто он? Ваш, консерваторский?

— Нет, он художник.

— Как интересно! — Тамара Леонидовна похлопала ладонью по стоящему рядом дивану. — Иди-ка сюда, сядь, расскажи мне о нем подробнее. Как его зовут?

— Сережа. Сергей Юрцевич.

— И сколько ему лет?

— Ну... он старше меня.

— Намного?

— На четырнадцать лет.

— На четырнадцать лет? То есть ему тридцать четыре года? Господи, Надюшечка, да он для тебя старик!

Надюшечка. Значит, мама уже не сердится, наоборот, она готова к доверительному разговору. Вот и отлично.

— Ой, мама, — Надя сморщила носик, потянулась к матери, прижалась щекой к ее обтянутому прохладным атласом плечу, — ну а вы с папой? Он тебя на двенадцать лет старше, и ничего.

— Сравнила! Впрочем, ладно... — Тамара Леонидовна загасила сигарету и повернулась в кресле так, чтобы видеть дочь. — И что, чем он занимается, этот твой Сережа?

— Я же сказала, он художник. Пишет картины.

— Он член Союза художников? У него своя мастерская?

— Нет... Он просто художник, учился в Мухинском училище в Ленинграде.

— Интересно. Чем же он на жизнь зарабатывает? Если бы его картины продавались, я бы слышала его имя. Как ты сказала? Юрцевич? Нет, не слыхала. На что же он живет?

— Мам, я только вчера с ним познакомилась, откуда же мне знать? Неудобно у человека с первой же встречи спрашивать про деньги, правда? Кажется, он преподает в какой-то художественной школе.

Надя отлично знала, что это только часть правды, но в ее ситуации правду и надо выдавать частями, маленькими такими порциями, иначе можно на корню все дело загубить.

— Это неплохо, — задумчиво протянула Филановская-старшая. — А что же он не женился так долго? Тридцать четыре — это уже солидный возраст, в тридцать четыре года у меня, например, было уже двое детей, Любочке было десять, а тебе — четыре годика.

Но Надя и к этому была готова. Только осторожно, частями...

— Во-первых, когда папа на тебе женился, ему тоже было тридцать четыре, ты не забыла? И до тебя он ни на ком не был женат.

— Ты не сравнивай, — строго ответила мать, — ты вспомни, какое тогда было время! Тридцатые годы — это не то, что сейчас, в то время и до сорока лет не жениться считалось нормальным. Люди не о семьях и любви думали, а поднимали социалистическое хозяйство, преодолевали разруху, электростанции и дороги строили. А что во-вторых?

Ну вот, теперь самое главное. Только бы не ошибиться, ничего не испортить.

— А во-вторых, Сережа был женат.

— Был? То есть он в разводе?

— Да.

Ну какая разница, в конце концов? Он разведется через три-четыре месяца, и то, что Надя сейчас сказала матери, станет чистой правдой. Совсем необязательно признаваться во всем сегодня. А когда Сережа оформит развод и пройдет еще какое-то время, никому уже не будет дела до того, когда именно это произошло, осенью шестьдесят восьмого года или весной шестьдесят девятого.

— И дети у него есть?

— Д-да... кажется...

Не говорить же маме, что Сережина жена беременна и скоро родит. Получится, что он не просто развелся, а бросил беременную женщину одну в такой трудный период. Это уж совсем некрасиво, Надя это понимала, поэтому должным образом относилась к тому, что Сергей собирается разводиться только после того, как родится ребенок.

— Мальчик, девочка? — продолжала допрос Тамара Леонидовна.

— Не знаю, мам, мы же только вчера познакомились.

Да, этот момент Надя не продумала. Действительно, кто может знать, мальчик родится у Сережи или девочка? А отвечать надо уже сейчас. Ладно, пусть она пока якобы этого не знает, но ведь, если познакомить Сережу с родителями, они спросят у него, и что ему отвечать? Он-то не знать не может. Хорошо, если угадает, а если нет?

— Значит, алименты, — задумчиво протянула Филановская. — Ну и зачем тебе такое сокровище? Нищий живописец, разведенный, с алиментами. Нет, и думать забудь о нем, и не надо его сюда приводить, очень надеюсь, что в самое ближайшее время ты сама поймешь: он тебе совершенно не подходит и не надо с ним встречаться.

— Ну почему, мам?

Тамара Леонидовна взяла дочь за руки, притянула к себе, обняла.

— Надюша, ласточка моя, поверь мне, со стороны всегда виднее. Ты такая красивая, такая талантливая, тебя ждет блестящее будущее. У тебя дивный голос, тебя хвалят педагоги, главреж Театра оперетты дождаться не может, когда ты выпустишься, он даст тебе все главные роли. Как раз на днях я с ним говорила, он спрашивал о тебе. Захочешь — поедешь в Ленинград, в Театр музыкальной комедии, да тебя с руками оторвут! Вот о чем ты должна думать, а не встречаться с каким-то разведенным оборванцем. Не трать свое время на него, лучше занимайся побольше.

— Так мне что же, и замуж выходить нельзя? — попыталась пошутить Надя.

— Замуж можно, но только так, чтобы это не мешало твоей артистической карьере, а еще лучше — чтобы способствовало ей. Ну чем твой маляр может тебе помочь?

— Он не маляр, — Надя резко вырвалась из материнских объятий, — не говори так. Он очень талантливый художник. Как ты можешь судить, если не видела его картин? Ты же ничего о нем не знаешь! Он такой образованный, так много читал, так много знает! Он честный и порядочный, и очень добрый. Если уж выходить замуж, так только за такого, как он.

Филановская встала и молча прошлась по комнате, до двери и обратно, остановилась прямо перед диваном, на котором сидела девушка.

— А ты, я так понимаю, его картины видела. Да?

Надя молча кивнула, понимая, что наделала

кучу ошибок и вывернуться теперь вряд ли удастся.

— И когда же, позволь спросить?

— Сегодня.

— Где?

— Ну как где... Мам, ну какая разница, где висят его полотна?

— Разница есть. Так где они висят, эти так называемые полотна? У него дома, в пустой холостяцкой дыре? Или дома у его близких друзей? Таких близких, что они проявили чудеса деликатности, и когда вы заявились к ним в гости якобы посмотреть картинки, вдруг оказалось, что им срочно нужно уйти, и вы остались в пустой квартире наедине? Или это была комната в коммуналке? Так было? Признавайся! И не смей мне врать!

Наденька растерялась окончательно. Она боялась родителей, боялась их гнева и даже простого недовольства, и в такие минуты, как эта, от страха переставала соображать. Ее любовь к миру была огромной, и этот великий и такой редкий дар оборачивался оружием против нее же самой: она не умела противостоять тем, кого любила, не умела сохранять хладнокровие, если те, кого она любит, были ею недовольны. Нужно было срочно придумать очередную ложь о том, где и при каких обстоятельствах она видела картины художника, с которым только вчера познакомилась, но в голову ничего не приходило.

— Что ты молчишь? Где ты видела его картины?

— У него дома. Мы зашли буквально на пять минут, я только посмотрела — и мы сразу ушли.

— Не смей мне врать!

— Я не вру. Так и было, правда, — пробормотала Надя дрожащим голосом.

Мать молча уселась в кресло, вставила в мундштук новую сигарету, закурила.

— Ладно. Дай мне слово, что не наделаешь глупостей. Я очень надеюсь на твое благоразумие. И подумай над моими словами: он тебе не пара. Лучше прекрати с ним встречаться сейчас, пока у вас не сложились отношения, толку от этого все равно не будет. Так и быть, можешь сходить с ним в кино или на концерт какой-нибудь, не очень часто, раз в две недели, но не более того. И никаких походов в гости к нему или к его друзьям, ты меня поняла?

— Почему? Ну в гости-то почему нельзя?

— Потому что ему тридцать четыре года и он уже был женат. Ты что, не понимаешь? Он искалечит тебе всю жизнь, потом отряхнется и пойдет дальше и даже не вспомнит о тебе. Это твои ровесники подолгу ухаживают и к первому поцелую подбираются по несколько месяцев. А он, этот твой Сережа, — взрослый мужчина, для него постель — дело обычное, повседневное, ты и сама не заметишь, как в ней окажешься. И что ты потом будешь делать? На аборт пойдешь? Будешь терпеть адскую боль без наркоза? А если неудачно сделают? Рискнешь остаться бездетной на всю оставшуюся жизнь? Или запишешься в матери-одиночки? И думать забудь.

— Ничего он не искалечит! Он чудесный, необыкновенный, он потрясающий! Как ты можешь такие гадости говорить о человеке, которого ни разу в жизни не видела?

— Ну, ты, положим, тоже не очень-то много его видела, — холодно заметила Тамара Леонидовна, — если ты не врешь. Или ты не вчера с ним познакомилась, а?

Она сделала паузу, и Надя вздрогнула, когда голос матери неожиданно загремел:

— Сколько времени вы уже встречаетесь?! Месяц? Два? Полгода?!

Девушка сидела молча, втянув голову в плечи. Все пропало. Она сама все испортила. Что же теперь делать? Мама обо всем догадалась, и отныне Наде придется отчитываться о каждой минуте, проведенной вне дома, и о каждом телефонном звонке. Одна надежда на сестру Любу: все-таки театральные спектакли никто не отменит, и мама как минимум два, а то и три раза в неделю будет выходить на сцену и не узнает, что младшей дочери нет дома. Конечно, она будет звонить из театра и проверять, но, может быть, можно как-то договориться с Любой, она ведь старше, она обязательно что-нибудь придумает.

— Что ты молчишь? Я задала вопрос: как давно ты с ним встречаешься? И жду ответ.

— Две недели.

У Нади достало самообладания, чтобы сообразить, какой срок назвать. Две недели свиданий, прикрытых «комсомольскими собраниями», «походами в филармонию», «репетициями» и «днями рождения подружек», — это не так много, чтобы завоевать репутацию отъявленной лгуньи, и в то же время достаточно, чтобы иметь право называть человека добрым, умным, тонким и образованным.

— Ты влюблена? Или он просто кажется тебе интересным человеком?

Мать снова заговорила спокойно, и Наде послышалась в ее голосе даже доброжелательная заинтересованность. Может быть, еще не все потеряно? Может быть, удастся убедить маму?

— Он не просто кажется, мама, он действительно интересный человек, он необыкновенный, — горячо заговорила девушка, но Тамара Леонидовна неожиданно прервала ее:

— Ты меня в гроб сведешь! — Она приложила

ладонь ко лбу. — У меня страшно разболелась голова. Закончим это. Я все сказала. Актриса, хотя бы и будущая, обязательно должна иметь поклонников, поэтому пусть он будет, этот твой Сережа, но только в качестве поклонника. Пусть дарит цветы, караулит тебя у подъезда или встречает у Консерватории, пусть приглашает на концерты. Но этим твое общение с ним должно быть и ограничено. Никаких свиданий наедине. И уж тем более никаких визитов к нам домой, не вздумай приближать его к семье. Я прекрасно знаю эту породу нищих живописцев, его пригласишь на чашку чаю, а он через пять минут начнет приставать к папе, чтобы тот устроил его к себе в театр художником-декоратором.

Филановская устало махнула рукой и удалилась в спальню. Надя еще какое-то время сидела на диване, у нее не было даже сил встать. В гостиную заглянула Люба, посмотрела на сестренку насмешливо и с жалостью.

— Ну что, получила?

Надя удрученно кивнула.

— И правильно. Я всегда тебе говорила, что ты врать не умеешь, так что лучше не берись. Почему сразу-то правду не сказала?

— Вот сказала сегодня, только еще хуже получилось. Вообще теперь не знаю, что делать.

— А в чем проблема-то? Что, кавалер неподходящий?

— Мама так считает.

— И правильно считает. Тебе учиться надо, образование получать, а не по свиданиям бегать. Надька, тебе двадцать лет всего, рано еще про мальчиков думать. На меня посмотри, мне двадцать шесть уже, я институт закончила, работаю — и то ни с кем не встречаюсь, а уж ты-то! Сопля ты зеленая, а туда же. Ты сначала профессию получи, потом будешь о любви думать.

Никто ее не понимает, никто не хочет ей помочь, даже сестра, а Надя так на нее надеялась! Ну почему все так глупо, неправильно, почему? Как ей теперь встречаться с Сережей? Если только разрешить ему приходить сюда, когда родителей нет дома, но нужно, чтобы Люба согласилась ее не выдавать. А на Любу, похоже, надежды нет никакой, она окончила педагогический институт и работает в школе учителем младших классов, строгая, требовательная. Надя точно знала, что ее старшая сестра выбрала себе профессию по призванию, она действительно прирожденный педагог, умеет объяснять и учить, да так, что все с первого раза раскладывается в голове по полочкам и уже никогда не забывается. Это Надюша неоднократно испытывала на себе, когда, еще будучи школьницей, не понимала какой-то материал или пропускала занятия по болезни и Люба помогала ей. И не имело никакого значения, к какому предмету относился непонятый материал: к физике, математике, биологии или истории. Люба брала учебник, пробегала нужные страницы глазами и объясняла так, что Надя потом долго удивлялась, почему сама не смогла разобраться, ведь это же так просто!

Да, Люба хороший учитель во всех смыслах этого слова, и ничего непедагогического ни за что не совершит. Как можно было надеяться, что она согласится лгать родителям и покрывать сестру! Глупо. И насчет личной жизни у нее установки строгие: нечего вертеть хвостом и встречаться со всеми подряд, нужно спокойно жить, работать и ждать своего единственного, который непременно когда-нибудь появится, надо только набраться терпения и не делать глупостей. Люба их и не делала никогда. Она была очень уравновешенной и очень правильной, за всю жизнь Надя ни разу не слышала, чтобы родители кричали на нее, ругались или даже просто сделали ей замечание. Нет, Любаша со своей правильностью и принципиальностью ей не помощник.

Что же делать? Как устроить так, чтобы продолжать видеться с Сережей? Как сделать так, чтобы он понравился маме с папой? Разрешенные мамой «раз в две недели» Наденьку ну никак не устраивали.

* * *

Театр, в котором служили Григорий Васильевич и его супруга Тамара Леонидовна Филановские, был известным, любимым зрителями и обласканным властями, благодаря чему каждый год отправлялся на зарубежные гастроли, пропагандируя по всему миру передовое советское искусство. Более того, Тамара Леонидовна давно, много и чрезвычайно успешно снималась в кино и дважды получала на зарубежных кинофестивалях призы за лучшую женскую роль. Помимо дивной красоты и бесспорного драматического дарования, она хорошо танцевала, обладала небольшим, но чудесного тембра контральто, и все это в полной мере использовалось режиссерами как в театре, так и в кинематографе. Особенно хорошо, по понятным причинам, ей удавались роли в экранизациях оперетт, в которых и вокальные, и хореографические номера она исполняла сама. Тамару Филановскую называли второй Любовью Орловой, а некоторые знатоки считали возможным утверждать, что Филановская, пожалуй, даже и получше.

В партию Тамара вступила во время войны, когда была вместе с театром в эвакуации, за два месяца до рождения первой дочери, Любочки. В партийной жизни молодая актриса Филановская всегда была деятельной и ответственной, активно участвовала в общественной работе, выступала на партсобраниях и в результате оказалась одной из немногих представителей мира искусства, чьи кандидатуры при решении вопросов о зарубежных поездках даже не обсуждались. Кого другого и могли обсудить, но только не ее: разумеется, Филановская поедет, товарищ проверенный, в партии с 1942 года, идеологически подкованный, с прекрасной репутацией, любимица всего коллектива, красавица, талантливая, обаятельная, кто же еще, как не она, может за границей являть собой олицетворение духовных побед на пути строительства коммунизма! Тамара Леонидовна была очень умна, и если во время зарубежных гастролей или иных каких творческих командировок с ней беседовали журналисты, то каждое слово в ее интервью было настолько выверено, а все сказанное ею настолько пронизано «линией партии и правительства», что власти советской страны ее просто обожали. Один руководитель, большой поклонник актрисы Филановской, как-то даже сказал, что можно упразднить весь пропагандистский аппарат, работающий на зарубежные страны, вполне достаточно раз в три месяца выпускать Тамару за границу и публиковать ее интервью, чтобы никто в мире не усомнился в безусловном превосходстве коммунистической идеологии.

И все равно, при всей своей благонадежности и блестящей репутации Тамара Леонидовна и ее муж не могли избежать контактов с приснопамятным управлением КГБ, бдительно следящим за настроениями в среде творческой интеллигенции, особенно выезжающей за пределы страны. Мало ли, вдруг кому-то взбредет в голову вывезти или ввезти в СССР валютные ценности или антиквариат, а то и, не приведи господь, остаться за рубежом. Ее никогда не вербовали, не пытались склонить к доносительству о настроениях в труппе, всем известно, что примадонны для этого не подходят, вербуют обиженных, неудачливых, завистливых, а Тамара Филановская к этим категориям никак не относилась. Однако порядок есть порядок, и без дружеской беседы, называемой инструктажем, все равно не обойтись, хоть ты и примадонна, и муж у тебя — главный режиссер и художественный руководитель театра. Однако же для примадонны и главрежа все-таки некоторые исключения делались, и состояли они в том, что инструктаж с ними проводили не рядовые сотрудники, как с другими артистами, а начальство, и с начальством этим со временем у четы Филановских сложились очень теплые и почти дружеские отношения.

Полковник госбезопасности Круглов Иван Анатольевич был джентльменом во всех отношениях приятным, с мужчинами — остроумным, с женщинами — галантным, и перед Новым годом, примерно за неделю, он специально приехал в театр поздравить супругов Филановских с наступающим праздником и вручить соответствующий случаю презент. Круглов сперва зашел в кабинет к Григорию Васильевичу, не без удовольствия выпил с ним по рюмочке коньячку, а затем проследовал в гримуборную к Тамаре Леонидовне, которая отдыхала между дневной репетицией и вечерним спектаклем. Тамара Леонидовна гостю обрадовалась, протянула руку, которую Круглов благоговейно облобызал, с восторгом приняла и рассмотрела подарок — изящную хрустальную вазу.

— Вы меня балуете, Ванечка, — кокетливо сказала она. — К чему такие дорогие подарки?

— Повод увидеть такую женщину, как вы, не может оказаться дешевым, а без повода я не смею к вам являться, — рассмеялся Круглов. — Ну, рассказывайте, как живете, как работа, как девочки. Здоровы? Как у Наденьки учеба?

С того дня, когда Надя поведала матери о своем знакомстве с неким художником, прошло почти два месяца. Больше они к этой теме не возвращались, Надя только трижды за истекшее время говорила матери, что Сергей Юрцевич пригласил ее в театр, и Тамара Леонидовна эти походы санкционировала. Она была уверена, что никаких тайных встреч у ее дочери с Юрцевичем не происходит, Надежда не посмеет ее ослушаться. Впрочем, жизнь актрисы, плотно занятой в театре и на съемках, отнюдь не способствует осуществлению контроля за детьми, это общеизвестно. Филановская понимала, что жизнь дочерей проходит мимо нее, но полагалась на их сознательность и рассудительность. Вон Любочка какая выросла, ни одного неверного или даже просто сомнительного шага, одна радость матери. И Надюша должна быть такой же.

Червь сомнения, однако же, подтачивал потихоньку доверие Филановской к младшей дочери, и она сочла, что сейчас и представился вполне благоприятный случай получить квалифицированный совет.

— Знаете, Ванечка, меня Надюша немного беспокоит, — призналась она.

— А что случилось? — тут же взволновался Круглов.

— Влюбилась, дурочка, в какого-то разведенного нищего художника, да еще с ребенком от первого брака. Прямо не знаю, что и делать. Он ей совсем не пара, а она и слышать ничего не хочет.

— Понимаю, понимаю, — покивал головой Круглов. — Вы сами-то его видели? Как он вам показался?

— Да не видела я его! Еще чего не хватало! Надя, правда, хотела привести его к нам в дом, но я категорически запретила. Зачем мне в моем доме всякие оборванцы?

— Ну, Тамарочка, дорогая моя, от вас ли я это слышу! Почему непременно оборванец? Почему вы решили, что он нищий? Это вам Надя так сказала?

— Да нет, Надюшка-то как раз считает, что он необыкновенный, умный, тонкий и все такое. Но что с нее взять, она восторженная маленькая девочка, ей всего двадцать лет, что она в жизни понимает? Но если живописец не выставляется, не продается, а работает в художественной школе, то кем, по-вашему, он должен быть, этот Юрцевич? Миллионером? Рокфеллером? Конечно, он нищий, вопросов нет.

Круглов нахмурился, и лицо его моментально стало деловым, а голос — сухим и жестким.

— Как вы сказали, Тамарочка? Как его фамилия?

— Юрцевич. А что? Вы его знаете?

— А имя? — продолжал допытываться Круглов.

— Сергей.

— И сколько ему лет?

— Надюша говорит, тридцать четыре.

— Значит, Юрцевич Сергей Дмитриевич, тридцать четвертого года рождения, художник... Когда же он успел развестись?

— Боже мой, — Филановская вскочила с диванчика, на котором до того полулежала, откинувшись на подушки, — вы действительно его знаете? Ваня, не пугайте меня.

Круглов подошел к ней, отечески обнял за плечи и усадил на диван.

— Погодите, Тамарочка, не волнуйтесь. Хотя дело, конечно, сложное. Сергей Юрцевич действительно профессиональный художник, но... как бы это вам сказать... он уже не работает в художественной школе.

— А где же он работает? — испуганно спросила Тамара Леонидовна.

— В ЖЭКе, истопником. Но это информация за прошлый месяц, новую я пока не получал.

— Господи! — Филановская в ужасе всплеснула руками. — Какой ужас! Как истопником? Почему?

— Год назад его уволили из художественной школы и исключили из партии. Он на занятиях в старших классах рисовал шаржи на членов ЦК и побуждал к этому своих учеников. Знаете, в классе, где он должен был вести урок, затеяли ремонт, и занятия перенесли в актовый зал, а там на стенах, ну, как и везде, висят портреты членов Центрального Комитета партии. Вот он и предложил ученикам... Безобразие форменное! Разумеется, это не осталось незамеченным. Его теперь близко не подпускают к педагогической деятельности и вообще ни на одну приличную работу не возьмут. Вот разве что истопником. Вы сказали, он разведен?

— Да.

— Значит, совсем недавно развелся, в прошлом месяце он еще был женат, если мои сотрудники ничего не напутали. А что насчет ребенка?

— Ну, есть ребенок. Я даже не знаю, мальчик или девочка и сколько ему лет.

— А вот это уже странно. Месяц назад никакого ребенка у него не было... Или я запамятовал? Вы уж простите, Тамарочка, но я мог забыть или просмотреть что-то. Вы же понимаете, что человек, представитель творческой интеллигенции, позволяющий себе насмехаться над руководством нашей страны, не может пройти мимо нашего внимания. Разумеется, мы за ним присматриваем, чтобы он снова не начал распространять свои вредные воззрения в среде нашей советской молодежи. Таких, как он, на самом деле в Москве немного, и раз в месяц я получаю общую справку обо всех, так что я мог на что-то не обратить внимания или упустить... Дайте мне пару дней, я все проверю.

— Боже мой, боже мой, — Филановская раскачивалась, обхватив голову руками. — Что же это происходит? Как же Надя могла?

— Погодите, Тамарочка, не расстраивайтесь прежде времени, — мягко успокаивал ее Круглов. — Ничего еще не известно точно. Может быть, это однофамилец. Я все проверю, все узнаю и вам сообщу. А вы дайте мне обещание.

— Какое? — почти простонала она.

— Никому ничего не говорить, ни Григорию Васильевичу, ни девочкам, ни друзьям. И не показывайте виду, что вы чем-то расстроены. Я сперва все узнаю достоверно, а потом мы с вами сядем, подумаем, все обсудим и решим, как действовать дальше. Если ничего страшного — то и слава богу. А если дело плохо, то нужно постараться избежать огласки. Вам ведь осенью снова на гастроли ехать. Вы меня понимаете?

Уж конечно, она понимала. И еще как понимала!

* * *

Круглов вновь объявился за два дня до Нового года. На этот раз он не пришел в театр, а позвонил Тамаре Леонидовне и договорился с ней о встрече.

— Разговор у нас серьезный, если мы появимся где-то в людном месте, нам поговорить не дадут, вас ведь от мала до велика вся страна в лицо знает, — сказал Иван Анатольевич.

Филановская с этим согласилась и без возражений приехала по тому адресу, который назвал ей полковник госбезопасности. Она здесь ни разу не бывала, но догадалась, что это место, вероятно, и называется конспиративной квартирой, где всякие засекреченные сотрудники встречаются с разными нужными им людьми вдали от посторонних глаз. Квартира небольшая, чистая, ухоженная, но все равно видно, что нежилая. Впрочем, Тамаре Леонидовне было не до того, чтобы разглядывать обстановку и оценивать детали. Несколько дней она провела в сильнейшем напряжении, стараясь выполнить слово, данное Круглову, и ничем не выдать своей обеспокоенности, да что там — паники. Она улыбалась, разговаривала с мужем и дочерьми, репетировала, играла, звонила подругам, ездила к портнихе, в то время как внутри у нее все, как ей казалось, зажмурилось и сцепило зубы в единственном усилии: не закричать, не сорваться, не потребовать у Надежды объяснений. Но она выдержала, все-таки Тамара Филановская была превосходной актрисой и умела «держать лицо» в любых обстоятельствах.

Круглов помог ей снять каракулевое манто, усадил в кресло, предложил чаю, от которого Тамара Леонидовна отказалась.

— Ну говорите же, Ванечка, — нетерпеливо произнесла она. — У меня уже никаких сил нет терпеть эту неопределенность.

Иван Анатольевич вздохнул и дружески погладил ее холеную, украшенную кольцами руку.

— Дела наши не очень хороши, — осторожно начал он.

— Говорите, Ваня, я ко всему готова.

— Ну, коль так... Сергей Юрцевич со своей женой не разводился. То есть он по-прежнему состоит в браке. Более того, его жена беременна. Роды предполагаются в конце января — начале февраля. Никаких других детей у Юрцевича пока нет.

— Значит, Надя меня обманула, — в ужасе произнесла Тамара. — Какой кошмар, Ванечка! Моя дочь встречается с женатым мужчиной, у которого беременная жена! Да как же она может! Господи, кого я вырастила!

— Погодите, Тамарочка, это все не так страшно. Гораздо хуже другое. — Да что же может быть хуже! Ох, Надюшка, Надюшка... — Тамара, этот Юрцевич — человек крайне неблагонадежный. Тот факт, что его исключили из партии и уволили из школы, не послужил ему уроком. Он в кругу друзей высказывает негативные оценки деятельности партии и правительства, он открыто критикует позицию руководства страны в разрешении кризиса в Чехословакии и поддерживает тех, кто в августе вышел на Красную площадь с плакатами, ну, вы помните эту историю, более того, он позволяет себе насмехаться над советской властью и нашими достижениями в деле строительства коммунизма. Нам стало известно, что он собирался написать и расклеить по всему городу листовки соответствующего содержания. До дела, правда, не дошло, намерение так и осталось на словах, но оно было, и это очень плохо. Одним словом, ваш Юрцевич — отъявленный антисоветчик.

— Так посадите его! И пусть сидит! И не смеет приближаться к моей дочери! — истерично выкрикнула Тамара Леонидовна.

— Тамарочка, дорогая моя, за что его сажать? На семидесятую статью он не тянет, в его действиях нет ничего, что позволяло бы доказать умысел на подрыв советской власти. Слава богу, два года назад ввели сто девяностую «прим» за распространение заведомо ложных измышлений, порочащих советский общественный и государственный строй, но и там нужно доказывать это самое распространение, а Юрцевич высказывается в узком кругу, так что... Нет, натянуть можно, конечно, но нас за это не похвалят.

— Но на тех, кто вышел на Красную площадь, статья нашлась, — возразила она.

— К сожалению, не на всех. Правда, этих людей становится все больше, и пора принимать меры. Однако наше руководство делает основной упор не на наказание, а на профилактику. Мы активно выявляем таких, как ваш Юрцевич, и стараемся сделать так, чтобы им захотелось прекратить свою деятельность. Такие у нас установки сверху. — Иван Анатольевич выразительно закатил глаза к потолку. — Я хочу о другом сказать: отношения у вашей Наденьки с Юрцевичем самые серьезные, он собирается разводиться сразу после рождения ребенка и жениться на вашей дочери. Представьте себе, что это произойдет. А еще через год у нас появятся неоспоримые правовые основания его посадить. И его посадят. Представляете себе перспективу?

Филановская побледнела. В ее семью войдет антисоветчик, которого в конце концов отправят за решетку. И всё. Никаких зарубежных гастролей, никаких кинофестивалей, Григория снимут, отправят на пенсию, в крайнем случае зашлют в какой-нибудь провинциальный театр, и даже не главным режиссером, а очередным. Ее перестанут снимать ведущие кинорежиссеры, ее вообще не будут приглашать сниматься, а в театре не дадут ролей. И уж конечно, Наденьку, жену судимого антисоветчика, не возьмут ни в один театр, и ей, с ее талантом, придется довольствоваться скромной и скучной жизнью учительницы пения в школе... Впрочем, нет, в школу Надю не пустят, там же дети, а вдруг она набралась у мужа вредных идей и начнет плохо влиять на школьников. Значит, все, что ей останется, — быть аккомпаниатором в захолустном доме культуры или клубе. Это совершенно невозможно! Этого нельзя допустить! Она запретит дочери выходить замуж за этого негодяя, вот и все решение проблемы! Но Надежда-то какова! Серьезные отношения... Лгунья, маленькая лгунья. Убить ее мало за это. Нашла с кем связаться.

— Я не допущу, чтобы она вышла замуж за Юрцевича, — твердо произнесла Тамара Леонидовна. — Я этого просто не допущу.

Круглов снова сочувственно погладил ее по руке.

— А вот здесь, Тамарочка, мы с вами подходим к самому главному. Наберитесь мужества, дорогая моя. Вам будет очень трудно не допустить женитьбы Юрцевича на Наденьке. Она совершеннолетняя, она не обязана вас слушаться, они просто подадут заявление в ЗАГС и зарегистрируются. Вы и знать ничего не будете.

— Я ей запрещу! Она не может меня не послушаться!

— Может, Тамарочка, милая, может.

— Почему?

— По двум причинам. Во-первых, она уже попала под влияние Юрцевича, она смотрит ему в рот и слушается только его. Это длится уже полгода и зашло очень далеко.

— Как... далеко? — едва шевеля онемевшими губами, спросила Филановская.

— Очень далеко. При таких обстоятельствах люди обычно все-таки вступают в брак, не считаясь с мнением родных. Вы меня понимаете?

— Сколько уже?

Голос внезапно сел, и последние слова Тамара произнесла шепотом. Она не хотела верить в то, что правильно поняла Круглова.

— Больше четырех месяцев. Срок большой, за прерывание беременности не возьмется ни один врач. В такой ситуации вы просто не сможете воспрепятствовать браку Надюши и Юрцевича.

Боже мой, боже мой... Надюшечка, деточка, что же ты наделала... Надо срочно искать способы спасти ситуацию. Филановской хотелось разрыдаться, затопать ногами, бить кулаками в стену, но она понимала, что не имеет на это права. Пусть Ванечка, Иван Анатольевич Круглов и давний знакомый, и даже добрый друг, все равно он посторонний, тот, в чьих глазах она обязана оставаться великой Тамарой Филановской, а не истерично голосящей бабой. Надо взять себя в руки.

— А если не дать ему развестись? Ведь можно же как-то это устроить, а, Ванечка? Разве можно разводиться с женщиной, которая только-только родила?

— Закон не запрещает. Вот если бы Юрцевич работал в каком-нибудь приличном месте и оставался членом партии, на него, конечно, управа нашлась бы. А так... Ну что он, истопник в ЖЭКе, беспартийный. Что с ним можно сделать?

— А может быть... Ну, я хочу сказать, можно же сделать так, чтобы жена не давала ему развод. Тогда как?

— Тогда суд назначит еще одно слушание через два месяца, даст сторонам время на примирение. Потом еще раз. Потом в иске о расторжении брака откажет. Юрцевич обратится в городской суд, потом в областной. В областном суде разведут, это точно. Если человек на протяжении такого длительного времени хочет уйти от жены и терпит бесконечную судебную волокиту, значит, решение его твердо, и сохранять такой брак смысла нет. Все равно рано или поздно разведут. Но в это время ваша дочь уже родит и будет считаться матерью-одиночкой.

— Да бог с ним, пусть мать-одиночка, только бы не жена антисоветчика, — махнула рукой Филановская.

— Вот тут вы заблуждаетесь, дорогая, — покачал головой Круглов. — Что может помешать Юрцевичу официально признать отцовство? В метрике ребенка он будет записан как отец, и связь Надежды с антисоветчиком скрыть все равно не удастся. И ваш внук будет считаться ребенком антисоветчика.

— Думаете, он захочет признать отцовство? — с сомнением спросила Тамара.

— Уверен. Он любит Надюшу и очень хочет на ней жениться. И будет делать все, что этому поможет.

— Да не на Наде он хочет жениться, а на нашей семье! Любит он ее, можно подумать! Он наше положение любит, наши деньги, наш достаток, наши возможности, нашу известность! Вот что ему нужно! Зачем быть нищим истопником, когда можно в один момент стать членом семьи Филановских, которые ничего не пожалеют для любимой дочери, ее мужа и ребенка. Неужели не понятно?

— Тамара, милая, я не берусь судить, насколько вы правы, но какое это имеет значение? Важен сам факт того, что Юрцевич собирается стать вашим зятем, неважно, какие мотивы им движут, но у него для этого есть все возможности. И его ребенок в скором времени станет вашим внуком или внучкой, этому вы помешать уже никак не можете. Вот из этого и надо исходить.

— И что вы мне посоветуете, Ванечка? — жалобно простонала она. — Не может быть, чтобы не было никакого выхода. Ну скажите же мне. Он есть? — Тамара Леонидовна просительно заглянула в глаза полковнику Круглову. — Я на все готова, честное слово. Если вы мне скажете, что нужно убить этого Юрцевича, я его убью, сама убью, своими собственными руками, но не позволю исковеркать жизнь всей нашей семьи.

— Ну что вы, — рассмеялся Круглов, — зачем такие страсти? И потом, это не решит проблему: Надя все равно запишет его отцом ребенка.

— Ну и пусть! Пока что его еще не посадили за антисоветскую пропаганду, пока он просто художник, вот пусть им и останется навсегда.

Она слышала себя словно со стороны и удивлялась: неужели это она, добродетельная жена и мать, коммунист, член партии с четвертьвековым стажем, дочь убежденного революционера, рассуждает о том, что готова лишить человека жизни, пока он окончательно не испортил свою репутацию, чтобы спасти репутацию и карьеру членов своей семьи? Бред, галлюцинации! Не может она говорить об этом всерьез, на нее просто нашло какое-то помутнение, она в ужасе, в панике, вот и городит черт знает что.

— Простите, Ванечка, я несу какую-то чушь... Какое убийство, что это я... Но должен же быть какой-то выход.

— Да, Тамарочка, голубушка, это вас занесло, — с улыбкой заметил Круглов. — Хорошо еще, что ваш собеседник — я, а не кто-то другой, иначе вас могли бы неправильно понять. Но в том, что вы сказали, есть рациональное зерно.

— Да? — встрепенулась она. — Какое?

— Меры нужно принимать, пока Юрцевич не наделал глупостей. Как бы мы с вами ни старались, его имя уже связано с вашей семьей, Надюша носит его ребенка, и отменить это мы никакими усилиями не сможем. Однако мы можем попытаться спасти именно имя. Вы меня понимаете?

— Нет, — растерянно ответила Тамара. — Чье имя мы можем спасти? Наше? Каким образом?

— Да не ваше, Тамарочка, не ваше. Ваше-то имя что спасать? Оно у вас и так — ого-го! — Он рассмеялся и подмигнул ей. — Я имею в виду имя Юрцевича. Пока что он просто художник и отец Надиного ребенка. Наша с вами задача не допустить, чтобы он превратился в диссидента и Надюшиного мужа. Слышали такое новое слово — диссидент?

— Конечно, — кивнула Филановская.

— Так вот, зять-диссидент вам не нужен. Юрцевича можно посадить за что-нибудь другое.

— За что? — испугалась она.

— Да какая разница, было бы желание. Посадим. И будет сидеть. Тем самым мы одновременно решаем целый ряд тактических и стратегических задач. Во-первых, Юрцевич отправляется на зону и лишается, таким образом, возможности распространять свои антисоветские идеи, потому что уголовники — народ своеобразный и совсем не похожи на тех гнилых интеллигентов, с которыми он общается в Москве. То есть появляется гарантия, что в ближайшие несколько лет его за эти идеи не осудят. Если же он попытается вести свою пропаганду и агитацию среди других осужденных, то об этом очень быстро станет известно руководству колонии, и мало ему не покажется. На зоне всегда есть возможность сделать так, чтобы человек получил новый срок. Но это случится уже не здесь, не рядом с вами, и к вам отношения иметь не будет. Во-вторых, Юрцевич становится банальным уголовником, тупым и отвратительным в глазах вашей дочери, и это отбивает у нее всякую охоту выходить за него замуж и записывать его в метрике отцом ребенка. В-третьих, пока этот тупой и отвратительный уголовник отбывает срок, Надюша основательно остывает, чувства проходят, остается только неприязнь, и когда он появляется снова, ни о каком возобновлении отношений речь уже не идет. Если после отбытия наказания он не возьмется за ум и будет продолжать свою деятельность в антисоветском русле, его, конечно же, привлекут за это, но к вашей семье это уже не будет иметь никакого отношения. Самое оптимальное — за это время выдать Наденьку замуж, и пусть ее муж усыновит ребенка. Всё, история будет окончена. Как вам такой вариант?

— Ваня, неужели это возможно? Вот так, просто взять и посадить человека ни за что?

— Ну почему ни за что? Всегда есть за что. Вы же понимаете, что на зарплату низового работника ЖЭКа трудно содержать беременную жену, которой требуется особое питание, и одновременно ухаживать за молодой красавицей, дарить ей цветы и водить по театрам и концертам. У Юрцевича есть побочные доходы, он же художник, и, кстати сказать, очень неплохой художник, карандашом и кистью владеет. Вот и подхалтуривает, дает частные уроки, оформляет какие-то деревенские клубы в провинции. Деньги получает из рук в руки, никаких документов, никаких подоходных налогов. А это дело подсудное. Или, к примеру, идет себе человек поздно вечером по темной улице, к нему пьяный пристал, оскорбляет, слово за слово — начинается перепалка, а там и до драки недалеко, милиция — тут как тут: нарушение общественного порядка, хулиганство, статья, срок. Да это не ваши заботы, Тамарочка, дорогая моя, вы только решение примите, а уж все сделают, как надо. И имейте в виду: вы и ваш муж — народное достояние, гордость советского искусства, и власть всегда вас поддержит, если вы сами не совершите опрометчивых поступков.

Ну что ж, слово сказано. Дескать, если вы не хотите, чтобы антисоветски настроенные элементы вливались в вашу семью, мы на самом высоком уровне обеспечим вашу защиту, а уж если вы эти элементы к себе приблизите, то потом не жалуйтесь, никаких исключений для вас сделано не будет, потому как из доверия вы выйдете окончательно и бесповоротно. Вот так. И поедете вы с мужем и дочерьми на периферию, в какой-нибудь богом забытый театрик, и останетесь там до гробовой доски.

И еще одно понимала Тамара Леонидовна: Круглов пришел на эту встречу с готовым решением, которое уже проговорил и согласовал с руководством, но с профессиональной ловкостью подвел дело таким образом, что решение это вроде бы пришло к нему на ум спонтанно, только что, в ходе беседы, и более того, частично оно было подсказано самой Тамарой. Ну что ж, Иван Анатольевич не зря ест свой хлеб, можно ему поаплодировать.

— Знаете, Ванечка, я что-то так разволновалась, даже ноги не несут. Давайте, что ли, чайку выпьем, — попросила Тамара.

Ей нужно было собраться с мыслями и силами, чтобы принять решение. Конечно, семью надо спасать, но ведь какой ценой!

Круглов вышел из комнаты и через десять минут вернулся с двумя чашками чаю. Чай был невкусным и, на взгляд Тамары Леонидовны, слишком крепким, но она все равно его выпила, потому что от волнения пересохло во рту. Разговор шел о чем-то постороннем: о новом спектакле, который готовится в театре, о ведущем актере Громове, чья болезнь оказалась, к счастью, не настолько тяжелой, чтобы лишить его возможности выходить на сцену где-то через полгодика, о молодом композиторе Давиде Тухманове, чью модную песенку «Эти глаза напротив» распевали на каждом углу...

Примерно через полчаса Филановская решилась:

— Ванечка, я тут подумала... Вероятно, вы правы. То, что вы предложили, будет для всех наилучшим выходом.

— Значит, даете «добро»?

— Да, — твердо произнесла она.

— Тогда, если позволите, я дам вам несколько советов.

— Конечно, Ванечка, говорите. Я все сделаю, что нужно.

— Первое и главное: никому ни слова. Вы ничего не знаете и ни о чем не догадываетесь. Особенно это касается Надюши. Знаю я вас, женщин, — он снова негромко рассмеялся, — как только ее увидите, начнете смотреть на ее живот. Вы ведь ничего пока не замечали?

— Нет. Надюшка у нас пухленькая, пышечка такая, ничего пока не видно, я бы заметила, если что.

— Вот и не замечайте. И на живот не смотрите. Вы ничего не знаете. Запомнили?

— Да. Что еще?

— Второе: не позволяйте ей познакомить вас с Юрцевичем, не позволяйте приводить его в дом. Если, не дай бог, что-то случится... ну, вы понимаете, о чем я, то не надо, чтобы кто-то мог утверждать, что вы с ним общались, разговаривали и все такое. Потом вас же будут упрекать, что вы не разглядели антисоветчика, или, что гораздо хуже, заподозрят, что он поделился с вами своими воззрениями и вы с ними согласились. Это понятно?

— Да-да, конечно, — торопливо ответила Тамара.

— Теперь третье, тоже очень важное: не откладывая в долгий ящик начинайте готовить Надю к тому, что рождение ребенка — это прекрасно, это самое лучшее, что может быть в жизни женщины, что вы мечтаете о внуках...

Филановская вздрогнула, как от удара.

— Но я о них совершенно не мечтаю! Вы что, Ваня? Ну какая из меня бабушка? Я до самой смерти должна быть молодой красавицей, иначе я перестану быть актрисой. Я и так от всех скрываю, сколько мне лет.

— Вам двадцать семь и всегда будет двадцать семь, — улыбнулся Круглов. — Но поверьте мне, Тамарочка, выполнение моих рекомендаций обязательно, если мы с вами хотим добиться желаемого результата. Сейчас Надюша пребывает в убеждении, что мать-одиночка — это ужасно, это конец всему, в том числе и карьере, ибо так ее воспитывали. Поэтому она не отделяет перспективу материнства от перспективы замужества. Если она рожает, то она должна быть замужем за отцом своего ребенка. Эту связь в ее голове нужно разрушить. Материнство ценно само по себе, безотносительно к замужеству, и если она родит вне брака, вся семья будет только рада и всячески ее поддержит. Понимаете? Нужно заронить в Надюшину головку мысль о том, что наличие мужа не является обязательным.

— Но зачем? — недоумевала Филановская.

— Затем, чтобы Надежда не стремилась к браку с Юрцевичем любыми средствами, несмотря ни на что. Поверьте мне, огромное количество женщин выходит замуж за отцов своих детей без любви, просто потому, что безотцовщина считается неприличной. Сделала глупость, допустила неосторожность, вступила в близкие отношения, не проверив чувства как следует, забеременела, аборт не сделала — то ли не успела вовремя, то ли решила рожать, и выходит замуж за того, кто ей, как выяснилось спустя пару месяцев, совершенно не нужен. Не любит она его, как оказалось. А замуж выходит, потому что ребенок. Если Надюша пойдет по этому пути, можете себе представить, что получится. Юрцевич, находясь в зоне, подаст на развод, его жена с этим согласится, потому что муж-уголовник ей тоже не больно-то нужен, и Надя, не спросясь вас, поедет к нему туда, где он будет сидеть, и зарегистрирует брак. Такое развитие событий тоже нельзя сбрасывать со счетов. А если не поедет, то будет его упорно ждать и выйдет замуж, когда он вернется. И уж наверняка запишет его имя в метрику. Кроме того, Наденька у вас девушка эмоциональная, импульсивная, к тому же молоденькая, жизнью не умудренная и трудностями не закаленная. Сейчас она более или менее спокойна, у нее впереди четыре с лишним месяца, за это время Юрцевич разведется, они подают заявление в ЗАГС, приходят к вам домой, и она скажет: «Папа и мама, я выхожу замуж, у нас будет ребенок». И все будут счастливы и кинутся их поздравлять. Так ей это видится сегодня. А что будет, когда совершенно неожиданно в один прекрасный день ей скажут, что Юрцевич арестован, находится под следствием и его ждут суд и колония? Развестись-то он так и не успел. Как она отреагирует? Что будет делать? Я вас уверяю, Тамарочка, реакция ее будет тем ужасней, чем больше она будет бояться этой самой пресловутой безотцовщины. А когда реакция ужасна, то и поступки совершаются чудовищные. Нам с вами это надо?

До нее наконец стало доходить, о чем толкует Круглов. Ей-то все время казалось, что опасность исходит только от Юрцевича, будь он неладен, и если его убрать с глаз долой, подальше куда-нибудь запихнуть, то все проблемы решатся сами собой. Тамара Леонидовна как-то совершенно упустила из виду свою дочь Надежду, которая тоже способна совершать какие-то поступки, которые могут доставить семье кучу неприятностей. В общем, она совершила типичную ошибку красивой женщины, которая так долго цепляется за свою внешность и моложавость, что инстинктивно вытесняет из сознания неудобные мысли: дети выросли, они уже взрослые, а коль так — они способны и хотят действовать самостоятельно, не испрашивая у родителей разрешения по каждому поводу. Для женщин, которые пытаются продлить собственную молодость, дети никогда не вырастают и не взрослеют, потому что у молодой женщины не может быть взрослых детей, и впоследствии это оборачивается взаимным непониманием, конфликтами, драмами, а то и трагедиями.

— Вы правы, Ванечка, — кивнула она. — Я понимаю.

— Ну вот. Значит, психологическая сторона комбинации выглядит следующим образом: Юрцевич плохой, мать и дитя — это прекрасно. Вторая часть за вами. А уж сделать Юрцевича плохим — наша задача.

— Хорошо, а если Надя сама мне признается, что беременна? Что тогда делать?

— Да ничего! Признается — и замечательно. Обрадуйтесь, покажите, как вы счастливы.

— Но тогда мне придется согласиться на знакомство с Юрцевичем, и она приведет его к нам... Я же не смогу отказаться от знакомства с отцом ребенка, правда? Как это будет выглядеть?

— Тамарочка, голубушка, ну мне ли вас учить? Вы же такая умница! Если Надюша признается вам, что ждет ребенка, она обязательно признается и в том, что Юрцевич женат, у нее просто выбора не будет, иначе она не сможет объяснить, почему он на ней, несмотря на беременность, до сих пор не женился. И вы вполне можете сказать, что не считаете для себя возможным принимать у себя в доме женатого поклонника дочери, это противоречит вашей морали. Дайте ей слово, что, как только он станет свободным, вы с радостью с ним познакомитесь и примете самое деятельное участие в подготовке к свадьбе. Помечтайте вместе с ней о том, как будете нянчить и растить ребенка, и особенно настаивайте, чтобы она не волновалась ни по какому поводу, это вредно для малыша. Когда Юрцевича арестуют, она будет знать, что не одинока, что дома у нее есть сильная поддержка, которая поможет справиться с любой бедой. Если Надюша такую поддержку чувствовать не будет, то никто не знает, что она может натворить. Вы согласны?

Ей было трудно согласиться, но пришлось. Они поговорили еще немного, и Филановская ушла. Выйдя из подъезда, села в свой новенький «Москвич-412», купленный совсем недавно, завела двигатель, но с места не тронулась. Сидела и тупо глядела на противоположную сторону улицы, где на здании кинотеатра висела огромная афиша фильма «Фантомас» с изображением устрашающего сине-зеленого лица. Сеанс только что закончился, и на улицу вываливала толпа возбужденных зрителей, размахивающих руками и горячо обсуждающих только что увиденные приключения бесстрашного и находчивого журналиста Фандора. Какая глупость, какая бездарная тупость все эти дурацкие приключения! И ведь кому-то нравится. Наверное, тому, у кого нет таких проблем, как у нее, Тамары Филановской. Господи, Надюшечка, деточка, что же ты наделала? Влюбилась в первого попавшегося художника, позволила ему заморочить себе голову, а в результате поставила под удар обоих родителей и себя саму. Почему ничего не сказала, когда только познакомилась с ним? Уж Тамара бы сумела объяснить дочери, что встречаться с женатыми мужчинами не просто безнравственно, но и глупо, потому что бесперспективно, а уж тем паче с такими мужчинами, у которых беременные жены. Почему ничего не сказала, когда поняла, что беременна? Ну ладно, молодая, неопытная, не сразу заметила, не сразу догадалась, но все равно ведь наверняка догадалась, пока не истекли первые двенадцать недель, когда еще можно делать аборт. Почему не пришла к матери, не посоветовалась, не попросила помощи? Если бы не тот случай с комсомольским собранием, которого, как выяснилось, не было, Тамара бы так до сих пор ничего и не знала.

Теперь вот внук появится или внучка... Зачем? Кому он нужен, этот ребенок? Тамаре Леонидовне он совершенно точно не нужен. Григорию Васильевичу вообще не нужно ничего, кроме театра. Надюше? Смешно. Она не может осознанно хотеть ребенка, она сама еще совершенное дитя, ей нужно заканчивать Консерваторию и делать артистическую карьеру, перспективы у нее блестящие, и что теперь будет?

В голову пришла странная мысль: жизнь всегда наносит удар именно оттуда, откуда его совсем не ждешь. Разве могла она ожидать, что Надюшка выкинет такое? Даже Любочка, старшая дочь, и та ни разу не огорчила мать ложью или сомнительным знакомством, всегда была послушной и разумной, а уж Надюша-то — она же младшая, и если Люба до сих пор слушается родителей, то Наде сам бог велел. Как же получилось, что она вышла из-под контроля и попала под влияние какого-то антисоветчика? А вдруг он заразил ее своими идеями? А вдруг Надя уже высказывает их среди студентов Консерватории? И со дня на день им позвонит ректор и скажет, что Надежду Филановскую отчислили и исключили из комсомола. И никакой арест Юрцевича им уже не поможет... Боже мой, боже мой, столько лет каторжного труда, столько усилий по выстраиванию своей жизни, по укреплению репутации, и все получилось — и все может пойти прахом. В один день. В один момент.

Она все сидела, не отводя глаз от сине-зеленой физиономии на афише кинотеатра. Это какая-то другая жизнь, жизнь, в которой есть место легкомыслию, смеху и удовольствиям, жизнь, в которой можно ходить на «Фантомаса» и принимать эту бредятину всерьез, а потом выходить из кино и обсуждать ее, потому что нет в эту минуту ничего важнее и интереснее. А в ее жизни все черно, все сгнило и рушится, придавливая обломками ее многолетний труд и труд ее мужа, их талант, их высочайший профессионализм, который уже совсем скоро никому не будет нужен. С ними просто никто не захочет иметь дела. Где же грань между этими двумя жизнями? В каком месте, в какую неуловимую и необратимую секунду чья-то чужая рука провела ее?

Рука неудавшегося художника, истопника из ЖЭКа, ненавидящего советскую власть. Как говорится, было бы смешно, если бы не было так грустно.

А тут Фантомас какой-то...

* * *

Новый год в семье Филановских почти никогда не встречали дома. Григорий Васильевич и Тамара Леонидовна любили праздновать в кругу «театральной общественности», а девочки собирались с друзьями. Конечно, пока дочери были маленькими, их брали с собой, не оставлять же дома одних, потом подросшая Любочка, уходя в свою компанию, забирала с собой Надюшу, а теперь и у Нади есть свой круг однокурсников из Консерватории, с которыми она веселится в новогоднюю ночь.

После встречи с Кругловым Филановская вернулась в театр, в этот вечер у нее спектакль, завтра, тридцатого декабря, и послезавтра, тридцать первого, она играет два детских утренника — традиционную «Снежную королеву», а нужно еще столько успеть! Платье для новогоднего банкета не готово, надо обязательно съездить к портнихе, она обещала все сделать, но вдруг что-то не так, и ей придется переделывать, а это тоже требует времени. Тридцатого с трех часов дня она должна быть на «Мосфильме», на съемках картины, где играет главную роль. Если утром спектакль, то выучить текст роли для завтрашнего эпизода ей придется сегодня, другого времени не будет. И еще нужно непременно успеть сделать генеральную уборку в квартире, ликвидировать перед наступлением Нового года старую грязь, это многолетняя традиция, нарушать которую Тамара Леонидовна себе не позволяла. И еще нанести несколько визитов с поздравлениями и подарками, которые нельзя отменить. И где взять время на все это?

Жизнь Тамары Филановской была подчинена жесткому расписанию. Она — актриса, и это главное. Для того чтобы оставаться актрисой, нужно поддерживать форму и внешность, и это тоже становится главным. Нужно ВЫГЛЯДЕТЬ, это касается в равной степени лица, фигуры, прически и одежды, и на это уходит масса времени и усилий. Косметологи из Института красоты, парикмахеры, маникюрши, массажистки, портнихи — всех их нужно посещать регулярно и достаточно часто, дабы сохранить в неприкосновенности данную природой красоту, которой почти ежедневный плотный грим наносит непоправимый урон.

Она — актриса, и это означает, что жизнь ее протекает в театре и на съемочной площадке, где царят постоянные интриги, ложь и взаимная ненависть и зависть. И потому на первое место выходит репутация, на поддержание которой тоже требуются усилия и время. Тамара Леонидовна много лет назад выбрала для себя роль заботливой милосердной сестры, навещающей больных, утешающей страждущих, помогающей попавшим в беду. Ее должны не только уважать, но и любить, ибо это единственная более или менее действенная защита от разрушительной атмосферы зависти и интриг. Она ездила к коллегам-артистам, в том числе и бывшим, домой, в больницы и дома престарелых, привозила лекарства, фрукты и конфеты, часами выслушивала чужие истории, вытирала чужие слезы и сочувствовала чужому горю. К чести Тамары Леонидовны надо признать, что она в этих ситуациях почти всегда была искренней, она действительно любила людей, жалела их и охотно помогала, порой пользуясь своей известностью и решая чужие проблемы в кабинетах партийных и исполкомовских чиновников. Конечно, иногда случалось, что настроения ехать не было, и сил не было, и нездоровилось, и катастрофически не хватало времени на то, чтобы выучить роль или даже просто побыть дома с детьми, но Тамара все равно ехала, и делала по дороге покупки, и сидела, и выслушивала, и утешала, потому что так надо, потому что иначе даст трещину непробиваемая броня репутации, и зашевелятся злые языки, и пойдут разговоры...

Тамара родилась в 1918 году в далеком глухом сибирском селе, в семье учителя, сосланного за революционную деятельность еще в 1910 году. Она была младшей в многодетной семье и нищеты, голода, холода и неустроенности хлебнула сполна. Ссыльных в селе было много, все они тесно общались между собой, поддерживали друг друга, а после революции стали в той местности оплотом советской власти. Самым близким другом отца Тамары был Арсений Яковлевич Шубин, до ссылки игравший на сцене питерской Александринки и даже в Сибири не оставивший любимого занятия. До революции он дважды в год — к Рождеству и Пасхе — ставил с детьми и подростками сценки и маленькие спектакли на религиозные темы (глубоко верующие местные жители ни за что не позволили бы своим детям участвовать в богопротивных затеях), придумывал декорации, помогал шить костюмы. После революции идеологическая политика изменилась, и Арсений Яковлевич принялся создавать местный самодеятельный театр и даже вместе с отцом Тамары сочинял пьесы соответствующего содержания, например, о том, как плохо жилось батракам при царизме и как хорошо им стало при новой власти. Маленькая Тамара была «при театре» практически с самого рождения и заболела желанием стать артисткой даже раньше, чем первой в своей жизни ангиной.

Первые уроки актерского мастерства она получала все у того же Арсения Яковлевича, который постоянно подбадривал ее и говорил:

— Ты очень способная девочка, у тебя есть талант, но нужно очень много работать, чтобы его развить. Ни в коем случае нельзя лениться, тебе поможет только труд, труд и еще раз труд.

И она трудилась. Училась говорить правильно, чисто, четко артикулируя все звуки. Училась двигаться, танцевать, падать, прыгать. Изучала под руководством матери нотную грамоту, играла на привезенном Шубиным из города и установленном в избе-читальне стареньком разбитом пианино. И каждую свободную минуту проводила все в той же читальне, где, собственно, и обретался театр, пока не построили новый клуб: училась шить костюмы, помогала делать декорации, сидела в уголке во время репетиций, если сама не была занята в сцене.

Арсений Яковлевич часто ездил в столицу и, когда Тамара закончила школу, сказал:

— Тебе надо ехать в Москву, к одному хорошему человеку, я ему о тебе рассказывал. Он поможет.

— Я боюсь одна-то, — робко возразила Тамара, которой, конечно же, больше всего на свете хотелось именно в Москву. Москва — столица нашей Родины, там самые лучшие театры, самые знаменитые артисты, и там даже снимают кино... То самое, про путевку в жизнь и веселых ребят.

— Ну зачем же одна, — улыбнулся Шубин, — я с тобой поеду, отвезу тебя, познакомлю, представлю, так сказать. Ты должна быть на сцене, у тебя для этого есть все данные.

И они действительно поехали. Шубин привел ее в театральную мастерскую к своему давнему другу, который прослушал красивую девушку, посмотрел, как она танцует, смешно подергал длинным вислым носом и вынес свой вердикт:

— Очень сыро, но, бесспорно, с огромными задатками. И фактура хорошая. Будем работать.

Шел 1936 год. Тамара много и старательно занималась, играла в студенческих спектаклях, снялась в двух крошечных эпизодиках у известного кинорежиссера, а в 1939 году познакомилась с Григорием Филановским, который поспособствовал тому, чтобы ее приняли в труппу того театра, в котором работал он сам. В 1940 году они поженились. Тамаре было двадцать два года, ее мужу — тридцать четыре. Она еще не была звездой, она даже еще не играла главных ролей, но ей тогда казалось, что сбылись абсолютно все мечты, даже самые смелые. Надо только быть очень аккуратной, очень осторожной, очень осмотрительной, потому что приходят по ночам, громко стучат в дверь и уводят навсегда. Надо вести себя правильно, чтобы никому и в голову не пришло сказать о тебе худое слово или пожелать тебе зла. В свои двадцать два года Тамара понимала это очень хорошо.

Она всегда любила свою большую семью, в отпуск ездила не на курорт, хотя такая возможность была, а в Сибирь, домой, привозила подарки и гостинцы, с удовольствием возилась с племянниками и племянницами — детками старших братьев и сестер, проводила много времени с состарившимися родителями. Потом, уже после войны, когда пришла настоящая известность, а вместе с ней и достаток, и возможности, всегда помогала родным и деньгами, и делом. Роль заботливой помощницы и доброй покровительницы была для Тамары Леонидовны привычной, естественной, потому и сейчас, будучи примой одного из ведущих московских театров, она продолжала играть эту роль, частично в целях укрепления собственной репутации, но частично и для души.

Где же при такой жизни взять время для семьи и детей? Так счастливо сложилось, что время, отданное работе, оказалось и временем, посвященным мужу, так что супружескую жизнь четы Филановских можно было счесть вполне гармоничной, но вот с дочерьми ситуация сложилась совсем другая. Девочек Тамара Леонидовна видела мало и даже не каждый день. Они вставали утром и шли в школу, когда мать еще спала, они возвращались домой, обедали и делали уроки, когда мамы уже не было, а когда Тамара Леонидовна возвращалась, Люба и Надя крепко спали. Взбудораженная после спектакля или съемочного дня, Тамара поздно засыпала и поздно вставала. А экспедиции, когда приходилось уезжать из Москвы на съемки на два-три месяца! А гастроли! Тамара попросила старшую сестру, потерявшую на войне мужа и оставшуюся одинокой, приехать помочь с девочками. Сестра приехала, жила у Филановских, водила маленькую Надюшку в детский садик, готовила еду, следила, чтобы дети были сыты, тепло одеты, делали уроки и вовремя ложились спать. Когда Наденька пошла в восьмой класс, а Люба уже училась в институте, сестра Тамары вернулась в Сибирь: в присмотре, по общему мнению, девочки больше не нуждались, они стали вполне самостоятельными, да и жить в одной комнате им стало трудно, так что и места для тетушки больше нет.

Дочерей Тамара Леонидовна любила, но без самозабвения. Выражалось это в том, что она всегда хотела для них счастья, хотела, чтобы у них было все и притом самое лучшее, хотела, чтобы они учились на «отлично», были здоровенькими, умненькими, красиво одетыми и благополучными, и готова была делать для этого все, что нужно. Однако они были ей не интересны. Да, вот так странно вышло. Они не были ей по-человечески интересны, она никогда не знала, какие книги они читают в каждый данный момент, понравилось ли им и что они из этой книги вынесли, какие фильмы они смотрят и какое впечатление эти фильмы на них производят. Она не знала, с кем дружат ее девочки, из-за чего ссорятся с подружками и как выходят из конфликтных ситуаций; она не знала, что им снится и плачут ли они во сне. В общем, она их любила, но ничего о них не знала. Как знать, возможно, это было продолжением той самой позиции поддержания искусственной молодости: если ты молода, то дети у тебя маленькие, а коль они маленькие, то они еще не личности и интересного в них ничего нет.

А может быть, дело было в другом...

Рожать Любочку Тамара Леонидовна не хотела, но выбора не было. Аборты были запрещены до середины пятидесятых, а делать криминальный аборт Тамара не рискнула — боялась за свою жизнь, слишком уж много кругом было примеров неудачных подпольно сделанных операций и последовавших за ними смертей. Да еще если узнают — посадят, это тоже не лучше. Конечно, будь она в Москве — проблема бы как-нибудь решилась, она нашла бы потихоньку хорошего гинеколога, договорилась бы, заплатила деньги, но здесь, в Алма-Ате, это совершенно невозможно. Пришлось рожать, хотя к материнству она совсем не была готова. Она еще такая молоденькая, война, эвакуация, ну куда детей-то заводить? Однако выбора у нее не было. Григорий Васильевич к перспективе стать отцом отнесся спокойно, без видимого энтузиазма, ибо, помимо театра, его мало что интересовало, но и без ужаса. В конце концов, семья есть семья, и в ней должны быть дети. Конечно, не ко времени, и без того живут впроголодь, но ведь надо же когда-нибудь ребенка заводить.

С Любочкой, однако, забот оказалось немного. Спокойная и удивительно здоровенькая девочка не требовала к себе повышенного внимания, не капризничала и мало плакала, так что Тамара могла усиленно работать на съемочной площадке в снимавшихся в ту пору фильмах о войне. Приносила малышку в студию, укладывала на составленных в виде импровизированного манежика стульях, в перерывах кормила грудью и без малейшей ревности позволяла возиться с ребенком любому, кто оказывался рядом и был свободен. Вспоминая собственное детство, проведенное в избе-читальне рядом с Арсением Яковлевичем, Тамара была уверена, что Люба тоже заболеет профессией актрисы, однако девочка, которую усиленно опекала эвакуированная из Ленинграда переводчица с английского, взяв на себя фактически роль няньки-гувернантки, легко овладевала иностранным языком, а в пять лет, когда уже война закончилась и Филановские вернулись в Москву, твердо заявляла, что станет учительницей. К этому времени Люба свободно читала по-русски и бегло лопотала на английском.

Вторая беременность обрушилась на Тамару столь же неожиданно, как и первая, однако опыт Любочкиного младенчества подсказывал, что второй ребенок не станет такой уж серьезной помехой артистической карьере матери. Надюша родилась в 1948 году, когда Тамаре исполнилось тридцать. Младшая дочь оказалась полной противоположностью старшей как внешне, так и по характеру. Подвижная, активная, неусидчивая, жадная до впечатлений и невосприимчивая к любым попыткам раннего обучения, Наденька, в отличие от Любы, моментально приковывала к себе всеобщее внимание ангельским пухлощеким личиком и сияющими глазками и одной улыбкой в мгновение ока завоевывала любовь окружающих. Любочкой, аккуратной, дисциплинированной отличницей, восхищались, Наденьку — обожали.

Во внешности девочек причудливо и в то же время закономерно соединились родительские черты. Помимо присущей обоим родителям способности увлеченно заниматься любимым делом, старшая дочь унаследовала от матери изящную худощавую фигуру, а от отца — некрасивое лицо и небогатую шевелюру, а также заметную угрюмость и погруженность в себя. Младшая же девочка обладала красотой, музыкальностью и жизнерадостностью Тамары, но была — в папу — округлой пышечкой, сперва по-детски пухленькой, а в девичестве — крепко сбитой, широкобедрой и пышногрудой. Надежды Тамары на то, что и Надя окажется разумным самостоятельным ребенком, совершенно не оправдались, за ней требовался постоянный пригляд, но на помощь пришла рано повзрослевшая, ответственная Любаша, а потом и сестра Тамары Леонидовны приехала. Таким образом, рождение и воспитание двух дочерей не затормозило театральную и кинематографическую карьеру Тамары Филановской и даже, к счастью, не сказалось на ее фигуре.

Тамара так привыкла к тому, что дочерьми можно не заниматься, что с ними и без того все будет в порядке... Она почему-то не испытывала потребности побыть с ними, провести с девочками свободное время, поговорить, поиграть, ей никогда не было интересно, с кем они дружат в детском саду или в школе. Она искренне не понимала, что в этом может быть интересного. Другое дело — их способности: не по годам развитая Любочка и музыкально одаренная Надюша были постоянным предметом восхищения и зависти знакомых, и это не могло не тешить материнское тщеславие Тамары Леонидовны, поэтому она бдительно следила за тем, чтобы девочки «как следует занимались». Но общаться с ними — зачем? Что интересного может быть в детских головках и в незрелых душах?

И вот сегодня Тамара Филановская с горечью пожинала плоды. Люба доверие оправдала, а вот Надю упустили, упустили... Как, когда?

* * *

Она ни в едином пункте не изменила график намеченных дел, выучила текст роли для завтрашних съемок на «Мосфильме», отдохнула, чтобы в полную силу отыграть вечерний спектакль, и вернулась домой, когда в комнате Нади свет уже не горел. Еще несколько дней назад это показалось бы Тамаре Леонидовне совершенно нормальным: поздно, девочке пора спать. Однако сегодня она усилием воли остановила привычный ход мыслей. Всего-то одиннадцать вечера, разве это время, чтобы двадцатилетней девушке укладываться в постель? Надюшка с самого детства была «совой», терпеть не могла рано ложиться и любила поспать до полудня, и ведь еще полгода назад Тамара, возвращаясь домой около полуночи, а то и позже, заставала младшую дочь бодрой, веселой и отнюдь не сонной. С каких это пор она стала такой паинькой, соблюдающей режим?

Прячется, поняла Тамара Леонидовна. Делает все возможное, чтобы мать видела ее пореже. Боится, что живот уже заметен. Ох, как хочется взглянуть! Нет, не зря Ванечка Круглов предупреждал, чтобы не смотрела на дочь особо пристально, знал, что с этим соблазном справиться будет труднее всего. Можно прикусить язык и молчать, ни о чем не спрашивать, но вот не смотреть... А может, и не видно пока ничего, Надя — толстушка и ничего обтягивающего сроду не носила. Люба видит сестру каждый день и, если бы что-то заметила, непременно сказала бы. Хотя, с другой стороны, на Любочку надежды мало, что она в беременностях понимает, бедная некрасивая старая дева? Разве сможет разглядеть если не растущий живот, то хотя бы признаки токсикоза? Да и к людям она не особо внимательна, вся в себе, в своих мыслях, в своей работе.

Утром Тамара Леонидовна встала пораньше — дел намечено много, надо все успеть — и застала обеих дочерей завтракающими в гостиной перед включенным телевизором. Люба — в строгом костюме с белоснежной блузкой, уже полностью одетая и причесанная перед выходом из дома, и, как всегда, с книжкой, Надя — в просторной фланелевой пижаме, которую мать привезла ей в подарок из ГДР. Не смотреть, не смотреть! Хотя в этой пижаме и девятимесячную беременность не увидишь. Личико свежее, глазки ясные, все как обычно. Только, кажется, ест слишком много. Впрочем, у Нади аппетит всегда был отменным, и покушать она любила.

— Девочки, что у вас с Новым годом? — спросила Тамара, наливая себе кофе. — Где будете справлять?

— Я — дома, — коротко ответила Люба, не поднимая глаз от открытой книги.

— Одна? — удивилась мать.

— А что такого? Никакой интересной компании в этом году не образовалось. Почитаю, посмотрю «Огонек», прекрасно проведу время.

— А ты, Надюша?

— А мы всем классом собираемся у одной девочки, — радостно сообщила Надя, увлеченно намазывая масло на толстый кусок белого хлеба.

Если верить дочери, то класс профессора Московской консерватории Лидии Пожарской был самым дружным на свете. Особенно в последние полгода. Кто знает, так ли это? Раньше надо было выяснять. Ах ты господи...

— Девочки, надо к празднику сделать генеральную уборку в квартире. Люба, Надя, вы меня слышите?

Надя молчала, сосредоточенно жуя, а Люба так и не оторвалась от книги, но все-таки на слова матери отреагировала:

— Ну попроси кого-нибудь, у тебя же полно поклонниц, которые готовы бегать в магазин и стирать твое белье. Каждый день вижу, как они у подъезда дежурят. Не понимаю, почему у нас нет домработницы. Во всех приличных домах есть, а у нас нет.

Тамара Леонидовна задумчиво посмотрела на старшую дочь. Н-да, а казалось, что неглупая девица. Выдержала паузу, как и положено в спектакле.

— Любаша, какой у тебя чудный костюмчик, и сидит на тебе как влитой. Где ты его покупала?

Наконец Люба подняла удивленные глаза на мать.

— Ты что, мам? Это же ты мне из Англии привезла. Забыла?

— Ах вот как? Значит, мама из Англии привезла? — Тамара постепенно повышала голос, подводя сцену к кульминации. — То есть здесь, в Москве, ты ничего такого купить не можешь, да? Так вот, моя дорогая, запомни раз и навсегда: если ты хочешь носить костюмчики, которые твоя мама привозит тебе из-за границы, а также туфельки, юбочки и сумочки, то, будь любезна, не подвергай испытаниям мою репутацию. Меня уважают в театре ровно до тех пор, пока я не вызываю излишней зависти. Все наши актрисы сами ходят по магазинам, готовят, стирают и убирают, и я должна быть такой же, как они, иначе меня сожрут с потрохами. Ты что, не понимаешь, что такое театр? Ты не знаешь, какой это гадюшник? Стоит мне только дать повод — тут же нашепчут, настучат, напишут, и райком партии не утвердит мою кандидатуру на поездку.

— Да брось ты, мама, — лениво протянула Люба. — Ты же ведущая актриса, ты звезда, ну как они могут не взять тебя на гастроли?

— А вот так и могут. Ты думаешь, у нас есть незаменимые? Каждый спектакль имеет второй состав, между прочим. И никто не посмотрит на то, что я — жена главрежа, а я, в свою очередь, никогда не пойду на то, чтобы просить папу заступиться за меня. Он живет только своим театром, и он не должен портить отношения с управлением культуры и с райкомом, заступаясь за меня, иначе его лишат того, чем он дорожит больше всего на свете. Ты меня поняла, Любовь Григорьевна?

Зазвонил телефон, и Надя тут же вскочила и метнулась к аппарату. Тамара Леонидовна не удержалась, бросила цепкий взгляд на фигуру дочери. Нет, не видно, да еще пижама эта... Что это она так заторопилась ответить? Ждет чьего-то звонка с утра пораньше? Впрочем, понятно, чьего — Юрцевича.

— Мама, это тебя.

В голосе слышно разочарование. Деточка моя, глупенькая, что же ты творишь?

Тамара взяла трубку. Звонила портниха насчет платья. День, заполненный делами и хлопотами, начал затягивать Тамару в свой неумолимый круговорот, из которого надо непременно вынырнуть и найти время для еще одного дела, о котором Тамара Леонидовна думала всю ночь. Нужно обязательно встретиться с Ароном Моисеевичем. Он даст дельный совет и будет молчать. Если сроки для позднего аборта уже пропущены, то, может быть, можно как-то устроить ранние роды? И не будет у Нади никакого ребенка, и Юрцевич исчезнет из их жизни — об этом позаботится Ванечка Круглов, и никто ничего не узнает, и все войдет в обычную колею.

Когда девочки ушли — Люба на работу, в школу, а Надя в Консерваторию, Тамара Леонидовна набрала номер Арона Моисеевича, знакомого и доверенного гинеколога. Ей удалось застать его дома, но оказалось, что у него ни сегодня, ни завтра не найдется возможности встретиться: через двадцать минут он уходит на работу, а после рабочего дня в клинике он со всей семьей уезжает на дачу и вернется только 3 января.

— А у вас что-то срочное, Тамарочка? — озабоченно спросил он. — Какие-то проблемы?

— Не у меня. Мне нужна консультация, Арон Моисеевич.

— Давайте в двух словах по телефону.

— Вы думаете? — засомневалась Тамара Леонидовна.

— Ну вы хотя бы скажите, в чем дело, а там решим. Давайте, Тамарочка, давайте, время идет.

— Сейчас, одну минуточку.

Она положила трубку, вышла из гостиной, на цыпочках подошла к спальне и приоткрыла дверь. Григорий Васильевич громко храпел, раскинувшись на широкой супружеской кровати. Детские утренники интереса у него не вызывали, и, в отличие от жены, он не собирался так рано вставать и идти в театр. Надо надеяться, он не проснется и разговора с Ароном не услышит.

Плотно притворив обе двери — в спальню и в гостиную, Тамара Леонидовна вернулась к телефону.

— Арон Моисеевич, что можно сделать в двадцать недель? — начала она с места в карьер.

— Ничего, — моментально и решительно ответил врач. — Если, конечно, нет жизненных показаний. Есть?

— Нет, — честно призналась она. — Я имею в виду, их нет в плане здоровья.

— Значит, они есть в... так сказать, социальном плане?

— Вот именно. И очень серьезные.

— Это будет дорого стоить. Около полутора-двух тысяч. Если, конечно, кто-нибудь возьмется.

— Но вы можете порекомендовать того, кто возьмется?

— Поищем, — неопределенно пообещал Арон Моисеевич.

— А может, вы сами? — робко предложила Тамара.

— Ни в коем случае, — резко отозвался тот. — Я этим не занимаюсь. Но есть коллеги, которые могут сделать все в лучшем виде. Позвоните мне после третьего января.

— Спасибо, Арон Моисеевич. Еще два слова, пожалуйста. Это... ну, я хочу спросить, это очень опасно?

— Очень, дорогая моя. И очень опасно, и очень больно. Намного больнее, чем обычные роды. Но если дама так решила и если у нее действительно серьезные основания, то она, как правило, готова терпеть. Она же готова, я так понимаю?

— Не знаю... Я не уверена. Арон Моисеевич, я вам доверяю... Речь идет о моей Наде. Она попала в тяжелую ситуацию.

— О Наде?! Боже мой, боже мой... Да как же это, Тамарочка, голубушка?

— Да вот так. Сама не знаю как. Она со мной об этом не говорит, я вообще узнала из третьих рук. Теперь вот голову ломаю, что предпринять.

— А если замуж? — предположил гинеколог. — И пусть себе рожает на здоровье.

— Исключено. Это и есть социальный аспект нашей ситуации.

— Понимаю, понимаю, — задумчиво протянул он. — Скажите-ка мне, как у нее со здоровьем? Хронические заболевания и все такое.

— Она здорова. Никаких хронических заболеваний. Здоровая двадцатилетняя девица.

— А что с кровью? Вы, помнится, как-то говорили мне, что у нее низкая свертываемость. Я не ошибся?

— Не ошиблись. Это действительно так и есть. А что, это плохо?

— Очень плохо, Тамарочка. Во-первых, при плохой свертываемости ни один приличный врач не возьмется, а неприличного я вам и рекомендовать не стану, а во-вторых, это может быть очень опасным, и я вам просто не советую даже думать об искусственных родах. Начнется кровотечение, которое не сумеют остановить, и девочка может погибнуть. Всё, Тамарочка, выбросьте это из головы, даже обсуждать ничего не буду.

— Неужели ничего нельзя сделать? — в отчаянии проговорила Тамара Леонидовна. — Вы же врач, Арон Моисеевич, ну посоветуйте что-нибудь!

— Как врач я вам ответственно заявляю, что нет ничего здоровее для здоровой женщины, чем здоровые своевременные роды. Если вы печетесь о благе своего ребенка и не хотите навредить, то пусть девочка родит. Вот вам мой единственный совет. Приводите ее ко мне, я ее посмотрю и буду наблюдать до самых родов. Мне пора бежать, Тамарочка. С наступающим праздником вас, Григорию Васильевичу от меня поклон передавайте, а после третьего числа приводите Надю ко мне на прием. Договорились?

— Договорились, спасибо, — уныло пробормотала Тамара Леонидовна.

Слабая, едва затеплившаяся надежда рухнула. Разумеется, она не собирается подвергать свою девочку процедуре, которая не только страшно болезненна, но и опасна для жизни. Значит, придется готовиться к тому, чтобы стать бабушкой.

Москва, февраль 2006 года

Нана Ким болеть не любила в принципе, но особенно не любила она третий день болезни, когда температура уже сбита и на смену ей приходит тяжелая, свинцовая слабость. Если в момент начала заболевания Нана панически боялась, что болезнь окажется смертельной, то к третьему дню становилось понятно, что никакой угрозы жизни нет, но зато ее охватывал столь же иррациональный, идущий из детства страх, что такой слабой и беспомощной она останется на всю жизнь и уже никогда больше не сможет не то что на работу выйти — даже посуду за собой помыть. В этот пресловутый третий день в ней поднимались все обиды, даже самые дурацкие, глупые, как, например, обида на родителей, которых нет рядом. Когда маленькая Нана болела, папа и мама сидели с ней, держали за руку и ласковыми голосами терпеливо уговаривали не бояться, потому что болезнь обязательно пройдет, силы уже совсем скоро вернутся и она снова сможет выйти на лед и выполнить все элементы, даже самые сложные. Они поили ее теплым молоком, куриным бульоном и травяными отварами, давали таблетки, и мама всегда варила любимый компот из сухофруктов, в котором было много-много чернослива, который Нана очень любила, а папа садился на краешек постели, гасил яркую люстру, чтобы свет не резал девочке глаза, включал торшер и часами читал ей вслух самые интересные книжки. Родители знали о ее страхах, родившихся после смерти братика, и делали все, чтобы помочь их преодолеть. Они были самыми лучшими родителями на свете!

Но вот уже шесть лет они живут в Корее, тренируя спортсменов-гимнастов. Их там на руках носят, платят хорошие деньги, они занимаются любимым делом, и Нана искренне радовалась за них, однако стоило ей заболеть, как она превращалась в ребенка, которого бросили на произвол судьбы. Как было бы хорошо, если бы они сейчас были здесь, рядом, и мама варила бы бульон и компот, трогала сухой прохладной ладонью лоб дочери, проверяя температуру, и негромко приговаривала, что все, конечно же, будет хорошо, слабость скоро пройдет, а папа будет читать ей вслух книгу или подробно пересказывать какой-нибудь кинофильм. Он удивительно умел пересказывать фильмы, и, послушав отца, Нана, казалось, сама этот фильм посмотрела и даже отчетливо представляет себе внешность героев, выражение их лиц в те или иные моменты, одежду, интерьеры, пейзажи. Однажды, едва увидев по телевизору первые кадры рекламного ролика какого-то фильма, она безошибочно узнала его еще до того, как диктор произнес название, и только спустя несколько минут сообразила, что сама-то этого фильма не видела никогда, а «слышала» от папы. Во время болезни Нана не могла ни читать, ни смотреть телевизор — любое зрительное напряжение тут же вызывало головную боль, терпеть которую Нана не умела.

Однако же родителей нет, они далеко, и надо как-то справляться со слабостью самостоятельно. Никита на тренировке, некого даже попросить сделать чаю. Она медленно откинула плед, спустила ноги с дивана и поплелась на кухню. Переход — всего ничего, каких-то метров пять, не больше, а сил нет, пришлось сесть на стул и минут десять отдыхать, так и не включив чайник.

Встала, дотянулась до чайника, нажала кнопку, достала чашку — и снова присела. Да что ж это такое-то!

Когда зазвонил телефон, Нана несколько секунд собиралась с силами, чтобы снова встать.

— Как ты? — прозвучал в трубке энергичный голос.

Шеф. Александр Филановский. Саша.

— Ничего.

— Одна?

— Одна. А что?

— Значит, так, слушай сюда, — скомандовал он. — Я отправил к тебе Владу, она уже выехала. Привезет все, что нужно, и все сделает.

— Да мне ничего не нужно, Саша, — запротестовала Нана. — У меня все есть. Что ты выдумал?

— Вот все, что не нужно, у тебя и есть, а нужного-то как раз и нет. — В его голосе, как обычно, не слышно было ни нотки сомнений. — Что я, не знаю тебя? Химией всякой травишься, нормально лечиться не умеешь. Я тебе отправил алтайский мед, настоящий английский чай, не тот, который у нас в магазинах продается, а действительно настоящий, потом еще фейхоа, пусть Влада перетрет плоды с сахаром, будешь есть три раза в день по столовой ложке. Ну и еще кое-что, разберетесь, я бумажку вложил, что и как употреблять.

— Саша, ну зачем все это? У меня полно хороших лекарств, и вообще я уже поправляюсь, в понедельник выйду на работу. И зачем ты отправил ко мне Владу? У нее много работы, я оставила ей кучу заданий, пусть бы сидела и делала, вместо того чтобы ездить через весь город.

— Ты не забыла на минуточку, что я — твой шеф? А ты, между прочим, мой наемный работник, и я плачу тебе зарплату, то есть оплачиваю твое рабочее время. Когда ты болеешь, я продолжаю платить тебе за то, что ты не работаешь, а это экономически невыгодно, поэтому я заинтересован в том, чтобы ты была здорова. Твое рабочее время принадлежит мне, соответственно, твое здоровье тоже принадлежит мне, и я имею полное право заботиться о нем так, как считаю нужным. Все поняла?

— Все, — Нана не смогла сдержать улыбку. — А рабочее время моего секретаря тоже принадлежит тебе?

— Ну само собой. В моем издательстве мне принадлежит все, можешь не сомневаться. Ладно, Нанусь, теперь серьезно: как ты? Сегодня же твой любимый третий день. Ты заболела в понедельник, а сегодня уже среда.

Надо же, помнит. И даже дни посчитал. Ох, Саша, Саша, что ты со мной делаешь?

— Если серьезно, то еле ноги таскаю, — ответила она.

— А мужик твой где? Почему с тобой не сидит?

Сердце ее замерло: неужели узнал про Тодорова? Как? Откуда?

— К-какой мужик? — выговорила она осторожно.

— Ну не знаю, есть же у тебя какой-нибудь мужик, правда? Никогда не поверю, что такая баба, как ты, и одна.

Нет, кажется, ничего не знает, просто так сказал. Слава богу. Надо ответить как-нибудь нейтрально, ни да — ни нет. Лучше всего отшутиться.

— Мужиков нельзя сочетать с болезнями, они этого не любят.

— Это верно, мы такие, нам бабы нужны здоровые и веселые, а не печальные и больные. Да, чуть не забыл: к тебе завтра утром приедет мой врач.

— Саша!

— Приедет-приедет, и посмотрит тебя, и скажет, правильно ли ты лечишься и от того ли, от чего нужно. Ты же небось врача не вызывала?

— Зачем его вызывать, что я, грипп от скарлатины не отличу? Я и так прекрасно знаю, что чем лечить.

— Знаешь ты, как же. Короче, Нануся, лечиться будешь так, как велит мой врач, и тем, что я тебе прислал. Если что-то еще будет нужно — он мне скажет, я тебе отправлю. Все, целую тебя. Завтра позвоню.

Вот так всегда. Он один знает, что правильно, а что плохо, и только он один, Александр Филановский, знает, как должны жить все, кто у него работает и кто его окружает. И даже как они должны болеть и чем лечиться. Саша, Саша, многолетнее наваждение...

До приезда Влады она успела выпить чай, потом вместе с девушкой раскладывала содержимое многочисленных пакетов и терпеливо слушала, пока Влада зачитывала записку-инструкцию Филановского и подробно объясняла, что и в каком виде употреблять. Попытку сделать целебное месиво из плодов фейхоа Нана решительно пресекла:

— Я все равно не буду это есть.

— Но почему, Нана Константиновна? — огорчилась Влада. — Александр Владимирович велел обязательно сделать, это очень полезно, там масса витаминов, необходимых организму, особенно зимой и особенно ослабленному. Давайте я все-таки сделаю.

— Не нужно, Влада, поезжай домой. Если мне захочется фейхоа, я и так съем. Иди-иди.

Влада пожала плечами, вроде бы обиженно, но — Нана понимала — с явным облегчением. Молодая девчонка, молодая бурная жизнь, а тут так удачно с работы пораньше вырвалась! Ну неужели у нее не найдется дел более интересных, нежели перетирание зеленых, пахнущих земляникой (землянику Нана ненавидела!) плодов для больной начальницы?

Закрыв за ней дверь, Нана вернулась в комнату, снова улеглась на диван, натянула плед, достала из стоящей рядом тумбочки маленький магнитофон и коробку с кассетами. Перебрала пластмассовые прямоугольнички, вчитываясь в сделанные бисерным почерком надписи, нашла то, что нужно. Лекции Андрея Филановского. Кассет было несколько, и Нана некоторое время размышляла, какую именно ей сейчас хочется послушать. Решила, что ту, на которой рядом с надписью стоит цифра 1. Вставила кассету, нажала кнопку воспроизведения, отрегулировала звук до комфортного уровня и закрыла глаза.

— Каждый раз, когда я начинаю семинар, я вижу перед собой новые лица людей, пришедших послушать мои лекции, и спрашиваю себя: кто они? Зачем они пришли? Что хотят получить от семинара? И могу ли я дать им то, за чем они пришли? Не останутся ли они разочарованными? И отвечаю сам себе: эти люди пришли потому, что их что-то беспокоит, у них что-то не получается, у них в душе разлад. Если бы у них все было в полном порядке, они не пришли бы сюда, потому что спокойные и всем довольные люди обычно не ищут способа сделать свою жизнь лучше. Вы можете мне возразить, что некоторые, а может быть, и все пришли сюда просто из любопытства, послушать, а что же нового может сказать им этот Филановский. У вас нет никаких проблем и никакого душевного разлада, вам просто интересно. На самом деле слова «просто интересно» означают, что есть что-то такое, чего вы не знаете, но хотите узнать, потому что это может оказаться важным или полезным и позволит сделать вашу жизнь в чем-то лучше, богаче, интереснее, пусть и в самой малой малости. Но если вы считаете, что вашу жизнь можно сделать лучше, богаче и интереснее, чем она есть сейчас, то это как раз и означает, что вы в чем-то ею недовольны. В чем-то, пусть даже в этой самой малой малости, она вас не удовлетворяет. А теперь ответ на второй вопрос: могу ли я дать вам то, за чем вы пришли?

Голос Андрея Филановского. Голос Саши. Точно такой же голос, их практически невозможно различить, они же близнецы. Но какие же они разные! Невозможно представить Сашу произносящим эти слова. Андрей сомневается, задает себе вопросы, ищет ответы, Александр не сомневается никогда и ни в чем, вопросы он задает кому угодно, только не себе, и ответов ждет от других, в основном от подчиненных. А иногда и не ждет никаких ответов, потому что знает их заранее или думает, что знает. Считается, что даже в парах близнецов, похожих как две капли воды, один все равно становится ведущим, лидером, а другой — ведомым. В том, кто из братьев Филановских лидер, можно не сомневаться.

— В детстве я занимался фигурным катанием, правда, не очень долго и не очень успешно, всего пять лет, но кое-что успел за это время узнать и понять. В том числе и такую вещь, как чувство льда. Знаете, что это такое? Когда новичок выходит на лед, ему кажется что лед — это страшный противник, подлавливающий малейшее неверное движение и мгновенно мстящий падением, ушибами, травмами. Я боялся льда, мне казалось, что он — постоянный источник опасности, холодный, твердый и враждебный, и я думал, что моя задача — укротить его, как необъезженную лошадь, заставить покориться мне, уступить, сдаться. У меня ничего не получалось, потому что лед противостоял моим попыткам выполнить тот или иной элемент, он становился каким-то особенно скользким, когда я двигался по нему, и особенно твердым, когда я падал. Он словно нарочно уходил из-под конька, когда я приземлялся после прыжка, или превращался в густую тягучую тормозящую массу, когда я вращался. В общем, мое пребывание на льду было сплошной борьбой за выживание. Тренер говорил мне: попробуй сделать вот так. Не получается? Тогда попробуй вот эдак. Снова не получается? Тогда сделай вот это... И однажды наступил момент, когда я оттолкнулся, чтобы выполнить прыжок, и лед, словно батут, спружинил вместе со мной и подбросил меня в воздух, а когда я приземлялся, мягко принял меня и как будто обнял лезвие конька, чтобы оно не покачнулось и чтобы выезд был уверенным. И я вдруг понял, что стою на льду твердо, как в тапочках дома на полу, и лед — вовсе не враг, не противник. Он — лед. Он такой, как он есть. Просто благодаря помощи тренера мне удалось найти те движения, ту работу мышц, то положение тела, при которых мне на этом льду стало удобно и комфортно, а льду — удобно и комфортно со мной. Я обрел чувство льда. Понимаете, о чем я говорю? Тренер не может выполнить за меня элементы и откатать программу, но он может предложить мне разные способы, перепробовав которые я найду вариант, позволяющий мне самому хорошо откататься. Точно так же все будет происходить у нас с вами. Я не смогу решить за вас ваши проблемы, это можете сделать только вы сами. Но я могу предложить вам разные варианты, разные подходы, которые вы попробуете применить, и, возможно, какой-то из них вам поможет, а возможно, вы и сами придумаете что-то такое, о чем я вам не говорил, но что окажется действенным именно в вашей ситуации. Вы обратили внимание, что в фигурном катании некоторые элементы носят имена тех спортсменов, которые их придумали и впервые выполнили? Например, пируэт Бильман, прыжок Сальхова. Тренер учил фигуриста основам, а вариант исполнения элемента спортсмен придумал сам. И у нас с вами будет происходить то же самое. Фигурное катание — это модель жизни, подумайте об этом. Вам может показаться, что жизнь враждебна к вам, недоброжелательна, сурова, и у вас поэтому ничего не получается или получается не так, как вам хочется. И прыжок не прыгается, и падать больно. Верно? На самом деле у вас просто нет того, что называется чувством льда. Вот это чувство вы и сможете обрести, если наш с вами семинар пройдет успешно.

Нана слушала и вспоминала, как впервые встретилась на катке детско-юношеской спортивной школы с Сашей и Андрюшей Филановскими. Ей было семь лет, мальчикам — по восемь. Уже тогда они были совсем разными, их никто никогда не путал. Они были по-разному одеты, по-разному причесаны, даже совершенно одинаковые лица казались непохожими. Одинаковыми были только голоса. Но слова, которые мальчики произносили этими одинаковыми голосами, тоже были совсем-совсем разными.

— ...И последнее, что я хотел бы сказать вам на нашей первой встрече. Однажды после окончания одного из семинаров ко мне подошел мужчина и спросил: «А вы сами-то во все это верите?» Я ответил ему, что это не вопрос веры, а вопрос ментальной тактики. Я не проповедник, несущий людям новую веру, я не мессия и не священник. Я обыкновенный человек, который приглашает людей на семинары, чтобы поделиться своим опытом. И я не собираюсь на наших с вами занятиях давать вам готовые рецепты, дескать, сделайте так-то и так-то — и у вас все получится, ваша проблема разрешится, любимый вернется, появятся деньги, а ваш ребенок перестанет вам грубить и водиться с нехорошей компанией. Ничего этого не будет. Поэтому те, кто пришел сюда за готовыми рецептами, не получат того, чего ждут. Я предлагаю вам всем как следует подумать, приходить ли на следующую встречу. Именно поэтому первое занятие у нас всегда ознакомительное и бесплатное. То, что я вам предложу, — это способы, при помощи которых можно подняться над ситуацией и посмотреть на нее другими глазами. Ситуация останется вашей, и проблема останется вашей, она не разрешится сама собой только оттого, что вы прослушали мой семинар. Но в результате нашего общения у вас может измениться взгляд, то есть изменятся глаза, которыми вы смотрите на проблему, и, посмотрев на нее другим взглядом, вы, вполне возможно, обнаружите, что проблема-то совсем в другом или что ее вовсе нет. Вот такой результат я вам гарантирую, и если вы готовы его получить — милости прошу на второе занятие, завтра, в это же время. Оплата всего семинара тоже завтра, так что у вас есть сутки на размышление и на принятие решения: нужны вам наши встречи или нет...

Нана нажала кнопку «стоп». Ей казалось, что этот голос она может слушать с утра до ночи. Голос Андрея Филановского. Голос Саши. Наваждение какое-то! Столько лет прошло, а она все не может от него избавиться. Нет, одной лекции вполне достаточно, скоро придет с тренировки Никита, а когда он ляжет спать, можно будет еще послушать. Никита, тренировка... Какая-то мысль то и дело начинала шевелиться в ослабленной болезнью голове, но Нана никак не успевала ее поймать. Вот, наконец-то! Завтра на Олимпиаде в Турине девочки катают произвольную программу, и по сложившейся традиции телевизионную трансляцию они будут смотреть вместе с Верой Борисовной, тренером, у которого занималась Нана Ким. Надо срочно позвонить.

Нана потянулась к телефонной трубке.

— Верочка Борисовна, я заболела, — уныло сообщила она. — Завтра я буду еще нетранспортабельна.

— Бедная ты моя! — прогудела низким басом тренер. — Значит, я к тебе приеду. У тебя спутниковое телевидение есть? «Евроспорт» ловится?

— Конечно. Мы же с вами одновременно антенны ставили.

— А я и забыла... Что тебе привезти?

— У меня все есть, Верочка Борисовна, вы себя привезите, больше мне ничего не нужно.

Наутро Нана чувствовала себя значительно лучше, кошмарный третий день закончился, унеся с собой слабость и раздавленность, и уже можно было смотреть телевизор, читать и даже более или менее споро передвигаться по квартире. В десять утра явился присланный Александром Филановским доктор, тщательно осмотрел Нану, послушал сердце, измерил давление, прощупал живот, задал ей множество вопросов, потом попросил показать лекарства, которые она принимает. Ничего неожиданного не выявилось, это действительно была вирусная инфекция, однако она, похоже, дала непомерную нагрузку на сердце, так что к имеющимся препаратам доктор добавил еще несколько — для поддержания работы сердечной мышцы.

— Будьте очень внимательны, — посоветовал он, уходя. — Судя по тому, что вы мне рассказали про вашу постоянную проблему «третьего дня», на любое заболевание в вашем организме первым откликается именно сердце, отсюда и такая слабость. У одних людей реагирует бронхо-легочная система, у других — почки, у третьих — сердце, как у вас. Так что вы за ним следите и проявляйте разумную осторожность.

Вера Борисовна, жизнерадостная, энергичная, рано располневшая, примчалась в середине дня, задолго до начала прямой трансляции из Турина, с множеством пакетов и сумок, которые тут же потащила на кухню.

— Ну зачем это, Вера Борисовна! — взмолилась Нана. — У меня же все есть.

— У тебя никогда нет того, что нужно, — безапелляционно заявила тренер. — Вот, например, что у тебя к чаю?

— Ну... — Нана растерялась. — Печенье есть. Джем.

— Вот именно. Годичной давности небось. Никитке ничего этого нельзя, у него питание строго по норме, он вес держит, вот ты и не покупаешь, чтобы ребенка не соблазнять. И сама фигуру бережешь. А я, прости меня, деточка, не могу есть то, что ты готовишь.

— Невкусно, да? — расстроилась Нана.

— Да вкусно, вкусно, но радости нет, понимаешь? Нет радости в твоей стряпне, нет восторга и упоения. А радость — это калории, это сладкое, это все то, что вам, Кимам, нельзя. Так что будем пить чай с пирожными и конфетами, заедать виноградом без косточек, а сейчас я еще быстренько блинов наверетеню. Блины будешь?

Нана горестно вздохнула и честно ответила:

— Буду. Пирожные не буду, а блины — буду. Лучше я потом поголодаю.

Отказаться от блинов Веры Борисовны мог только человек, либо обладающий невероятной силой воли, либо напрочь лишенный вкусовых ощущений и не знающий, что это такое.

— Чем лечишься? — строго спросила тренер. — Показывай.

— Да вы что, сговорились все, что ли? Вчера Саша меня по телефону истязал, потом прислал целую кучу всяких снадобий, сегодня утром врач требовал показать, что я принимаю, теперь вот вы. Ну я же не маленькая, ей-богу. Вот, пожалуйста, смотрите, — она сердито ткнула рукой в стоящий на кухонном столе пакет, — таблетки, порошки, травки какие-то, которые надо заваривать. Все честно пью.

Вера Борисовна внимательно изучила содержимое пакета, вытащила маленькую коробочку, поднесла к носу, понюхала.

— Это у тебя откуда?

— Да Саша прислал. А что?

— Это очень редкая и дорогая штука, травка специальная, ее где-то в Тибете монахи собирают. Достать невозможно. И стоит кучу денег. Слушай, может, он все-таки к тебе неровно дышит?

— Да ну вас, Вера Борисовна, Филановский ко всем дышит одинаково. Ей-богу, я была бы счастлива, если бы он так вел себя только по отношению ко мне, но увы.

— Точно?

— Точно.

— Ну ладно. А твой, как его, Антон, кажется... Как у тебя с ним?

— Все нормально.

— Не догадывается он?

— Вроде нет. Да и с чего ему догадываться?

— Ну а Саша? Он что, тоже про Антона не знает?

— Вера Борисовна, про Антона вообще не знает никто у меня на работе. Так откуда Саше узнать?

— Ох, Нана, Нана, что ж у тебя личная жизнь такая нескладная, а? Ты же умница, красавица, ну почему ты не можешь любить мужика, с которым спишь? Неужели это так трудно?

— Наверное, потому, что не удается спать с тем, кого люблю, — с улыбкой ответила Нана, пожав плечами. — Не совпадает у меня. Бывает.

О том, что она спит со своим подчиненным Антоном Тодоровым, за пределами издательства знало довольно много людей: Вера Борисовна, подруги Наны и даже ее родители, с которыми она познакомила Антона в их последний приезд в Москву, почти год назад. О том же, что она уже много лет влюблена в своего шефа Филановского, знала только одна Вера Борисовна, которая еще с тех давних детских лет стала для Наны единственным человеком, которому дозволялось знать то, о чем рассказывать другим было стыдно. Только Вера Борисовна знала, что у Наны Ким нет ни честолюбия, ни самолюбия (так считала сама Нана), только тренер заметила, какими глазами девочка почти тридцать лет назад смотрела на катающегося рядом Сашу и как волновалась, когда он заговаривал с ней, и только от нее Нана не скрывала, что и сейчас безрассудно и безнадежно любит его. Об этом не знали ни родители, ни подруги: свои чувства к Филановскому Нана считала постыдным признаком слабости, в которой не признавалась никому. Кроме Веры Борисовны.

Она много лет не видела Сашу и почти не вспоминала о нем, с тех самых пор, когда он еще в 1979 году бросил фигурное катание и перестал приходить на каток, но, когда они случайно встретились десять лет назад, все вернулось. Бороться с собой Нана не пыталась, ибо от природы не была борцом, она просто приняла ситуацию такой, какая она есть. Саша не выделяет ее из толпы своих друзей и сотрудников, он ко всем относится одинаково: с любовью, вниманием и заботой, и Нана Ким для него не особенная, не единственная, а «одна из». Он любит совсем других женщин, у него есть жена и постоянно меняющиеся любовницы, уж это-то начальник службы безопасности издательства знает совершенно точно, потому что всех своих подружек Филановский пристраивает работать к себе под крыло, на большую зарплату, а Нане и ее сотрудникам приходится проверять их биографии и «послужные списки». И нет никакой надежды на то, что Александр хоть когда-нибудь ответит на ее чувство.

— Интересно, а Андрюша тебе никогда не нравился? — спросила Вера Борисовна, раскладывая принесенные пирожные на большом блюде.

— Нет. То есть я имею в виду, что он, конечно, чудесный, и он мне очень нравится, но не так, как Саша. Они же разные совсем. Сашка просто-таки излучает любовь к людям и ко всей жизни в целом, он бурлит этой любовью, кипит и изливает на всех, кто его окружает, он хочет, чтобы всем было хорошо, чтобы все были устроены, здоровы, благополучны, он неравнодушный к людям, понимаете? И взгляд у него такой теплый, полный любви. Наверное, это меня и завораживает в нем. А Андрюша — он как вещь в себе. Спокойный, невозмутимый, даже какой-то холодный.

— Они по-прежнему не похожи друг на друга? Я тут как-то Сашу видела по телевизору, какая-то была передача про издательский бизнес, и он давал интервью. Я тогда и подумала: интересно, а Андрюшка сейчас какой? Такой же?

— Да нет, что вы, сейчас они еще больше не похожи друг на друга, чем в детстве. Знаете, словно актер в гриме и без грима. Черты одни и те же, а облик совершенно другой. Сашка выглядит как настоящий бизнесмен, коротко стрижется, носит дорогие костюмы, а Андрюша отпустил волосы, завязывает их в хвост и одевается как бог на душу положит. В основном носит джинсы и джемпера. Эдакий богемный философ-бессребреник. Кстати, хотите посмотреть? У меня есть фотографии с новогодней вечеринки.

— Давай, — охотно согласилась Вера Борисовна, — страсть как люблю смотреть фотографии из чужой жизни. Сейчас попьем чайку, посмотрим фотографии, и я возьмусь за блины. Как раз к Никиткиному возвращению будут готовы. И не смей мне говорить, что ему нельзя мучное. От парочки блинов его аксель не пострадает. Между прочим, что у него с тройным акселем? Прыгает?

— Пока очень нестабильно. Четыре из десяти, больше не получается.

— Ничего, какие его годы, успеет еще. Ты в его возрасте тоже с акселем еле-еле управлялась.

Вера Борисовна подхватила поднос с чашками, чайником и блюдом с пирожными и отправилась в комнату, где устроилась на своем любимом месте — в глубоком мягком кресле поближе к телевизору. Нана принесла пачки фотографий, которые так и не удосужилась разложить в альбомы.

— Вот хороший снимок, — она протянула Вере Борисовне глянцевый прямоугольник, — здесь Саша вместе с Андреем крупным планом, так что можете сравнить.

Тренер долго разглядывала лица на снимке, щурилась, отодвигала фотографию подальше от глаз, так как очки для чтения, по обыкновению, забыла дома.

— А это кто рядом с Сашей? — спросила она, ткнув ногтем в изображение красивой молодой женщины в блестящем платье с глубоким декольте.

— Андрюшина подружка, Катя.

— Андрюшина? А чего же она так к Сашке-то льнет? Прямо чуть не вдавилась в него.

— Да бросьте, Вера Борисовна. Новый год, все дурачатся, все веселые, все слегка нетрезвые. Вот смотрите, на этой фотографии Андрюша с Сашиной женой вообще целуются. Это же все в шутку, — рассеянно ответила Нана, не сводя задумчивых глаз с пирожных.

Очень хочется. Ну прямо сил никаких нет терпеть! Она три дня почти совсем ничего не ела, только пила чай и всякие Сашины снадобья, и сегодня опомнившийся организм требовал своего и хватал Нану за горло костлявой рукой того безрассудного и безразмерного голода, когда хочется всего подряд: жареной картошки с котлетами, пирожных, маринованных огурцов, бананов, причем в любой последовательности. Но приходится делать выбор: или пирожное, или блины. Одно из двух. Отказаться от блинов совершенно невозможно: во-первых, это невероятно вкусно, и если такие пирожные можно, в конце концов, пойти и купить, когда уж очень приспичит, то таких блинов, какие печет Верочка, нигде и никогда больше не съешь; а во-вторых, это традиция, нарушать которую совсем не хочется. Всегда, когда они вместе смотрят соревнования фигуристов по телевизору, они едят свежеиспеченные блины, и это уже превратилось в некий ритуал, который особенно страшно не соблюсти, если идет прямая трансляция, как сегодня: а вдруг нарушение ритуала может как-то повредить нашим спортсменам. Эффект бабочки. Брэдбери.

— И правда, совсем не похожи, — резюмировала Вера Борисовна, закончив рассматривать фотографии и выслушав все комментарии к ним, и отправилась печь блины.

Ровно за десять минут до начала трансляции стопка блинов возвышалась в центре стола, а сам стол подвинут поближе к висящему на стене плоскому экрану телевизора. Вера Борисовна принесла блокнот и ручку, чтобы делать пометки по ходу соревнований, а также чистую видеокассету — в ее домашнем телевизоре не было функции автоматического включения на запись.

Никита ворвался в квартиру, когда на лед вышла первая разминка.

— Началось? — проорал он из прихожей.

— Разминаются. Ты как раз успел, — громко ответила тренер.

— Баба Вера!

Мальчик влетел в комнату и повис на Вере Борисовне. Та крепко обняла его и расцеловала.

— Ты мое солнышко, — ласково приговаривала она, разглядывая Никиту, — ты мой чемпион, ты мое сокровище. Мой руки скорее и садись, пока блины не остыли.

Разминка окончилась, на лед вызвали первую спортсменку, и по установившейся традиции все дружно взяли в руки по первому блину.

— Баба Вера, а ты хотела бы сейчас быть там? — спросил Никита с набитым ртом.

— Конечно, хотела бы.

— Почему же ты не поехала? Тренеры же ездят.

— Ездят те тренеры, у которых воспитанники выступают. Можно поехать и за свой счет, но для меня это очень дорого.

— А твоих учеников там нет?

— К сожалению, нет, — усмехнулась Вера Борисовна. — Мои ребята пока до олимпийского уровня не дотягивают. По крайней мере, в этом году мне ехать не с кем.

— А ты возьми меня к себе тренироваться. Я стану чемпионом, и ты будешь ездишь со мной на все соревнования. Правда, здорово будет? Мы с тобой весь мир объездим.

— Экий ты резвый. А как же Светлана Арнольдовна? Ты собираешься от нее уйти?

— Она сама от нас скоро уйдет.

— Да ну?

— Точно, — подтвердила Нана. — Светка в декрет уходит, собирается рожать. Никита, не отвлекай бабу Веру, она же смотрит, как девочки катаются.

— Да ну, это разве катание? — Никита презрительно сморщил нос. — Сплошная грязь, все недокручено, недоделано, начинает выполнять элемент и бросает на полдороге. Тоже мне, еще олимпийцы называются.

— О! — Вера Борисовна назидательно подняла палец. — У нас тут, оказывается, сидит судья международной категории, а мы-то с ним запросто и на «ты». Но вообще-то он прав, у этой девочки действительно все вращения идут с недокрутом...

Нана облегченно перевела дыхание: из опасной темы они благополучно выплыли, хотя неизвестно, надолго ли. Ни один из учеников Веры Борисовны никогда не участвовал в Олимпийских играх. У нее не было своей школы, она не воспитала выдающихся спортсменов, и имя ее было неизвестно тем, кто наблюдает за ситуацией в фигурном катании, сидя перед экранами телевизоров. Она не была выдающимся тренером, обладающим уникальными собственными методиками подготовки фигуристов, она была просто очень хорошим педагогом и очень хорошим человеком, но все, кто стремился к вершинам спортивной славы, уходили от нее к именитым специалистам.

Никита Веру Борисовну обожал и называл бабой Верой, потому что с родными бабушками общаться оказалось как-то затруднительно. Родителей Наны вообще не было в стране, а мать ее бывшего мужа к встречам с внуком отчего-то не стремилась. Ее сын, отец Никиты, женился во второй раз сразу же после развода с Наной, у него родился ребенок, с которым бабушка и нянчилась. Никита мечтал о том, чтобы тренироваться у Веры Борисовны, потому что рядом с ней чувствовал себя спокойно и уютно, но и Нана, и сама Вера этот вопрос старались обходить стороной. У Светочки, Светланы Арнольдовны Лазаревой, были прочные связи с известными тренерами, и именно к ней они в первую очередь приходили «на смотрины», выбирать себе перспективных учеников, которых можно довести до олимпийского уровня. В общем, в тренерско-спортивном сообществе было много всяких тонкостей, которых Никита еще не понимал, зато и его мама, и Вера Борисовна понимали прекрасно: если мальчик хочет сделать карьеру в спорте, ему нужно оставаться у Светланы Арнольдовны или у того тренера, который придет ей на смену. Более того, именно в момент смены и явятся «охотники за ногами» с громкими именами.

— Ты смотри-ка, — с удивлением проговорила Вера Борисовна, когда закончили выступать первые двенадцать спортсменок, — на две разминки всего одно падение. И это ведь слабейшие группы откатались. Что же дальше-то будет?

— Наверное, лед сегодня добрый, — высказала предположение Нана.

Пока заливали лед и разминалась третья группа, она заварила свежий чай, сделала пару телефонных звонков и вернулась к телевизору. На экране готовилась к выступлению первая спортсменка из очередной разминки, она стояла у бортика, получая последние указания от своего тренера. Девушка взяла в руки бутылку воды, прополоскала рот и сплюнула воду на лед.

Нана помертвела.

— Господи, что она делает? — в ужасе прошептала она. — Она что, с ума сошла? Разве можно плевать на лед?

— А разве нельзя? — спросил Никита. — Что в этом такого?

— Никитос, я тебе тысячу раз объясняла, что лед — живой и с ним нужно уметь договариваться. Его нужно любить, уважать, пришел на каток — поздоровайся, скажи ему несколько добрых слов, уходишь — попрощайся и поблагодари. Ты же видишь, как твой любимый чемпион после выступлений целует лед в том месте, где удачно выполнил четверной прыжок. Вот так и надо со льдом обращаться. А она плюет! Идиотка.

Пророчество сбылось немедленно: все фигуристки в этой группе срывали элементы и падали.

— Ну точно, — пробормотала Вера Борисовна, делая в блокноте очередную запись, — как на чужих ногах катаются. Но интересные элементы есть, так что мне будет о чем подумать.

К концу соревнований все трое так испереживались, болея за российских фигуристок, что не заметили, как съели всю стопку блинов.

— Никитос, сколько блинов ты съел? — строго спросила Нана.

Мальчик задумался, загибая пальцы.

— Один на старт и еще три на наших девчонок, получается четыре, — отрапортовал он.

— Много. Да еще на ночь... Завтра тренировка есть?

— Нету.

— Значит, будешь разгружаться.

— Ну мам, — заныл Никита, — а пирожные?

— Еще чего. Даже не обсуждается. Ты же потом от льда не оторвешься, так и будешь прыгать «сидя». Тебе это надо? А еще чемпионом хочешь стать. Ведь хочешь?

— Хочу, — твердо произнес он. — И буду.

— Вот и ладно. Отправляйся спать, а завтра весь день будешь пить чай с сухарями.

Никита послушно отбыл в свою комнату, вскоре ушла и Вера Борисовна. Нана сильно устала, все-таки еще не выздоровела, и, оглядев сложенную в мойку грязную посуду, она решила оставить ее до завтра. Ноги совсем ватные, и голова покруживается.

Она улеглась в постель, закуталась в теплое одеяло, свернулась в клубочек, но сна не было. В голове снова и снова всплывали слова Веры Борисовны: почему Нана не может любить того мужчину, с которым спит? Да не в этом же дело, а в том, что она может поддерживать интимные отношения с тем мужчиной, которого не любит. Наверное, это очень плохо. Безнравственно. Во всяком случае, так принято считать. А что в этом безнравственного? Тысячи, миллионы женщин и мужчин, состоящие в браке, исправно и регулярно, и даже не без удовольствия, занимаются сексом, ведут общее хозяйство, растят детей, ходят вместе в гости, хотя никакой такой безумной романтической любви между ними давно нет. Может быть, их извиняет то обстоятельство, что раньше эта любовь у них все-таки была? А у нее с Антоном Тодоровым такой любви не было... Ну и что? Он — замечательный, умный, добрый, заботливый. Да, она не обмирает от его взгляда и не теряет рассудок от его прикосновений, она не изнывает от тоски, когда не видит его несколько дней, она не думает о нем каждую свободную минуту, но разве это так уж обязательно? Обмирание и потеря рассудка — это Саша Филановский, никакой другой мужчина за все без малого тридцать шесть прожитых лет не производил на Нану Ким такого впечатления. Но Саша недоступен, и, значит, нужно выстраивать свою личную жизнь с другими мужчинами. Нельзя же похоронить себя заживо, мечтая о прекрасном принце Филановском, надеть пояс целомудрия и превратиться в унылую монашку. И вообще, что такое любовь? Может быть, как раз то, что есть у них с Антоном? А то, что с Сашей, — просто безумие, наваждение, черт знает что...

* * *

Оконное стекло оставалось грязным, сколько его ни мой, и Ксения давно уже оставила попытки оттереть мутные пятна, появившиеся невесть когда и неизвестно отчего. Первые годы она изо всех сил старалась поддерживать это жилище в достойном виде, все время мыла, терла, чистила, подклеивала отрывающиеся обои, подмазывала белилами потолок, но постоянное отсутствие денег все равно сказывалось, квартира ветшала, мебель рассыхалась и трескалась, сантехника покрывалась желтоватыми разводами, и убожество и разруха наконец взяли верх над хозяйственностью и аккуратностью. У Ксении больше не было сил бороться, она устала и опустила руки. Ей было все равно. И даже ребенок, доченька любимая, Татка, малышенька единственная, — и та не пробуждала в женщине никакого интереса к жизни. Все предопределено, все распределено, каждый получил, что ему причитается, и на большее надеяться нечего.

Татка болеет с самого рождения, у нее диабет первого типа, ее нельзя отдавать ни в ясли, ни в детский сад — упустят, не справятся, и Ксения сидит дома, работу бросила и занимается только дочкой. Так и живут втроем на одну мужнину зарплату, а велика ли она у простого инженера, если завод, на котором он работает, по уши в долгах? Мало того, что невелика, так еще и не каждый месяц ее выдают.

Скорей бы зима кончилась, солнышко выглянуло, все-таки повеселее будет, а то уж совсем безрадостно...

Татка спит, и Ксения привычно сидит у окна и смотрит на улицу. Люди ходят. Разные. Хорошо одетые. Веселые. Машины проезжают дорогие. Какая-то другая жизнь, в которой откуда-то берутся и деньги, и радость, и надежды, и здоровье. Откуда? Знать бы — побежала бы хоть босиком, месяцами стояла бы в очереди, чтобы тоже получить хоть чуть-чуть. Глупые мысли, глупая Ксения.

Она отходит от окна, останавливается перед зеркалом, тоже мутным, как и оконное стекло, и покрытым пятнами, точечками и какими-то царапинами. Почему, ну почему все так сложилось? Ведь была умненькой симпатичной девчушкой, в школе хорошо училась, стала постарше — мальчишки начали заглядываться. В институт поступила, встречалась с парнем, долго встречалась, дело к свадьбе шло, потом встретила того, кто стал ее мужем, голову потеряла, влюбилась до смерти. Мама была против, отговаривала, мол, не пара он и вообще... Что «вообще», Ксения не понимала, она знала только одно: такая любовь случается раз в сто лет. Она любит, она любима, и при чем тут пара или не пара?

Была свадьба, скромная — по средствам, которых не было ни в семье невесты, ни у жениха, потом долгая изнурительная борьба за рождение ребенка, несколько выкидышей, томительные больничные месяцы «на сохранении», потом подарок судьбы — Таточка, Татуська. Ксения хотела назвать девочку как-нибудь посовременнее, например, Настей, Катей, или уж совсем авангардно — Варварой или Ульяной, но муж настоял на Тамаре. Чем-то это имя было ему дорого, но чем именно — он так и не рассказал, только смотрел как-то странно, не то задумчиво, не то загадочно, но без улыбки. Да ладно, Тамара так Тамара, лишь бы была здорова и счастлива. Однако здоровья маленькой Татуське Господь не дал.

Ксения смотрит на свое отражение и пытается вспомнить то время, когда она была частью той счастливой беззаботной жизни, текущей за окном, проплывающей мимо и даже самым тонким краешком не задевающей теперь ее. А что будет дальше? Уже шесть лет Ксения не работает по профессии, она вообще нигде не работает, сидит с ребенком, а вдруг что случится? Нет, не самое страшное, не с девочкой, а с мужем. Попадет под машину, например, или просто-напросто бросит ее. Зачем ему такая жена, неухоженная, с ранними морщинами, опустившаяся, в старых джинсах и безразмерном свитере. Волос давно уже не касались ножницы парикмахера — надо экономить каждую копейку. Любовь мужа поддерживала ее все эти годы, давала силу, стойкость, но ведь все когда-то кончается, и любовь тоже. И если он ее разлюбит и бросит, то что же с ней будет? С ней и с Таткой? Как жить? На что жить?

Она судорожно хватает трубку старенького, давно разбитого и склеенного скотчем телефона и набирает номер мужа. Только услышать его голос, всего несколько слов, чтобы быть уверенной, что сегодня после работы он вернется домой. Руки дрожат, в горле стоит ком, который никак не удается сглотнуть, и от этого голос Ксении звучит сдавленно и испуганно.

— Что? — тревожно спрашивает муж. — С Таткой плохо?

— Да нет, с ней все нормально, она спит.

— А что тогда?

Он никогда не понимал, зачем она звонит ему на работу без дела, просто так. Он не понимал ее страха, не видел оснований для беспокойства и сердился.

— Не знаю, — она уже почти плачет, с трудом сдерживается. — Мне как-то тревожно стало. С тобой все в порядке?

— Да что со мной случится, Ксюша, ну что ты, право слово, как маленькая.

Вот и сейчас сердится, она по голосу слышит. Муж недоволен ею, глупой, плохо выглядящей, которая даже здорового ребенка родить не смогла. Бросит он ее, точно бросит, если еще не сегодня, то через неделю или через месяц.

Она плачет в трубку, так горько, так отчаянно, всхлипывая и подвывая, она так устала от вечного безденежья и ежечасного беспокойства за девочку, от этих неотмывающихся окон, от просачивающегося во все щели холодного сырого воздуха, от пятен на потолке и от старой клеенки на столе в кухне, с которой от многолетнего мытья стерся рисунок...

— Ксюшенька, солнышко мое, — ласково говорит муж, — я все понимаю, я знаю, как тебе тяжело, но потерпи еще чуть-чуть. Еще совсем немножко, ладно? Скоро у нас будут деньги. Уже совсем скоро.

От этих слов, сказанных так тепло, так мягко, она немного успокаивается. Ей кажется, что она почти видит его, сидящего, нет, расхаживающего по служебному помещению взад и вперед — такая у него привычка, он совершенно не умеет разговаривать по телефону, сидя на одном месте, ему обязательно надо двигаться. Высокий, стройный, густые хорошо подстриженные черные с сильной проседью волосы, смуглая кожа, выразительные темные глаза, густые загнутые вверх ресницы, и весь он напоминает горький шоколад — темный, сладкий, но без приторности. Господи, какой же он красивый! Как милостива судьба была к ней, Ксении, когда подарила ей такого мужа! И если она будет действовать ему на нервы, он обязательно бросит ее, вечно плачущую, опустившуюся, да еще с больным ребенком на руках.

— Прости, — бормочет Ксения, — я больше не буду. Я уже не плачу.

Она понятия не имеет, откуда возьмутся деньги, о которых с недавнего времени начал говорить муж. Она даже отдаленно не представляет, откуда они могут появиться. Но так хочется ему верить! За все годы, прожитые вместе, он ни разу ее не обманул. Так, может быть, и в этот раз не обманет.

* * *

Звонок в дверь раздался в тот самый момент, когда Кате показалось, что уже ничто не может помешать им с Андреем лечь наконец в постель. День для нее оказался пустым и оттого длинным и скучным, и вечер не наступал мучительно долго. Сегодня с самого утра все не заладилось, и намеченные дела отменялись одно за другим. Сперва не состоялось назначенное еще неделю назад собеседование по поводу новой работы (с прежней Катя уволилась еще месяц назад), потом выяснилось, что подружка, с которой девушка собиралась встретиться и вместе где-нибудь пообедать, заболела, и в довершение всего в бассейне, куда Катя ходила два раза в неделю, прорвало какую-то трубу, и его закрыли на санитарный день. Она попыталась пройтись по магазинам, но никакого удовольствия от похода не получила, потому что таких денег у нее не было. Вернее, их не было у Андрея.

И вот наконец Андрей пришел домой, они вместе поужинали, потом Катя смотрела по телевизору сериал, а Андрей что-то писал, включив компьютер, и ей казалось, что еще минут двадцать — и спать.

Как раз в это время и позвонили в дверь. Она помчалась открывать и увидела на пороге одну из «подружек» Андрея. Как она ненавидела этих теток с озабоченными рожами, которые считали возможным являться в почти семейный дом в одиннадцать вечера, да еще без предварительного звонка! И почему Андрюша им это позволяет? Самое противное, что «подружек» было много, человек пять или даже шесть, и не все они были тетками «в возрасте», то есть около сорока. Среди них попадались и молодые девицы. Ну как, ну вот как она, Катя, должна к этому относиться?

Сегодняшняя гостья была из этих, молодых и красивых. Андрей, как обычно, провел ее на кухню, заварил чай и закрыл дверь, ведущую в коридор, предоставив Кате смотреть телевизор в одиночестве. Девушка даже не злилась — она давно привыкла. Конечно, в тот раз, самый первый, больше года назад, когда они с Андреем только-только начали жить вместе, и вдруг около полуночи явилась какая-то молодая женщина, и Андрей встал с постели, повел ее на кухню, закрыл дверь, и до рассвета они о чем-то разговаривали, — в тот раз Катя устроила форменную истерику. Она была, во-первых, влюблена, и во-вторых, уверена, что эта женщина — или бывшая любовница Филановского, с которой у него «еще не все порвано», или будущая претендентка, готовая в любую минуту сместить Катю и заменить ее собой рядом с ним. Понятно, что при таком подходе масштаб истерики был весьма крупным. Она рыдала и требовала объяснений, Андрей тихо улыбался и говорил:

— Зайка, я не могу, не имею права требовать от тебя, чтобы ты разделяла мои убеждения и жила моими интересами. Но и ты не можешь требовать от меня, чтобы я жил в вакууме, не имея возможности общаться с людьми, которым интересно то же, что и мне. Если я не могу говорить с тобой о том, что меня волнует, то я буду говорить об этом с другими. А если ты собираешься по этому поводу скандалить, то я ведь все равно не перестану общаться со своими друзьями, я просто буду делать это вне дома. Ты этого хочешь? Ты хочешь, чтобы я уходил поздно вечером неизвестно куда и возвращался под утро?

— Ты привел в дом бабу и заперся с ней на кухне у меня на глазах! — кричала Катерина, размазывая бурно текущие слезы по щекам и шее.

— А что, будет лучше, если я буду уходить с ней? — смеялся Андрей, которого ее слезы совершенно не трогали и, что удивительно, не раздражали. Он просто как будто не замечал их. — Ты же ходишь куда-то со своими подружками, о чем-то разговариваешь с ними, и я совсем не уверен, что мое присутствие рядом с тобой в такие моменты сделало бы эти встречи более приятными. У тебя с твоими приятельницами свои разговоры, у меня с моими — свои. Не понимаю, что тебя так бесит.

Но по его глазам она видела, что он отлично все понимает. Он понимает, что именно привело ее в бешенство, но ничего менять не собирается. Катю душила ревность, она пыталась вытянуть из Андрея какие-то слова, которые успокоили бы ее, дескать, у него с этой женщиной нет никаких интимных отношений, и не было никогда, и не предвидится, но он, как назло, об этом не говорил, а говорил совсем о другом: о том, что человеку необходимо общение, и никто не вправе его лишать возможности... В конце концов Катя рассвирепела и пустила в ход свой последний, как ей казалось, козырь:

— Если ты такой, то я вообще уйду от тебя. Ты, наверное, совсем меня не любишь, раз можешь оставить меня одну и ночь напролет просидеть с какой-то бабой и пить с ней чай. Она тебе дороже, чем я, да?

Ответ Филановского ее обескуражил:

— Зайка, каждый человек имеет право делать то, что дает ему возможность почувствовать себя счастливым. Я очень хорошо к тебе отношусь, и если ты будешь счастлива, уйдя от меня, то я за тебя от всей души порадуюсь.

Катя ушам своим не поверила.

— То есть ты будешь рад, если я уйду? — переспросила она.

— Я буду рад, если тебе будет хорошо.

— И что, даже страдать не будешь?

— Я же сказал: я буду радоваться за тебя. Ведь ты же будешь счастлива, почему я должен из-за этого страдать? Я искренне хочу, чтобы у тебя все было хорошо, и если у тебя все хорошо — я счастлив. Где здесь место для страданий? Я лично его не вижу.

Она не понимала и поэтому не верила и старалась заставить Андрея произнести какие-то другие слова, более привычные и более понятные.

— Ты не будешь по мне скучать? Тебе не будет плохо без меня? Тебе что, вообще все равно, есть я или нет?

Однако ей так и не удалось услышать в ответ

то, что хотелось. Они с Андреем говорили словно бы на совершенно разных языках, и в конце этого длинного и такого странного разговора Кате стало понятно только одно: Андрей не такой, как все, и если она хочет быть рядом с ним, ей придется с этим смириться. Придется принять как данность его представление об отношениях мужчины и женщины, которое основано на том, что секс и душевная близость — суть вещи разные, и глупо страдать из-за того, что они не совпадают. Иногда они действительно совпадают, но чаще — нет, так устроен мир, и не нам его переделывать. Секс остается Кате, душевная близость и дружба — другим людям, большая часть которых почему-то является женщинами. И если Катя соберется бросить Андрея Филановского, то валяться в ногах и умолять вернуться он не станет, это было тем единственным, что она поняла точно.

Она честно пыталась встать в ряды его подруг, прослушала целиком его семинар, состоящий из пяти трехчасовых занятий, и хотя поняла все, что он говорил (Андрей умел удивительно понятно объяснять), душевного отклика его идеи в ней не нашли. Зачем все это? Глупость какая-то... Конечно, Катя ничего такого ему не сказала, напротив, заявила, что ей было страшно интересно, и даже попыталась обсудить его идеи дома, но разговор быстро увял, потому что настоящего интереса она не испытывала, и Андрей сразу это почувствовал. Он не рассердился, нет, не рассердился и не обиделся, просто сказал тогда, что у каждого человека свои эмоциональные и интеллектуальные потребности и не стоит истязать себя тем, что этим потребностям не соответствует. Если человек чего-то не понимает или ему что-то неинтересно, это не означает, что он тупой и ограниченный. Просто он — другой. Он не такой, как ты. А кто сказал, что все обязаны быть такими, как ты сам? Кто сказал, что всем должно быть интересно то, что интересно лично тебе? Кто сказал, что твои интересы — самые интересные, и твои вкусы — самые правильные, и твое мнение — самое безошибочное? Кто, в конце концов, сказал, что ты — эталон, а все, кто этому эталону не соответствует, — глупцы с неразвитым вкусом? Никто этого не говорил, это ты сам придумал, потому что слишком любишь себя и считаешь себя самым лучшим, самым умным и самым правильным, а это, между прочим, есть не что иное, как гордыня — один из смертных грехов, причем самый тяжкий.

— Никогда не притворяйся, — сказал тогда Андрей. — Если человек притворяется, он тем самым как бы заявляет, что не имеет права быть таким, какой он есть, потому что он недостаточно хорош и надо бы это скрыть под какой-нибудь личиной, чтобы понравиться другому человеку. Не делай вид, что тебе интересен мой семинар и вообще моя работа. Если ты открыто скажешь, что тебе это неинтересно, непонятно и вообще не нужно, я не стану хуже относиться к тебе, честное слово. Зато я буду знать, что ты не обманываешь меня и не притворяешься, что ты честна со мной, а это дорогого стоит. Я же люблю тебя не потому, что ты — ярая сторонница моих идей. Ты можешь быть сторонницей каких угодно идей, я все равно буду тебя любить.

— А почему? Почему ты меня любишь? — спросила тогда Катя.

— Потому что ты совершенно потрясающая, — с улыбкой ответил он, увлек девушку на постель и вполне доходчиво объяснил невербальным способом, что именно он имеет в виду.

С тех пор прошел год. Она смирилась и даже нашла в своем положении ряд позитивных моментов. Первый и главный — Андрей никогда не устраивал ей сцен ревности. Это стало весьма удобным с того момента, как Катя познакомилась с его братом Александром. Такое же тело, такие же глаза, такие же руки и губы, тот же голос, но при этом огромная, изливающаяся на всех и каждого любовь, забота, теплота, щедрость... И деньги. Много денег.

С того времени Катя стала особенно дорожить своими отношениями с Андреем Филановским, потому что, только находясь рядом с ним, она имела возможность приблизиться к Александру. Корпоративные вечеринки, частые семейные посиделки и все такое. Если порвать с Андреем, на ее месте окажется другая, и на все эти мероприятия Андрюша будет ездить с той, другой, а не с Катей. А в том, что другая появится, причем очень быстро, Катя ни минуты не сомневалась. Бабы Андрея обожают, а сам он любит красивых девушек, так что никаких проблем, выбор огромен, было бы желание.

Она давно поняла, что приходящие к Андрею «подружки» ее, Катиному, статусу не угрожают, и перестала нервничать и злиться. Пусть делает что хочет, только бы не порвал с ней, пока ей не удалось заполучить Александра Филановского. И пусть эта очередная красотуля в дурацких немодных очках сидит с Андрюшей на кухне хоть до завтра, хоть до послезавтра. Катя сейчас спокойно досмотрит свой сериал, примет душ и ляжет в постель. И даже крепко уснет.

Она смирилась. Она привыкла. И у нее появилась цель.

* * *

С приближением назначенного часа Любовь Григорьевна Филановская нервничала все сильнее. Поручение, которое она дала Нане Ким, передали для выполнения какому-то сотруднику по фамилии Тодоров, прошло уже пять дней, и вот Тодоров позвонил сегодня и попросил разрешения приехать. Поговорить. О чем тут говорить? Поручение дано — его надо выполнять, выполнил — доложи. Впрочем, похоже, поручение этот Тодоров выполнил, во всяком случае, голос у него по телефону был не смущенным и не виноватым.

Пять дней, целых пять дней... Так много. За эти пять дней Любовь Григорьевна получила еще одно послание. Такое же короткое, как первое. Даже еще короче.

«Вы подумали над моим вопросом?»

Конечно, она подумала. Все эти пять дней она только об этом и думала. Что будет, если они узнают? Саша так щедр, добр и заботлив к тетке и бабушке, Любовь Григорьевна живет, не зная никаких забот и проблем, как у Христа за пазухой, но если он узнает, при каких обстоятельствах и чьими усилиями мальчики были лишены отца, то как знать...

Что ему нужно, этому Юрцевичу? Почему он никак не оставит их семью в покое? Денег, наверное, хочет. Узнал, что Саша, его сын, — богатый человек, вот и решил поправить свое материальное положение. Подонок. И всегда был подонком. Правильно его тогда посадили, правильно не дали Наде выйти за него замуж.

Но это — тогда. А сейчас? Сейчас-то что делать?

Тодоров явился точно в назначенное время, в восемь вечера. Любовь Григорьевна окинула его оценивающим взглядом и осталась вполне довольна увиденным. Симпатичный, фигура спортивная, накачанная, хорошо вылепленное лицо, открытая улыбка. Славный, одним словом. Она вспомнила, что неоднократно видела его на мероприятиях, которые организовывало Сашино издательство, но никогда не разговаривала с ним. Гость еще не успел раздеться в прихожей, а она уже почувствовала, что стала успокаиваться. Не может такой славный человек принести ей плохие вести.

— Сюда, пожалуйста. — Любовь Григорьевна провела Тодорова в свой кабинет, усадила в кресло, сама устроилась за рабочим столом, будто собиралась принимать экзамен на дому.

— Как ваше имя? — спросила она.

— Антон.

— Антон, хотите чаю? Или кофе? Я велю принести.

Ей показалось, что в его глазах мелькнула усмешка. Или почудилось? Что она такого особенного сказала?

— Благодарю вас, нет. Если не возражаете, я бы перешел к делу.

— Да-да, Антон, я вас внимательно слушаю. Вы его нашли?

— И да, и нет.

— Это как же, позвольте узнать? — нахмурилась Любовь Григорьевна.

— Сергей Дмитриевич Юрцевич, 1934 года рождения, скончался в 2000 году. Похоронен в Подмосковье, довольно далеко, на границе со Смоленской областью, поскольку в последние годы там жил.

— Как умер?! — ахнула она.

— Очень просто. Как все умирают. Ему было шестьдесят шесть лет. Что вас так удивило, Любовь Григорьевна?

— Но...

Она запнулась и замолчала. Кто же тогда шлет ей эти записки? Она ведь была уверена, что это делает Юрцевич. А он, оказывается, уже пять лет как скончался. Кто же тогда? У него был ребенок, сын... Может, он?

Тодоров смотрел на нее спокойно и с каким-то доброжелательным любопытством.

— Любовь Григорьевна, Нана Константиновна сказала мне, что речь идет об отце ваших племянников. Это так?

— Да, так, — машинально кивнула она.

— Вас шокировала новость о смерти господина Юрцевича. Я могу узнать, почему? Вы почему-то были уверены, что он жив?

— У него, кажется, был ребенок, — ответила Филановская явно невпопад, но Тодорова это, похоже, не удивило. — Не знаю, сын или дочь...

— Да, у него был сын, — подтвердил он. — На кладбище, где похоронен Юрцевич, мне сказали, что за его могилой ухаживает именно сын.

— А где он теперь? Что с ним?

— Я не знаю, — пожал плечами Антон. — Мое задание касалось только Сергея Дмитриевича Юрцевича, искать его наследников мне не поручалось. Вы хотите, чтобы я его нашел?

— Да, — вырвалось у нее прежде, чем она успела осознать, что говорит. — Найдите его и узнайте все, что сможете. Я оплачу вашу работу.

— Любовь Григорьевна, — мягко произнес Тодоров, — я с глубоким уважением отношусь к вам и к вашей матушке, но я с не меньшим уважением отношусь и к своей работе, и к себе самому. Я никогда и ничего не делаю втемную, не понимая, что я делаю и зачем. Обещаю вам, я сделаю все, что в моих силах, чтобы разрешить вашу проблему, но для этого я как минимум должен понимать, в чем она состоит. Согласитесь, ваше желание найти отца своих племянников не может не вызывать вопросов. И тем более вызывает массу вопросов ваше стремление найти их единокровного брата. Если это вопросы наследования, то я буду действовать одним способом, если это какие-то другие вопросы — то и методы моей работы будут совершенно другими. И в конце концов, мне необходимо понимать, что делать, когда я найду сына господина Юрцевича.

Филановская долго молчала, глядя в сторону. Потом взглянула прямо в глаза Тодорову, взглянула пытливо, пристально, словно пытаясь понять, может ли доверять ему семейную историю, и наткнулась на ответный взгляд, серьезный и совершенно спокойный. Так, во всяком случае, ей показалось. Не говоря ни слова, она вытащила из ящика стола два конверта с записками и подала Антону:

— Прочтите.

— Что это?

— Это я нашла в почтовом ящике. Одно — неделю назад, второе — вчера. До сегодняшнего дня я была уверена, что это прислал Юрцевич. Теперь я думаю, что это писал его сын. Он пытается меня шантажировать. Наверняка он такой же никчемный неудачник, как его папаша, вот и решил поправить свое материальное положение за наш счет. Папаше в свое время это не удалось, он попытался втереться в нашу семью и получить все блага и удобства, но у него ничего не вышло, теперь сыночек предпринимает новую попытку.

Тодоров быстро пробежал глазами коротенькие записки.

— Но здесь не выдвинуто никаких требований, — заметил он, возвращая конверты Филановской. — Я не вижу ни слова о деньгах или о каких-то других условиях.

— Подождите, все еще впереди, — усмехнулась Любовь Григорьевна. — Будут и требования денег, и условия. Пока что он просто хочет меня запугать. Найдите его и сделайте так, чтобы он больше никогда не приближался к нашей семье.

— Я понял, — кивнул Антон. — И все равно ничего не понял. Ваши племянники носят отчество «Владимирович», а вовсе не «Сергеевич», а вы уверяете меня, что Сергей Дмитриевич Юрцевич является их отцом. Более того, вы настаиваете на том, чтобы мой шеф и его брат ничего не знали о ваших поисках. Складывается впечатление, что они вообще не в курсе, кто является их отцом. Так что же произошло? Как так получилось? Любовь Григорьевна, если вы хотите, чтобы я сделал свое дело, выполнил ваше поручение, и выполнил его хорошо, я должен понимать, что происходит. Повторяю, я не работаю втемную, я считаю это унизительным. Если вы по каким-то причинам не хотите мне ничего рассказывать, вам имеет смысл обратиться в частное детективное агентство и поискать кого-нибудь менее щепетильного.

В детективное агентство! Да он что, с ума сошел? Какое еще агентство, когда у Саши в подчинении целая служба безопасности и руководит этой службой Нана, которую Любовь Григорьевна знала, когда та была еще маленькой девочкой и занималась фигурным катанием в одной группе с мальчиками. Любовь Григорьевна Филановская, почти пятьдесят лет прожившая при советской власти, лицо которой определялось такими понятиями, как дефицит и блат, доверяла только тем услугам, которые оказывались ей по знакомству. Если по знакомству, если «только для своих», то, стало быть, это самое лучшее. А уж в последние годы, когда Саша возглавил собственное издательство и разбогател, Любовь Григорьевну в любых ситуациях окружали только «свои»: свои врачи, которых присылал Саша, свои водители, которых он нанимал, свои портные, которые приезжали на дом и работу которых он оплачивал, свои туроператоры, наилучшим образом устраивающие ее зарубежные поездки и получающие для нее визы, и многие другие, но обязательно свои. Она, если бы даже очень захотела, не смогла бы припомнить ни одной проблемы, кроме чисто профессиональных, которую за последние восемь-десять лет решала сама. Все проблемы решал племянник Саша при помощи своих денег и своих связей. Разве может идти речь о каком-то частном детективном агентстве, куда ей придется идти самой, что-то объяснять, где ее никто не знает и где к ней не будут относиться внимательно и уважительно? Просто смешно.

А этот Антон Тодоров... Такой славный, спокойный. Работает у Наны и, в конечном итоге, у Саши. Он — свой. И ему можно доверять, иначе Нана не поручила бы ему это задание.

— Хорошо, — со вздохом произнесла она, — я вам расскажу. Только будьте готовы к тому, что это длинная история.

Москва, 1969—1975 годы

— Надо мяса достать для кулебяки... В магазине одна курятина...

Тамара Леонидовна произнесла это, наверное, уже в сотый раз одним и тем же ровным голосом, в котором не осталось ничего, ни страдания, ни печали, ни ужаса. Знаменитая актриса сидела на диване, в черном платье, с черным платком на голове, раскачивалась из стороны в сторону и монотонно повторяла одни и те же слова про мясо, которое непременно нужно достать, чтобы испечь кулебяку к поминальному столу. И каждый раз, услышав страшный своей пустотой голос матери, Люба чувствовала, как внутри сжимается все туже и туже холодная пружина, готовая распрямиться и выстрелить жутким криком, не криком даже — воем, безумным и диким, отчаянным и безнадежным. Надя умерла.

И вместо нее остались два мальчика, которым еще даже не дали имен. У Надюши были низкие показатели уровня тромбоцитов, и при рождении близнецов, сопровождавшемся разрывом матки, она скончалась от обильного кровотечения. Похороны завтра, а сегодня впавшая в прострацию Тамара Леонидовна безуспешно пыталась как-то собрать себя, сосредоточить на насущных заботах: кладбище, могила, венки, поминки. Отец, Григорий Васильевич, слег с сердечным приступом, и Люба оказалась единственной, кто более или менее ориентировался в окружающей действительности. С утра она съездила в морг, отвезла одежду, в которой Надюшу положат в гроб, со всеми договорилась, рассовала мятые рубли санитарам, которые будут «готовить» тело, и — заранее — грузчикам, выносящим гроб и устанавливающим его в машину, чтобы завтра уже этим не заниматься и об этом не думать. Господи, ну почему, зачем мама затеяла всю эту возню с Юрцевичем, с тем чтобы его посадить, не дать ему жениться на Наде! Пусть бы женился, черт с ним, и сейчас в семье был бы мужчина, который занимался бы всем тем, чем вынуждена заниматься Люба. А может быть, и не пришлось бы ему этим заниматься, может быть, все сложилось бы иначе и Надя была бы сейчас жива.

Дом полон людей, пришли мамины и Надины подруги, все хотят помочь, поддержать, утешить, но отчего-то всем кажется, что в поддержке и утешении нуждаются только отец и мама, а на Любу внимания не обращают. К слову сказать, нет здесь ни одного человека, который пришел бы сюда ради нее, Любы, чтобы побыть в тяжелую минуту рядом с ней. Нет у нее близких подруг, так только, приятельницы и коллеги по работе в школе. Когда она пришла к директору написать заявление об отпуске по семейным обстоятельствам на три дня, пришлось, конечно, объяснить, что это за обстоятельства, а то подумают еще бог знает что... На три дня в отпуск просятся, когда аборты делают и не хотят светить больничными листами. Очень ей нужно, чтобы про нее подумали, будто она... Ну вот, сказала про Надю, ей, конечно, посочувствовали, даже материальную помощь предложили выписать — целых десять рублей, но от помощи Люба отказалась, семья состоятельная, не бедствуют. Информация разлетелась по школе со скоростью ветра, Люба от кабинета директора до выхода дойти не успела, а уже человек пять как минимум при встрече с ней горестно кивали головами и выражали соболезнование. Но домой к ней никто не пришел.

А может, оно и к лучшему. Никто не мешает, ни с кем разговаривать не надо, можно спокойно заняться своими делами. Проверить черный костюм отца, почистить, отгладить, приготовить темную сорочку и подходящий галстук. Подобрать черную одежду для себя, тоже отгладить. Найти черный платок или шарф, где-то был, кажется. Пойти на кухню, разобраться с посудой, посчитать количество тарелок, вилок, ножей, рюмок и прочих емкостей, приготовить скатерти. Вся семья завтра с утра поедет на похороны, дома останутся мамины подруги, будут готовить поминальный стол, и надо оставить им хозяйство в полном порядке, чтобы все было и всего хватило.

Из комнаты донеслись рыдания матери и голоса хлопочущих вокруг нее женщин, и Люба вдруг почувствовала себя страшно одинокой.

Схватив легкий плащик и кошелек с деньгами, она сунула в карман сетку-авоську и выскочила из дома. Надо и вправду мяса поискать, раз мама так хочет. Наверное, так полагается, чтобы были кулебяки с мясом, она сама точно не знает.

В магазинах было пусто, только-только миновали праздники, сначала 1 Мая, через неделю — День Победы, и с прилавков смели все продукты, какие имелись. Залитые солнцем улицы были сладостно-прохладны и свежи от едва уловимого запаха первых, клейких ещё светло-зеленых листочков. В такую погоду надо с любимым человеком гулять, наслаждаясь счастьем, беззаботностью и свободой, а не бегать в поисках продуктов для поминок по младшей сестре.

О мальчиках, которых родила Надя, Люба совсем не думала. Ну что о них думать? Кому они нужны, эти близнецы? Отца у них нет, матери тоже нет, совершенно очевидно, что их надо отдавать в Дом малютки, именно для этого такие Дома и существуют, чтобы в них попадали те детки, у которых нет родителей. И имена им там пусть сами придумают.

В тот момент, в день накануне похорон сестры, Любовь Филановская думала именно так. И ей даже в голову не приходило, что может быть как-то иначе.

* * *

Однако она ошибалась. Через два дня после похорон Нади Тамара Леонидовна заявила:

— Завтра мы забираем мальчиков из роддома.

— Куда забираем? — не поняла Люба.

— Как это куда? Сюда. Домой. А куда, по-твоему, их еще можно забрать?

— Но я думала, мы их оставляем... — растерялась Люба.

— Ты с ума сошла! Это же твои племянники, это наши с папой внуки! Да как у тебя язык повернулся такое сказать? Оставляем!

Люба набрала в грудь побольше воздуха, медленно выдохнула, обняла мать, усадила ее на стул.

— Мам, давай поговорим серьезно и спокойно. Насколько я знаю, ты никогда не рвалась стать бабушкой. Тебе эти дети не нужны. Ну что ты будешь с ними делать? У тебя постоянные съемки, бесконечные спектакли, экспедиции, гастроли, ты же не сможешь их растить. Правда?

— Их будешь растить ты, — твердо произнесла Тамара Леонидовна, глядя прямо в глаза старшей дочери.

— Но, мама... грех так говорить, но мне они тоже не нужны. Как я смогу их растить и воспитывать? Декретный отпуск мне не положен, я им не мать. И потом, я работаю, я взрослая женщина, у меня своя жизнь, а ты хочешь эту жизнь разрушить и привязать меня к двоим малышам?

— Ты их усыновишь, и тебе официально дадут отпуск до того времени, пока мы не отдадим мальчиков в ясли. Я уже все продумала. Вот смотри...

— Мама! — взорвалась Люба. — Ты за меня уже все решила, да? Ты хочешь повесить на меня двоих чужих детей и вырастить их моими руками? А что будет с моей жизнью, ты подумала? Я не хочу этих мальчиков, я не собираюсь их усыновлять, это не мои дети! Усыновляй их сама, если хочешь, и сиди с ними дома, пожертвуй своей артистической карьерой, откажись от съемок и спектаклей и расти себе собственных внуков. А меня уволь.

— Люба! — Тамара Леонидовна тоже повысила голос, но внезапно сменила тон и заговорила мягко и негромко: — Любочка, девочка моя, ты должна правильно понимать, что происходит. Все вокруг знали, что Наденька беременна. И всем известно, что ее больше нет. Возникает вопрос: а что с детьми? Где они? Как они? И что я должна отвечать? Тебе в твоей школе этот вопрос никто не задаст, там никто никогда не видел Надю и не знал ее, но у меня-то в театре ее все знают, и в последнее время она часто приходила ко мне, все видели, что она ждет ребенка. И мне эти вопросы обязательно зададут. Как ты думаешь, я могу, я имею право сказать, что мы отдали детей в приют? Я, народная артистка СССР, лауреат Государственной премии, член партии с 1942 года, член парткома театра, член бюро райкома партии, — и отказалась от родных внуков. А твой отец, если ты не забыла, — член бюро горкома. Ты хоть понимаешь, как это скажется на папиной карьере? А на моей? Я уже объясняла тебе все это, когда рассказывала о Юрцевиче, не будь он к ночи помянут, и мне казалось, что ты меня отлично поняла. Ты не меньше меня заинтересована в том, чтобы наша с папой карьера не пострадала, потому что все это, — она обвела широким жестом дорого и со вкусом обставленную комнату, которая должна была в данном случае олицетворять как достаток, так и возможности, ценившиеся в те времена даже несколько выше достатка, — все это прилагается к нашему с папой положению и к нашим заслугам. И мы не имеем права этим рисковать. Я уж не говорю о том, что как творческие люди мы просто умрем, потому что папе не дадут руководить театром и вообще не позволят работать в Москве, а меня перестанут снимать и ставить на главные роли. Ты хочешь, чтобы наша карьера так бесславно закончилась?

— Ты все время говоришь о себе и папе, — с раздражением ответила Люба. — Ваша жизнь, ваша карьера, ваше положение! Все ваше. А обо мне кто-нибудь из вас подумал? Что будет с моей жизнью, если я буду тащить на себе двух чужих детей? Кому я буду нужна с таким приданым? Я же замуж никогда не выйду, хоть это-то ты понимаешь? У меня даже не будет времени ходить на свидания! Я в театр не смогу сходить! Я собираюсь в этом году поступать в аспирантуру, я собираюсь писать диссертацию, защищаться, потому что не намерена весь век куковать в средней школе. И как я буду работать над диссертацией, имея на руках двоих грудных детей? У меня ни до одной книги руки не дойдут! У меня мозги атрофируются! Во что я превращусь?

— Да как ты можешь называть мальчиков чужими? — возмутилась мать. — Это же твои родные племянники!

— И твои родные внуки! Вот сама ими и занимайся.

— Любочка, деточка, — голос матери снова стал мягким и обволакивающим, — я все понимаю, родная моя. Но у нас нет другого выхода. В конце концов, если ты хочешь понравиться достойному мужчине, ты должна быть хорошо одета и иметь квартирные перспективы. Пока папа в бюро горкома, он всегда сможет при первой же необходимости выбить тебе отдельную квартирку, чтобы у тебя с мужем не было жилищных проблем. Сейчас у нас много возможностей, и мы должны всей семьей, все вместе постараться это сохранить. Поэтому мы не можем отдавать детей в приют. Тебе придется взять их на себя.

Люба всегда была послушной дочерью, и если сегодня попыталась оказать сопротивление, то только потому, что была выбита из колеи внезапной смертью сестры и плохо владела собой. В любое другое время она покорно и с первого же слова приняла бы решение родителей. Однако ресурс сопротивляемости оказался небольшим, и она очень быстро сдалась. Нет, она не признала правоту матери, не согласилась с ее доводами, просто она не посмела ослушаться и настоять на своем. Но одно условие все-таки выдвинула:

— Я не буду их усыновлять. Я оформлю опекунство.

— Но почему? — не поняла Тамара Леонидовна.

— Потому что я не собираюсь становиться матерью-одиночкой с двумя детьми. Мне замуж надо выходить. Ты же не хочешь, чтобы я положила собственную жизнь на алтарь Надиных детей? Мальчики останутся моими племянниками. Пусть и они сами, и все знают, что их мать умерла и что рожала их не я. Что касается их отца, то это был любовник Нади, а не мой, и мне не придется отвечать на миллион дурацких вопросов. Я не несу ответственности за то, что моя сестра была неразборчива и неосмотрительна в своей личной жизни.

— Хорошо, — кивнула мать. — Если ты настаиваешь, пусть будет опекунство. Ты пойдешь в ЗАГС регистрировать детей и дашь им другое отчество.

— Какое — другое?

— Да какое угодно, только не по настоящему отцу. Они не будут Сергеевичами. Нам все равно нужна какая-то легенда о том, от кого Наденька родила и почему он на ней не женился. То есть не успел жениться. Придумаем несчастный случай, ничего героического, чтобы не привлекать излишнего внимания. Хорошо, что Надюша в последнее время часто бывала у нас в театре, все видели, что она плохо выглядит, все время плачет, переживает. Вот и скажем, что отец мальчиков погиб. В общем, Любаша, ты все поняла. Будь умничкой и сделай все, как надо. Надюшу не вернуть, а нам надо жить дальше. Договорились?

«Нет!!! — захотелось крикнуть Любе. — Не договорились! Я так не хочу! Я не хочу растить чужих детей. Я не хочу жертвовать ради них своей жизнью! Они мне не нужны. Я знаю, они и тебе не нужны, и папе, которому вообще ничего не нужно, кроме театра и тебя. Они никому не нужны! Почему я должна тащить этот воз? Почему я?»

Но произнести это вслух она, разумеется, не осмелилась.

* * *

Тамара Леонидовна выписала из провинции дальнюю родственницу-пенсионерку, чтобы помогала ухаживать за детьми до достижения ими того возраста, когда можно будет отдавать мальчиков в ясли. Жизнь в столице пожилой даме не понравилась — слишком много людей, слишком много машин, слишком большие расстояния, никто друг друга не знает, совершенно не с кем поговорить... А дома ее ждали свои дети и подросшие внуки, и хотя Тамара Леонидовна постоянно делала родственнице дорогие подарки и периодически совала конверт с деньгами, та все-таки уехала, как только Сашу и Андрюшу отдали в ясли.

О том, каким способом семья Филановских оградила себя от подозрений в сочувствии инакомыслию, старались не вспоминать. Сергей Юрцевич оказался в колонии по общеуголовной статье, срок ему дали не очень большой, всего четыре года, но это казалось достаточным, чтобы оградить семью и сейчас, и на будущее. Тамара Леонидовна и ее супруг Григорий Васильевич сделали все, чтобы вызвать у беременной дочери глубокое отвращение и к «тупоголовому уголовнику», и к той безумной любви, которую девушка имела глупость и неосторожность к нему испытывать. На суд ее, разумеется, не пустили, а уж Иван Анатольевич Круглов расстарался, чтобы подругу подследственного не только ни разу не вызвали к следователю, но даже имя ее ни в каких официальных бумагах не мелькало. Надя и не узнала точно, за что именно был осужден Юрцевич, впрочем, ее родители и сестра тоже этого не знали и узнать не стремились. Его посадят, изолируют от Нади и от семьи в целом — и довольно. Многия знания, как известно... одним словом, душевному покою не способствуют.

Наденька рыдала, впадала в отчаяние, вся семья дружно ее утешала и «подставляла плечо», особо упирая на то, что волнения и переживания вредны для будущего ребеночка, и обещая, что малыша они прекрасно вырастят и без отца, тем более «такого». Постепенно Надюша успокоилась и полностью отдалась блаженному и благословенному предвкушению материнства в окружении любящей и заботливой семьи. Казалось, все наладилось, опасность миновала...

Когда Наденька умерла, горе переживали по-разному. Григорий Васильевич стал чаще хвататься за сердечные лекарства, Тамара Леонидовна резко постарела и выглядела уже не на пятнадцать лет моложе, а ровно на все имеющиеся годы, а Люба, как и положено, работала, занималась близнецами, и на переживания утраты у нее просто не оставалось ни сил, ни времени. Да и сама утрата ее скорее злила, чем печалила.

Однако Филановские напрасно полагали, что избавились от ненавистного Юрцевича раз и навсегда.

Прошел год, самый горький после потери близкого человека и самый трудный после рождения детей. Труппа театра разъехалась в отпуска, Григорий Васильевич отбыл в кардиологический санаторий, а Тамара Леонидовна легла в клинику, чтобы привести в порядок лицо. Люба осталась с детьми одна. Однажды на улице, где она сидела на скамеечке, покачивая широкую «двойную» коляску с мальчиками и читая книгу, к ней подошла незнакомая женщина и робко спросила:

— Извините, вы — Люба?

— Любовь Григорьевна, — сухо бросила в ответ та, полагая, что перед ней мать кого-то из ее младшеклассников. Голову от книги она, по обыкновению, не подняла.

— Извините, — покорно повторила женщина. — Можно с вами поговорить?

— О чем?

— О детях. О ваших мальчиках.

— Да-да, — рассеянно ответила Люба, по-прежнему не отрываясь от тома Экзюпери, которым в тот год зачитывалась вся страна. — Что вы хотели спросить?

Женщина немного помолчала, потом выпалила:

— Моя фамилия Юрцевич. Наталья Юрцевич. Я жена Сергея.

Люба вздрогнула, закрыла наконец книгу и посмотрела на незнакомку. Самая обыкновенная, не уродина и не красавица, одета так себе, особенно по сравнению с Любой, и прическа какая-то дурацкая. Вот только глаза... Страдающие и одновременно безумные, как у человека, решившегося на последний шаг, такой страшный, нежеланный, но единственно спасительный.

— Ну, я вас слушаю, — высокомерно произнесла она.

— Понимаете... Мне трудно говорить об этом... То, что я скажу, может показаться вам чудовищным... Простите меня...

Люба немного смягчилась.

— Да вы присядьте, — предложила она и подвинулась.

Наталья села и снова замолчала, поставив на колени клеенчатую кошелку, потертую на швах. Люба терпеливо ждала.

— Красивые мальчики, — наконец выдавила Наталья.

Люба ничего не ответила, даже не кивнула. Она пыталась понять, как правильно себя вести, и мысленно порадовалась, что никак не отреагировала на имя Сергея Юрцевича. А как реагировать-то? Дать понять, что знаешь, от кого Надя родила детей? Или делать вид, что вообще не понимаешь, кто эта женщина и что ей может быть нужно? И упорно стоять на том, что отец мальчиков — совсем другой человек?

— Сережа знает про них.

Этого еще не хватало! Ну знает. И дальше что?

— Я понимаю, что глупо... Ваша сестра... Примите мои соболезнования, Любовь Григорьевна.

— Вот что мне меньше всего нужно в этой жизни, так это ваши соболезнования, — резко ответила Люба. — Это все, что вы хотели сказать?

Наталья испуганно взглянула на нее и заговорила торопливо, словно сказанное Любой подстегнуло ее и вывело из растерянности и смущения:

— Сережа очень любил вашу сестру. Я знаю. Он этого не скрывал. Он всегда был честным со мной, он просил развода, и я обещала развестись с ним, как только пройдет самое трудное время... Вы, может быть, не знаете, но у меня тоже ребенок, всего на три месяца старше ваших мальчиков. Мы договорились, что он поможет мне в первое время, а потом я его отпущу, чтобы он мог жениться на вашей сестре. Когда он узнал, что Надя умерла, он чуть с ума не сошел от горя.

— Откуда он узнал?

— От меня. Я же пишу ему письма и на свидания езжу.

— А вы откуда узнали?

— У Сережи много друзей, и все они меня знают. И вашу сестру они тоже знали, Сережа их знакомил с ней. Они мне сказали. Я обо всем ему написала: и о смерти Нади, и о близнецах. Любовь Григорьевна, отдайте мне детей.

— Что?!

Люба развернулась на скамейке и уставилась собеседнице прямо в лицо.

— Как это — отдать вам детей? Зачем? С какой стати?

— Это Сережины дети.

— Ну и что? Это дети моей сестры, мои родные племянники.

— Любовь Григорьевна, постарайтесь меня понять, я вас умоляю! — На глазах Натальи показались слезы. — Я очень люблю Сережу. А он любил вашу сестру и теперь любит своих сыновей, которых она родила. Он думает только о них, все его письма — о них, и когда я приезжаю на свидания в колонию, все разговоры тоже только о мальчиках. Это единственное, что поддерживает его интерес к жизни. Если дети будут расти рядом с ним, он будет счастлив, а я так хочу, чтобы он был счастлив... Так хочу, — пробормотала она и расплакалась.

Люба судорожно обдумывала услышанное. Конечно, это чудовищно — отдать детей. Но зато какое облегчение! Разом решить все проблемы, избавиться от мальчишек и снова заняться только собой, своей работой, поступить в аспирантуру, защитить диссертацию и строить карьеру...

Как соблазнительно! Но нет, нельзя. Нельзя связывать имя Филановских с именем Юрцевича, хотя если оформить усыновление, то будет предполагаться, что те, кто от детей отказался, не будут знать имени усыновителя. Отказаться от детей... Нет, не выход. Родители не согласятся ни за что, ведь все вокруг знают, что в семье Филановских растут два мальчика, и куда они делись? Их отдали на усыновление? Этот вариант уже рассматривался и был отвергнут еще тогда, когда они только родились. Мама и отец на это пойти не могут. А как хотелось бы их отдать!

— Не надо плакать, — холодно сказала она. — Вы и сами понимаете, какую чушь несете. Наша семья никогда и никому мальчиков не отдаст. И ваш муж не имеет к ним никакого отношения, так ему и передайте. Пусть забудет об их существовании. И не смейте больше приходить с этими глупостями.

Наталья пыталась настаивать, плакала, умоляла, хватала Любу за рукав легкого плащика, но Люба твердо стояла на своем. В конце концов, когда ей показалось, что проходящие мимо соседки кидают на них слишком пристальные любопытствующие взгляды, она поднялась и покатила коляску к подъезду, даже не попрощавшись с женой Юрцевича.

Весь остаток дня Любу одолевала досада. Стоило ей бросить взгляд на две детские кроватки, стоящие в ее комнате, она машинально представляла себе, что, если бы их здесь не было, можно было бы поставить вместительный стеллаж для книг и папок; включив телевизор, она начинала мечтать о том, что можно смотреть фильм, не отвлекаясь на плачущих описавшихся мальчишек; планируя дела на завтрашний день, она думала, сколько всего приятного, интересного и полезного можно было бы сделать, если бы не племянники. Ах, как было бы здорово!

На следующий день Люба после работы помчалась в клинику, где Тамара Леонидовна пыталась вернуть своей внешности прежнюю моложавость. Нужно было успеть вовремя забрать Сашу и Андрюшу из яслей, поэтому она, войдя в палату, не стала тратить время на пустяки и сразу приступила к главному, рассказав матери о вчерашнем разговоре с Натальей Юрцевич. Реакция Тамары Леонидовны оказалась такой, как Люба и ожидала: даже разговора быть не может, а если эта нахалка еще раз посмеет выступить с чем-то подобным, проявить жесткость и отвадить ее от семьи Филановских раз и навсегда.

Примерно через месяц Наталья появилась снова. На этот раз она позвонила в дверь, и как только Люба увидела ее на пороге, дверь была немедленно захлопнута без всяких объяснений.

Больше она не приходила, но Люба часто вспоминала ее и каждый раз злилась на родителей: ну что они так зациклились на своей карьере? Отдали бы детей — и дело с концом. Развязали бы Любе руки. Ведь какой хороший вариант!

* * *

Поступление в аспирантуру пришлось отложить. Люба разрывалась между работой и детьми, ежедневно, ежечасно чувствуя, как растет, накапливается и расцветает ее ненависть ко всему миру, и в первую очередь — к матери, к племянникам и к покойной сестре. Особенно к сестре. Ей досталось в этой жизни все: красота, талант, безумная любовь, свидания и прочие радости, и всем этим она успела попользоваться, и все это она забрала с собой, оставив Любе орущих капризных малышей, описанные пеленки, детские болезни, бессонные ночи и ни минуты свободного времени. Надя схватила все самое лучшее, самое радостное, а на долю ее старшей сестры выпала почетная доля разгребать последствия. Надя просто отняла у нее жизнь! Так, во всяком случае, чувствовала Люба Филановская. Дети раздражали и тяготили ее, однако, будучи от природы человеком ответственным и добросовестным, она делала все для того, чтобы вырастить их и воспитать.

Особенно воспитать. Ибо, кроме ответственности и добросовестности, Люба обладала еще и необыкновенной целеустремленностью. Ей пришло в голову, что чем раньше мальчики станут самостоятельными и разумными, тем скорее она освободится от ненужной обузы. Надо сделать так, чтобы дети как можно скорее научились не требовать ее внимания и постоянной опеки, чтобы могли быть предоставлены самим себе и не беспокоить тетку, которая получила бы наконец возможность заняться своими делами.

Профессиональный педагог, Любовь Григорьевна Филановская взялась за дело. Каждая минута, потраченная сегодня на занятия с мальчиками, окупится сторицей и в ближайшем будущем освободит ей целые часы, а то и дни. Она перелопатила горы литературы, освежая полученные в педагогическом институте знания и набираясь новых, выискивала оригинальные методики, попеременно опробуя их на племянниках, и с удивлением вдруг поняла, что ее мозг радостно и с удовольствием работает именно в этом направлении: дидактические приемы раннего развития детей дошкольного возраста. Ей это интересно, и, потратив полгода на освоение научной и методической литературы, Люба начала что-то придумывать и изобретать сама. Успехи окрыляли!

Когда Саша и Андрюша пошли в детский садик, они уже умели читать, знали довольно много слов по-английски, а речь их была чистой и правильной, без малейшей картавости. Они самостоятельно одевались, завязывали шнурки и застегивали пуговицы, не теряли вещей и не разбрасывали их, ели аккуратно, не пачкая одежду и стол вокруг тарелки. Воспитатели не могли нарадоваться на мальчиков и постоянно ставили их в пример всем малышам в группе.

В пять лет к ним по настоянию Тамары Леонидовны пригласили учительницу музыки, а Люба, используя собственные методы, приступила к интенсивному обучению мальчиков английскому языку. Она всегда умела понятно объяснять и преподносить новые знания так, что они намертво закреплялись в памяти, но тут нашел себе применение и еще один педагогический талант Любови Филановской: она могла заинтересовать учеников настолько, что они с энтузиазмом кидались осваивать новые знания и навыки. Что, собственно, и требовалось Любе. Она тратила час на то, чтобы чему-то научить, и потом как минимум три часа спокойно занималась своими делами, потому что племянники, пыхтя и высовывая от усердия языки, погружались в выполнение «домашнего задания». Люба и сама не заметила, как у нее набралось достаточно эмпирического материала для диссертации. Все новое, что придумывалось для воспитания Саши и Андрюши, она применяла и в школе с младшеклассниками, но особой изюминкой ее материалов были именно близнецы. В какой-то счастливый момент ей пришло в голову попытаться обучать мальчиков по-разному, применяя к Саше одни методы, а к Андрюше — другие, и сравнивать результаты, которые оказались даже интереснее, чем она предполагала вначале. Сама идея родилась по соображениям не научным, а сугубо практическим: пробуя одновременно два разных метода, можно одновременно, а не последовательно, оценить эффективность обоих и таким образом сэкономить время. Люба торопилась, ведь ей уже за тридцать, пора и о себе подумать, и надо как можно быстрее освобождаться от обузы. И только потом она сообразила, насколько любопытны результаты ее экспериментов, ведь они проводились на родных братьях, близнецах, растущих вместе, в одинаковых социальных и материальных условиях и имеющих одинаковые физиологические особенности.

Очень скоро она заметила, что мальчики, при всей своей одинаковости, имеют заметные отличия в образе мышления. Если для Саши основным вопросом было «как?», то для Андрюши первостепенное значение имел вопрос «зачем?». Активный, энергичный и веселый лидер Сашенька всегда хотел знать, как сделать так, чтобы получилось то, что он хочет. Более спокойный и задумчивый Андрюшка пытался понять, а зачем вообще это делать. При этом цепочка «зачем?» получалась у него такой длинной, что частенько ставила взрослых в тупик. Например, зачем нужно обязательно есть суп, если не хочется? Чтобы не болел животик. А зачем нужно, чтобы не болел животик? Чтобы не мучиться, потому что, когда болит живот, это неприятно. А зачем нужно, чтобы не мучиться? Зачем нужно, чтобы обязательно было приятно? Чтобы радоваться. А зачем нужно радоваться? Это уже было из области психологии, психиатрии и философии. Взрослые, конечно, знали ответ или думали, что знают, но совершенно не представляли, как в доступной форме донести его до четырехлетнего ребенка.

Да и к окружающим людям близнецы относились по-разному. Саша, к примеру, услышав, что в клубнике много витаминов и она очень полезна, тут же начинал совать ягоды в рот бабушке, дедушке и Любе, приговаривая: там витамины, они полезные, кушайте. Если взрослые отказывались, он проявлял потрясающую настойчивость и страшно расстраивался, когда ему не удавалось полностью осуществить задуманное. Потом брал несколько ягод себе и пододвигал тарелку с клубникой брату со словами:

— Ты слышал, что тебе сказали? Ешь, там витамины, они полезные. Ну ешь же! Чего ты сидишь?

Андрюша мог при этом молча съесть все остальное, сосредоточенно что-то обдумывая, а потом выступить с очередной исследовательской инициативой:

— Что такое витамины?

Надо заметить, что Саше и в голову не пришло этим поинтересоваться. Получив ответ, Андрюша продолжал допрос:

— Зачем они нужны?

— Чтобы быть здоровым и сильным, — отвечали ему.

— Зачем быть здоровым и сильным?

— Чтобы хорошо себя чувствовать, быстро бегать, не уставать.

— Зачем нужно быстро бегать? Зачем нужно не уставать?

Когда цепочка бесконечных вопросов и ответов, перевалив за грань объяснений насчет учебы, работы и всяческих успехов в трудовой деятельности (на доступном уровне, конечно), упиралась в непреодолимый хребет рассуждений о долгой и счастливой старости и взрослые расслаблялись, полагая, что на этом пытка закончилась, ибо о чем же еще можно говорить, когда «жизнь прожита», следовал очередной выпад:

— А зачем нужна долгая и счастливая старость?

Ответ был примитивен и от этого страшен: чтобы в конце концов умереть. Но умереть можно и без долголетия, и без счастья в старости, и вообще без старости. Собеседник мальчика внезапно это понимал, у него возникало непонятно откуда взявшееся ощущение бессмысленности всего происходящего, портилось настроение, он умолкал и уходил или переводил разговор на другую тему. Вопрос оставался без ответа. С детьми нельзя говорить о смерти, это все понимали.

Мальчики, рано научившиеся читать, думать и рассуждать, заметно выделялись из общей массы детей своего возраста и вызывали восхищение не только у воспитателей, но и у всех друзей и знакомых семьи. Они обладали прекрасной и упорно тренируемой Любой памятью и были настолько смышлеными и самостоятельными, что Григорий Васильевич не удержался от соблазна вывести внуков на сцену. Как раз в это время в театре готовилась к постановке пьеса одного современного драматурга на семейную тему, и главрежу не стоило никакого труда уговорить автора дописать пару эпизодов с участием пятилетних близнецов. Саша и Андрюша не подкачали, и спектакль имел оглушительный успех, особенно много аплодисментов выпало на долю маленьких артистов, ведь общеизвестно, что дети, равно как и животные, на сцене и на экране буквально завораживают зрителей. Пьеса продержалась целый сезон, а потом ее сняли с репертуара, поскольку автор ухитрился выступить на съезде Союза писателей как-то не так и впал в немилость.

— Вот видишь, — многозначительным шепотом сказала Тамара Леонидовна Любе, — он всего лишь не так сказал — и какой результат! Теперь ты понимаешь, что было бы со всеми нами, если бы мы скомпрометировали себя близостью с Юрцевичем?

— Вижу, — согласилась тогда Люба, глядя на раскрытый и наполовину уложенный чемодан матери: труппа театра выезжала на очередные гастроли в ГДР.

Конечно, мать привезет ей из-за границы хороший костюм и отличную обувь, и это особенно важно, потому что ноги у Любы, что называется, «проблемные», с выступающей косточкой возле большого пальца и слишком тонкой нежной кожей, которая стирается в кровь грубо обработанными на советских обувных фабриках краями. С обувью в стране вообще беда, она мало того что страшная, так еще и с неудобной колодкой, от которой болят ноги, и плохо сшита, мгновенно промокает и быстро рвется. Не говоря уж о каблуках, которые стаптываются буквально за месяц. Если Любе приходилось носить отечественные туфли, то ноги были постоянно заклеены пластырем. Спасали ее только возможности Тамары Леонидовны «доставать» или привозить обувь из зарубежных поездок. Да, быть хорошо одетой и носить удобную красивую обувь приятно, кто же спорит, но ведь ей, Любе, уже за тридцать, а личной жизни все нет и нет. Не складывается. И никакие костюмы и туфли, даже самые лучшие, не помогают.

Она была убеждена, что мешают племянники, чужие дети, гирями повисшие у нее на руках.

* * *

Тамара Леонидовна неоднократно предлагала отдать детей в круглосуточный детсад и забирать только на выходные, чтобы у дочери было побольше свободного времени, но, хотя соблазн был велик, Люба не согласилась. Чему они научатся в таком садике? Находясь постоянно в окружении таких же несмышленышей, как они сами, племянники не будут развиваться, и когда придет пора идти в школу, останутся несамостоятельными и неразвитыми и будут по-прежнему требовать внимания и опеки, то есть сил и времени. Нет, лучше уж сейчас потратить вечера на занятия с ними, но потом, уже совсем скоро, руки будут развязаны. И пусть занимаются музыкой, учительница приходит три раза в неделю, и это означает, что три раза в неделю у Любы образуются по два свободных часа, когда можно работать над диссертацией или просто почитать. И пусть спортом занимаются, она готова водить мальчиков на тренировки и ждать их, сидя на скамеечке с книгой в руках или с блокнотом на коленях. Есть виды спорта, которые очень способствуют интеллектуальному развитию и, что немаловажно, формируют самостоятельность и ответственность. Люба и здесь не пожалела времени на изучение литературы, нашла возможность пользоваться библиотекой института физкультуры, консультировалась с профессурой на разных кафедрах и пришла к выводу, что наиболее оптимальным для ее целей может, пожалуй, стать фигурное катание.

Она отдала пятилетних мальчиков в платную детскую группу, выбрав ближайший к дому стадион и сказав себе: «Еще два года — самое большее, и все. В школу и на тренировки они будут ходить сами, и чем дальше — тем тренировок будет больше. Учительница музыки приходит на дом. Они всё будут делать самостоятельно, и я наконец освобожусь. Только два года потерпеть — и свобода».

* * *

Зимой дети катались на открытом катке, а ожидающие их родители прогуливались неподалеку или, если мороз был совсем уж крепким, прятались в раздевалках. В тот день погода была не по-зимнему теплой, всего каких-то минус пять, сияло холодное солнце, и Люба медленно прохаживалась вдоль ограды катка, читая очередную научную монографию. Материал был собран, диссертация написана, еще немного довести до блеска — и можно сдавать ее в ученый совет.

Мужчина подошел к ней сзади, и Люба даже не сразу заметила, что рядом кто-то идет. Когда она в очередной раз развернулась, чтобы идти в обратном направлении, — столкнулась с ним нос к носу, вежливо улыбнулась и сделала шаг в сторону, чтобы обойти препятствие. Но мужчина не пропускал ее.

Она нахмурилась.

— Здравствуйте, Люба.

Он улыбнулся, но и в голосе, и в лице его Люба уловила напряжение. «Симпатичный», — решила она в первый момент, но уже в следующую секунду сказала себе: «Нет, красивый». Мужчина был высок, широкоплеч, синеглаз, только выглядел каким-то измученным, словно долго болел. Наверное, тоже из родителей юных спортсменов, ходит-бродит-скучает, вот и решил познакомиться, чтобы время скоротать.

— Здравствуйте, — ответила она, закрывая книгу. — Мы знакомы?

— Нет. Но я хотел бы с вами познакомиться. Вы не возражаете?

Она и сама не знала. С одной стороны, раз у него ребенок занимается на катке, значит, и жена есть, и с этой точки зрения знакомство совершенно бесперспективное. С другой стороны, целеустремленная, трудолюбивая и живущая по жесткому графику Люба запланировала на время тренировки проработать две главы из этой монографии, и терять время попусту не хотелось. Но была еще и третья сторона: сам мужчина, показавшийся ей необыкновенно привлекательным. Какой бы послушной дочерью, каким бы строгим учителем ни была Люба Филановская, она оставалась женщиной, к тому же не избалованной мужским вниманием.

— Не возражаю, — улыбнулась она. — Мое имя вы уже знаете. А ваше?

— Сергей. Не хочу, чтобы возникло какое-нибудь недоразумение, поэтому сразу назову и фамилию: Юрцевич.

Она споткнулась. Юрцевич подхватил ее под руку, но Люба вырвалась резким движением и отступила на пару шагов.

— Что вам нужно? Ну что вам опять нужно?! — гневно заговорила она. — Сначала жену ко мне подсылаете, теперь сами явились. Вас что, уже выпустили?

— Как видите. Не надо сердиться, пожалуйста. Разве я не имею права посмотреть на своих сыновей? Я часто сюда прихожу, просто вы всегда читаете, по сторонам не смотрите, поэтому не замечали меня.

— Вы следите за нами? — с ужасом спросила Люба.

— Я не слежу, я смотрю на мальчиков. Уж в этом-то вы мне отказать не можете.

— Могу, — твердо произнесла она, ускоряя шаг. — И откажу.

— Не обольщайтесь, — усмехнулся Юрцевич. — Вы не можете ничего мне запретить.

— Я заявлю на вас в милицию.

— И что? Разве я пристаю к вам? Разве пытаюсь заговорить с сыновьями, увести их от вас? Разве я вообще делаю хоть что-то запрещенное законом?

— Прекратите называть детей сыновьями! Забудьте о том, что вы их отец. Они — дети моей покойной сестры, мои племянники, внуки моих родителей. И на этом всё. Вы не имеете к ним никакого отношения.

— Вы ошибаетесь, Люба, — мягко проговорил он. — Я имею к ним отношение. Саша и Андрей — мои сыновья, их родила женщина, без которой я не мог жить, да и сейчас не могу, я до сих пор каждый день думаю о Наденьке, мысленно разговариваю с ней. И я очень их люблю, моих мальчиков, потому что они — ее продолжение, ее новое воплощение. Мне необходимо их видеть, и я был бы счастлив, если бы вы позволили мне хотя бы иногда общаться с ними.

— И не мечтайте, — бросила Люба, не поворачивая головы. — Не смейте даже приближаться к ним.

Юрцевич несколько секунд шел рядом молча, потом неожиданно кивнул:

— Хорошо. Как вы скажете — так и будет. Приближаться не буду, не стану пытаться заговорить с ними и познакомиться. Но хотя бы смотреть на них мне можно?

В его голосе звучала такая мольба и такая мука! И голос у него, между прочим, был очень приятным. Что, в конце концов, плохого в том, что этот Юрцевич будет издалека смотреть на мальчиков? Да пусть, не жалко.

В отношениях с мужчинами Люба была не особо опытной, серьезных романов у нее не случалось, а короткие и не оканчивающиеся ничем ухаживания не могли дать ей необходимых навыков разбираться в собственных ощущениях. Она в тот момент была уверена, что всего лишь разрешила отцу смотреть издалека на своих детей, ничего больше.

Она снова раскрыла книгу и углубилась в научный текст. Юрцевич больше не шел рядом, он направился в другую сторону и медленно прогуливался, не сводя глаз с катка, на котором занимались Саша и Андрюша, но, поскольку детей в группе было много, его пристальное внимание именно к этим мальчикам никому не было заметно. Иногда маршруты Любы и Юрцевича пересекались, и тогда она делала над собой некоторое усилие, чтобы не поднять голову и не посмотреть на него. И она даже не задалась вопросом, почему так точно и остро чувствует его приближение, хотя обычно не замечала ни идущих навстречу, ни обгоняющих ее людей. И еще она не заметила мелькнувшего в глубине сознания странного желания, чтобы сегодняшняя тренировка длилась подольше.

Наконец детей отпустили. Саша и Андрюша помчались в раздевалку, и Люба направилась поближе к тому месту, откуда они должны были появиться уже переодетыми, краем глаза пытаясь наблюдать за Юрцевичем. Не увидела его и решила, что Сергей уже ушел, однако легкого укола разочарования не заметила. А ведь он был, этот укол...

Весь остаток вечера, занимаясь с детьми, она мысленно сравнивала их с Юрцевичем и находила в мальчиках огромное сходство с отцом. Такие же синие глаза, такие же точеные лица, в которых не было и следа пухлощекой сероглазой Надюши. Мальчишки вырастут и станут такими же красавцами, как Юрцевич. Просто-таки смерть девчонкам! Какой же он красивый, этот Сергей... Тот факт, что Юрцевич весь вечер и всю ночь занимал мысли Любы, ничуть ее не удивил, ну а как же иначе, он ведь отец мальчиков, а мальчики все время у нее перед глазами.

Через два дня, ведя племянников на следующую тренировку, Люба думала о том, придет Юрцевич или нет, и эти мысли тоже показались совершенно естественными. Он пришел. Появился где-то минут через пятнадцать после начала занятий, издалека кивнул Любе, улыбнулся, но не подошел и не заговорил. Она снова читала что-то научное, прогуливаясь вдоль ограждения, но почему-то в этот раз Юрцевич ни разу не попался ей навстречу. То и дело поднимая глаза от книги, она видела его стоящим возле раздевалки и внимательно наблюдающим за катающимися малышами. К концу тренировки Любу охватило непонятное раздражение, природу которого она объяснить не могла. Да и не пыталась. Просто разозлилась, и все. Сердито схватив Сашу и Андрюшу за руки, она потащила их к троллейбусной остановке, ни разу не оглянувшись на то место, где всю тренировку простоял их отец.

Прошла неделя, прежде чем он снова заговорил с Любой.

— Трудно с ними? — спросил Юрцевич, подойдя к ней и даже не поздоровавшись.

— А как вы думаете? — Люба не сумела справиться с волнением, которое приняла за привычное чувство сердитой раздраженности. — Маленькие дети — всегда проблемы.

— Но вам кто-нибудь помогает? Ваша мама или еще кто-то?

— Мама много работает. Может, вы забыли, чем она занимается? У нее нет ни минуты свободной. И вообще она подолгу отсутствует, когда уезжает на гастроли или на съемки. Мальчики полностью на мне.

— Значит, вы совсем одна, — задумчиво протянул Юрцевич. — Вам, наверное, очень тяжело с моими детьми.

— Вот именно, с вашими, — внезапно вспылила Люба. — Вы же ни о чем не думали, когда тащили мою сестру в постель, вам лишь бы свое получить. А я теперь расхлебываю.

Она тут же устыдилась своей вспышки и огорчилась оттого, что в порыве злости назвала племянников «его детьми». Получается непоследовательно: то она утверждает, что Юрцевич не имеет к Саше и Андрюше никакого отношения, а то заявляет, что это его дети.

— Но вы ведь могли отдать мальчиков на усыновление. Наташа вам предлагала, я знаю.

— Какая еще Наташа? — сердито спросила она.

— Моя жена. Вы даже не стали это обсуждать. Если бы вы тогда согласились, сегодня у вас не было бы этих проблем, верно? Дети росли бы в моей семье, а вы были бы свободны.

Правильно. Все правильно. Разве можно объяснить ему, почему она не согласилась? Это даже в мыслях повторить неприлично, не то что вслух произнести, да еще постороннему человеку. Об этом можно было говорить только с матерью, да и то потихоньку.

— Если бы моя семья согласилась отдать детей вам на усыновление, у вас сейчас было бы уже трое на руках, — Люба постаралась добавить в голос побольше презрения. — У вас ведь, кажется, уже есть ребенок. Вы что, подпольный миллионер? Вас только-только из тюрьмы выпустили. Как вы могли бы содержать семью с тремя детьми?

— Меня выпустили не только-только, а довольно давно, больше года назад, — спокойно заметил Юрцевич, словно не замечая ее вызывающе неприязненного тона. — И я очень неплохо зарабатываю. Во всяком случае, на семью с тремя детьми вполне хватило бы. Может быть, вы все-таки передумаете и отдадите мне моих сыновей?

— Не смейте даже заговаривать об этом! Даже если отбросить все прочее, то мальчики уже достаточно большие, чтобы понимать, что семья от них отказывается и отдает в чужие руки. Это травма, которую впоследствии невозможно будет ни залечить, ни компенсировать.

— Они еще совсем маленькие, — возразил Сергей, — они скоро все забудут. Подумайте, Люба. Я ведь серьезно говорю.

— Они не маленькие, — высокомерно бросила Люба. — Они взрослые самостоятельные люди. Они уже давно свободно читают, бегло говорят по-английски, владеют всеми арифметическими действиями, играют на рояле и великолепно решают логические задачи, рассчитанные на десятилетних школьников.

— В самом деле? — удивился Юрцевич. — Вы не шутите?

— Не шучу. К сожалению, мальчики не могут продемонстрировать вам уровень своего развития, мы ведь с вами договорились, что вы не будете пытаться общаться с ними, так что вам придется поверить мне на слово. Но это действительно так. Это очень умные и не по годам развитые дети. Почти вундеркинды.

— Только почти?

— Вундеркинд — это удивительный ребенок, от рождения наделенный природой необыкновенными способностями. Саша и Андрюша — самые обыкновенные дети, просто я много и целенаправленно занималась их развитием.

— И преуспели, — с улыбкой констатировал Сергей.

— Как видите. Впрочем, вы, конечно, не видите.

— Я верю вам. Наденька очень много о вас

рассказывала. Она говорила мне, что у вас потрясающий талант обучать других и объяснять сложные вещи так, что их сразу понимаешь и с первого раза все запоминаешь. Знаете, Люба, она всегда вами восхищалась. Она помнила, как часто вы занимались с ней, помогали со школьной программой, и была очень вам благодарна. Она вас любила.

— Какая разница, любила — не любила, — махнула рукой Люба. — Важно то, что ее больше нет. А ее дети есть, и я заменяю им мать, Надю, вместо того чтобы проживать свою собственную жизнь.

— Но у мальчиков есть отец. И он вполне серьезно и ответственно предлагает вам...

— Да прекратите вы! Сколько же можно! Неужели не понятно: об этом не может быть и речи. Наша семья не расстанется с мальчиками. А кстати, на какой такой работе вы зарабатываете свои неплохие деньги? Насколько мне известно, людей с судимостью ни на одну приличную работу не берут.

— Это верно, — рассмеялся Юрцевич. — Но в этом вся прелесть и состоит. Вся прелесть нашего дивного социального и экономического строя. На приличной работе платят всегда мало. А нас, ранее судимых, берут только на неприличную, но зато и заработки большие.

— Кем же вы работаете? — прищурилась Люба, внимательно оглядывая Юрцевича.

— Представьте себе, делаю надгробия. В мастерской при кладбище. Я ведь профессиональный художник. За это очень хорошо платят.

Он, казалось, ничуть не смущался своей, прямо скажем, малопрестижной работой.

— На кладбище?! — ужаснулась Люба. — Какой кошмар! И вы еще смеете предлагать, чтобы мои дети... наши дети... чтобы мальчики жили с вами. Ужас! Расти в семье кладбищенского работника! Да как у вас язык повернулся?

— Я не понял, — он смотрел на нее все с той же усмешкой, — вы полагаете, что кладбище — это неприличное место, вроде борделя? И что работать на кладбище неприлично, стыдно?

— На кладбище все работники всегда грязные, пьяные, грубые и со всех дерут деньги мимо кассы, — отрезала она. — Значит, и вы такой же.

— Но вы же видите, что я не такой.

Теперь Юрцевич улыбался и смотрел ей прямо в глаза. Любе показалось, что она каким-то немыслимым образом раздвоилась, превратившись в двух существующих параллельно женщин: одна разговаривала с неприятным ей человеком и негодовала, другая дрожала и растворялась в его улыбке и в его синих, невозможно ласковых глазах.

— Я не грязный, не пьяный, не грубый, — продолжал он почти весело. — Что вас смущает? У меня высшее образование, у моей жены тоже, и мы стали бы для моих сыновей прекрасными родителями. А поскольку я действительно являюсь их отцом, то можно избежать формальностей, связанных с отказом от детей и передачей их для усыновления. Вы просто даете мне возможность признать отцовство. В их метрике я указан как отец...

— В их метрике стоит прочерк, — перебила его Люба, с трудом беря себя в руки. — И отчество у них другое. Они — Владимировичи, а не Сергеевичи.

— Ах вот как...

Улыбка погасла. Теперь Юрцевич смотрел в сторону, и лицо его было серьезным и каким-то печальным.

— Вы все предусмотрели, — негромко произнес он. — Аплодисменты. Занавес опускается. Ну что ж...

И Любе стало страшно. Она вдруг подумала, что он больше никогда не подойдет к ней, не заговорит, не утопит ее в своей невероятной теплой улыбке. Пока он думал, что у него есть шанс, он пытался наладить с ней контакт, а теперь Юрцевич знает, что шансов у него нет. Дура, безмозглая идиотка, ну зачем она сказала про метрику! Он бы и не узнал ничего, и продолжал бы приходить на каток смотреть на мальчиков, и...

Какое такое «и», она додумать не успела, потому что осекла сама себя. Она что, с ума сошла? Она жалеет, что не сможет больше разговаривать с этим уголовником, работающим на кладбище? Любовь Григорьевна Филановская, дочь народной артистки СССР и главного режиссера одного из ведущих театров страны, учитель английского языка в младших классах специализированной школы, без пяти минут кандидат наук, — и кладбищенский уголовник! Ужас какой!

— Мне остается только поблагодарить вас за то, что вы так хорошо растите и воспитываете моих детей, — холодно проговорил Юрцевич.

— Они не ваши, — машинально огрызнулась Люба, только чтобы что-нибудь сказать.

Лишь бы не прерывался разговор, лишь бы он не ушел прямо сейчас! Господи, да что это с ней?

—Да-да, я понял, — рассеянно ответил он, думая о чем-то другом и словно не вникая в то, что она говорит. — Вы позволите?

Он взял Любу за руку, осторожно отогнул край светло-шоколадной лайковой перчатки (тончайшая шелковистая кожа, мать привезла из Португалии!), поднес к губам и поцеловал запястье.

Повернулся и ушел, не попрощавшись. Она

смотрела ему вслед до тех пор, пока широкоплечая фигура Юрцевича не скрылась за зданием раздевалки.

Запястье горело. Люба машинально сняла перчатку, внимательно рассмотрела то место, к которому прикоснулись его губы. Нет, никаких пятен и ожогов, ровная белая кожа. «Черт знает что», — сердито подумала она, вновь открывая книгу. Но ей не читалось.

Когда мальчики после занятий побежали переодеваться, Люба подошла к молоденькой женщине-тренеру.

— Сколько еще занятий будет на катке? — спросила она.

— Еще недели две, — улыбнулась тренер. — Зима заканчивается, лед скоро начнет таять.

— А потом что?

— Занятия в зале. Крытый каток для малышей не предусмотрен, там занимается олимпийский резерв. А у малышей будет общефизическая подготовка и хореография. Здесь же, вон в том здании, — она показала рукой на круглый купол. — Будете приводить мальчиков? Или вас интересуют только занятия на свежем воздухе?

— Нет-нет, — поспешно ответила Люба, — они обязательно будут заниматься.

— Это хорошо, — кивнула тренер, — у вас хорошие мальчики, очень способные, с отличными данными. А то, знаете, многие родители водят детей только на каток, чтобы ребенок воздухом дышал, а как только начинаются занятия в зале, перестают приходить. Бывает очень жалко, когда способных ребятишек забирают.

Еще только две недели, максимум — три, если повезет с погодой. А что потом? Если Юрцевич в ближайшее время не появится на катке, он и не узнает, где будут заниматься Саша и Андрюша. И Люба больше его не увидит. Фу-ты, глупости какие в голову лезут! При чем тут Юрцевич? Просто ей нужно понимать, где и когда будут проходить тренировки, чтобы составить свое личное расписание, вот и все.

Теперь Люба особо пристально вглядывалась в племянников и каждый раз находила в них все больше и больше черт, унаследованных от отца. У Сашеньки те же светящиеся добротой и теплом глаза, Андрюшка разговаривает точно так же, как Юрцевич: задумчиво и негромко. Саша, поймав издалека любой направленный на себя взгляд, обязательно улыбнется в ответ, даже незнакомому человеку. Андрюша, когда обижается на кого-то из взрослых, на тетку или, например, на бабушку, никогда не дуется и не скандалит, он молча целует их в щеку и уходит в детскую — бывшую комнату Нади, точно так же, как уходил в последний раз Юрцевич.

Она наблюдала за мальчиками, а перед глазами стоял их отец, которого Люба все никак не могла выкинуть из головы. Спустя два дня после той встречи на катке она увидела Юрцевича во сне. Сон был странным, непривычным — такие Любе прежде никогда не снились. Более того, он был не просто непривычным, он был пугающим. Волнующим. Стыдным. И никогда в жизни Люба Филановская не была так счастлива, как в том сне, когда Юрцевич прижимал к себе ее обнаженное тело.

Люба не была старой девой, в том смысле, что не была девственницей. Она знала физическую близость, но, по сути, оставалась девицей, потому что никакой радости эта близость ей не принесла. Нет, ей не было плохо, или, к примеру, больно, или отвратительно. Ей было никак. Она ничего не чувствовала и ничего не поняла. В первый раз это случилось, когда ей было двадцать девять и на руках уже были племянники. Празднование очередной годовщины Великого Октября в кругу школьных коллег, сопровождаемое вполне умеренной, как Любе казалось, выпивкой, закончилось для нее в маленькой тесном кабинетике учителя физкультуры, расположенном позади спортзала. Учитель был симпатичным, молодым и холостым, он оказывал Любе довольно явные знаки внимания, и в день праздника, после нескольких бокалов шампанского, ей показалось, что между ними вполне могут сложиться отношения, которые принесут ей радость. Радости, однако, не было. И вообще не было больше ничего. Даже знаки внимания прекратились. Молодой физкультурник переключил свой интерес на недавно появившуюся учительницу химии, и Люба с горечью поняла, что он — спортсмен не только в педагогике и секс для него — не более чем одно из средств установления личных рекордов.

Второй случай оказался мало в чем отличным от первого. Люба не обольщалась насчет собственной внешности, а замуж выйти хотела, посему давно уже приняла решение не упираться, если кто-то начнет за ней ухаживать. Конечно, она всем и каждому твердила, что никуда не спешит и ждет того единственного, с кем будет по-настоящему счастлива, но на самом деле она спешила и еще как! Годы уходили, дети подрастали ужасающе медленно, и заинтересованные мужские взгляды выпадали ей все реже и реже. Стоило ей поймать такой взгляд, она готова была пойти на все и сразу, только бы удержать потенциального жениха. Почему-то ей казалось, что этим можно удержать... Очередной кавалер, на которого Люба возлагала определенные надежды, перестал ей звонить после двух интимных встреч. То ли она ему и не нравилась по-настоящему, то ли оказалась неинтересной в постели.

А как ей быть интересной, если она ничего не чувствовала?

А вот во сне она все почувствовала.

Проснулась Люба в полном смятении, долго стояла под душем, прятала глаза от матери, когда готовила завтрак. Ей казалось, что произошло нечто непристойное, за что ей должно быть стыдно. К вечеру чувство стыда прошло, зато возник новый виток ненависти и зависти к покойной сестре: у нее все это было. И не с кем-нибудь, а с ним, с тем мужчиной, который заставил Любу так волноваться и видеть такие сны. Да, воистину Наде досталось все самое лучшее в этой жизни, она схватила жадной рукой все, даже настоящее, материальное тело Сергея Юрцевича, оставив своей старшей сестре лишь его призрак.

* * *

Опасения Любы подтвердились: до окончания занятий на открытом катке Юрцевич больше не появился. Она уже почти успокоилась, она научилась не думать о нем. Правда, управляться со своими сновидениями ей не удавалось, и сны становились все более стыдными и откровенными, но они больше не выбивали ее из колеи.

Юрцевич появился в конце апреля. Люба столкнулась с ним лицом к лицу, выходя из школы, и так растерялась, что не придумала ничего лучше, чем начать с грубости:

— Что вам надо?

— Здравствуйте, Люба, — мягко улыбнулся он.

Щеки у нее запылали, ноги стали ватными. Но на сухой тон сил все же хватило.

— Здравствуйте.

— У вас есть немного времени для меня?

Немного времени? Сейчас только три часа,

детей из садика надо забрать не позже шести. Ах, нет, сегодня же музыка, значит, мальчиков надо забирать в пять, в половине шестого придет учительница.

— Немного — есть, — уклончиво ответила Люба.

— Давайте прогуляемся, — предложил Юрцевич.

— Зачем? — глупо спросила она.

— Просто так. Погуляем, поговорим. Расскажите мне о сыновьях.

— Перестаньте называть их сыновьями! Это мои племянники, а не ваши сыновья.

— Одно другому не мешает, — заметил он с улыбкой, беря ее под руку.

Люба собралась было вырваться, но почему-то не сделала этого, а послушно пошла рядом в сторону Страстного бульвара.

Когда она взглянула на часы, оказалось, что уже четыре. Они ведь о чем-то разговаривали целый час, но о чем? Люба даже вспомнить не могла. Сергей расспрашивал о мальчиках, и она, сперва неохотно, будто сквозь зубы, потом все свободнее и даже с удовольствием рассказывала об их успехах, о том, какие они замечательные, умные, как много знают и умеют. Она гордилась племянниками, как гордятся результатами многолетнего упорного труда.

— Люба, что я должен сделать, чтобы вы позволили мне общаться с сыновьями?

Она опешила от неожиданности, остановилась, резко вырвала руку, до того мирно лежавшую на локте Юрцевича.

— Мы ведь договорились... Зачем вы снова начинаете? Вы не будете с ними общаться. Никогда.

— Но почему? Люба, вы, может быть, не понимаете меня. Я не настаиваю на том, чтобы они узнали, кто их отец.

— Еще не хватало! — фыркнула Люба.

— Я не настаиваю на этом, — продолжал Юрцевич. — Но вы можете представить меня в каком-нибудь другом качестве. В любом. Я на все согласен. Только дайте мне возможность видеться с ними, общаться.

— И что я должна сказать детям? А моим родителям? Кто вы такой?

— Скажите, что я ваш друг. В конце концов, скажите, что я ваш поклонник. Жених... ну, я не знаю, все, что угодно. Меня устроит любое ваше решение, только бы видеться с мальчиками.

— Да какой из вас жених? — Люба насмешливо улыбнулась. — У вас же есть жена.

— А если ее не будет? — очень серьезно спросил Сергей.

— То есть как «не будет»? А куда она денется?

— Я разведусь. Я готов на это пойти, если вы потребуете.

— Не собираюсь я ничего от вас требовать. Ну что вы, ей-богу... У вас есть ребенок, которого родила вам ваша жена. Вы что, готовы его бросить?

— Да, я готов.

— Вы сумасшедший?

— Нет. Я очень люблю вашу сестру, Люба, я люблю ее до сих пор, и я не представляю себе жизнь без наших с ней детей. Пожалуйста, Люба, я прошу вас... Подумайте о том, что я сказал. Я приду через неделю, буду ждать вас возле школы, как сегодня, а вы подумайте, хорошо? Не говорите сразу «нет».

На этот раз он не поцеловал ей руку, а только легонько сжал затянутую в перчатку ладонь, повернулся и быстрым шагом направился в сторону метро.

Он появился ровно через неделю, как и обещал. На этот раз Люба была готова к разговору. Во всяком случае, ей казалось, что готова.

— То, о чем вы просите, совершенно невозможно, — сразу сказала она, едва Юрцевич подошел к ней на улице. — Если я объявлю своим родителям, что у меня появился неженатый поклонник, то рано или поздно встанет вопрос о том, почему он не делает мне предложения. Как я смогу объяснить им, почему не выхожу замуж за вас? Женатого поклонника они не потерпят, мои родители — люди строгих правил.

— А если сказать им правду? Пусть они знают, кто я такой. Мальчики же не станут вас спрашивать, почему я на вас не женюсь.

— Правду? — Люба высоко вскинула тонко подведенные брови. — Вы с ума сошли! Они слышать о вас не хотят! У вас судимость, вы работаете на кладбище. Как вы себе это представляете? Вы не забыли, кто такие мои родители?

— Народные артисты СССР, — усмехнулся Юрцевич и добавил: — К сожалению. Вероятно, они не так демократичны, как вы. Люба, выходите за меня замуж.

— Что?

Она решила, что ослышалась или что-то не так поняла.

— Выходите за меня замуж. Если вы согласитесь, я немедленно разведусь. Я стану вашим мужем и буду иметь право общаться со своими детьми и растить их вместе с вами. Вам станет намного легче, я возьму на себя большинство забот, я вам обещаю. Вы защитите свою диссертацию и будете заниматься наукой, а я буду заниматься детьми. Вас смущает проблема родителей? Давайте уедем, уедем вместе, в другой город, там поженимся, и они никогда не узнают правду. Хотите, я возьму вашу фамилию? Люба, — он схватил ее за руки, — я на все пойду, я сделаю невозможное. Вы мне верите?

Его слова доносились откуда-то издалека, словно Юрцевич стоял не рядом с ней, а находился на другом конце света и разговаривал по плохо работающему телефону. Сколько лет она жила, мечтая услышать эти слова! Эти или такие же. Выходите за меня замуж, мы уедем, мы поженимся, я все сделаю... Те самые слова, о которых грезят девицы, начитавшиеся романов. И слова эти произносит не кто-нибудь, а мужчина из ее странных волнующих снов. Как хочется сказать «да»!

И снова она растерялась, потому что снова оказалась не готова к разговору. Да и как ей быть готовой, если умом она прекрасно понимает, что к Юрцевичу приближаться нельзя — родители этого не потерпят, а всем, что за пределами разума, — телом, сердцем, душой — она тянулась к нему и хотела только одного: быть рядом с ним каждый день и, самое главное, каждую ночь.

Даже через перчатки она чувствовала тепло его рук, и его лицо с невозможно синими глазами было так близко...

— Я не ожидала услышать такое, — тихо проговорила Люба. — Я не могу вам сейчас ничего ответить.

— Вам нужно подумать? Сколько?

— Я... не знаю. Это все очень неожиданно. Дайте мне время.

— Хорошо. Еще неделя. Я подожду еще неделю.

Едва расставшись с Юрцевичем, Люба уже кляла себя последними словами. Ну почему она не может говорить то, что нужно, и тогда, когда нужно? И главное: почему она не может правильно думать и чувствовать? Жениться он готов! Она что, на помойке себя нашла, чтоб всерьез обсуждать возможность брака с человеком, кото-

рый ее не любит? Всего неделю назад он при-
знался, что до сих пор любит Надю, которой уже
почти шесть лет нет в живых. И потом, каким отцом он сможет стать мальчикам, если без зазре-
ния совести готов бросить собственного ребенка? Конечно, Саша и Андрюша тоже его дети, но
педагог Люба Филановская отдавала себе отчет в
том, что человек, который может сделать выбор
между собственными детьми, не может быть хорошим родителем. Для настоящего отца все дети
одинаково дороги и выбор между ними невозможен.

Она шла домой по улице Горького, мысленно
выискивая все новые и новые аргументы для отказа, но другая часть мозга коварно рисовала
прекрасные картины: вот они вчетвером идут в
театр Образцова, Юрцевич ведет ее под руку, рядом шагают красивые мальчики, и сходство между ними и отцом просто-таки бросается в глаза,
и все провожают их взглядами и улыбаются.
А вот они в Сочи, на пляже, и Юрцевич плавает с
мальчиками наперегонки, а Люба стоит на бере-
гу и машет им рукой, и они выбегают из воды,
мокрые, загорелые, хохочущие, набрасываются
на нее, падают на горячий песок, прохладное
сильное мужское тело касается ее не прикрыто-
го купальником живота... И все в таком роде.

Всю неделю Люба то и дело поглядывала на
мать и отца, пытаясь представить себе, что они
скажут, если она заявит, что выходит замуж за
Юрцевича. Ну, крик, скандал — это понятно. Но
дальше что? Выгонят из дому? Нет, не выгонят,
потому что дети. На кого они останутся? Кто будет ими заниматься? Выгонят вместе с детьми?
Тоже нет, потому что для мамы и отца самое
главное — общественное мнение. Как они объяс-
нят отсутствие внуков? Куда мальчики подева-
лись? Им придется говорить, что Любочка вышла

замуж и переехала к мужу, да мало того, нужно будет еще и делать вид, что все в порядке, и приглашать дочь с зятем и детьми в гости на семейные и праздничные обеды, чтобы все видели, что Филановские — по-прежнему образцовая семья. Одним словом, жизнь превратится в ад. Что же предпринять, чтобы все получилось?

О господи, о чем это она? О чем она вообще думает? Что должно получиться? Брак с человеком, который ее не любит, для которого она никогда не станет желанной? С человеком, который только из чувства долга, только ради возможности быть рядом со своими детьми будет спать с ней в одной постели и во время близости видеть перед глазами ее покойную сестру? Невозможно. Да, она влюблена, теперь уже нет смысла скрывать от себя самой сей прискорбный факт, но это абсолютно не означает, что она может растоптать собственное достоинство. Нет, нет и нет.

И снова Любе показалось, что она совершенно успокоилась и внутренне подготовилась к разговору с Юрцевичем. Теперь уж точно не может случиться ничего такого, что выбьет ее из колеи и заставит вести себя глупо. Она все предусмотрела, все продумала.

Он пришел с цветами. Огромный букет роз. И где только он их раздобыл?

Цветы оказались первым, чего Люба не предусмотрела и к чему оказалась не готова. Никогда в жизни ни один мужчина не дарил ей цветов, букеты она получала только от школьников 1 сентября, в День учителя и на 8 Марта. Как и в прошлый раз, она начала разговор первой. И снова начала с отказа, высказанного теми же самыми словами:

— То, о чем вы просите, совершенно невозможно. Я не могу выйти замуж за человека, который меня не любит.

В речи, которую она приготовила заранее, фраза была длиннее и заканчивалась словами: «и которого не люблю я». Но почему-то произнести это вслух Люба не смогла.

— Речь не идет о моей любви к вам, — голос Юрцевича звучал слегка удивленно. — Я был уверен, что вы это понимаете. Речь идет о стабильных отношениях, о создании полноценной семьи, в которой дети будут расти рядом с двумя любящими их взрослыми. С вами и со мной. Если вы боитесь, что я начну претендовать на интимные отношения, то я вам обещаю, что этого никогда не будет. Вы получите статус замужней женщины и существенное облегчение во всем, что касается детей. У вас появится свободное время на то, чтобы заниматься тем, чем вам захочется. Вы будете строить собственную карьеру. Разве то, что я вам предлагаю, плохо?

День был теплым, уже наступил май, но Любе показалось, что она вся заиндевела. Он не собирается быть ее мужем в полном смысле слова. Он и не думал о том, чтобы спать с ней в одной постели. Господи, какая она дура! Размечталась...

— Брак без любви невозможен, — упрямо повторила она, стараясь не смотреть на Юрцевича.

— Это не так, — он покачал головой и улыбнулся. — Брак без любви возможен, более того, брак без любви намного лучше, крепче и перспективнее брака с так называемой любовью. Конечно, при одном условии: если в основе этого брака лежит взаимное уважение и дружба. Я прожил в браке много лет, и поверьте моему опыту, Люба, сексуальная составляющая брака ничтожна, и ею вполне можно пренебречь. Если людям нравится спать друг с другом, это совершенно не означает, что им есть о чем поговорить и что они друг другу доверяют. В конце концов, интимные отношения занимают не более часа в сутки, а остальные двадцать три часа совместной жизни? Чем их заполнить, если между людьми нет дружбы, уважения и доверия? А вот если двадцать три часа заполнены душевной близостью и общностью интересов, то и двадцать четвертый час не окажется пустым. У нас с вами двое детей, которых мы любим и которые будут скреплять наш брак и придавать ему смысл.

Люба даже не заметила, что они уже не стоят возле школы, а медленно идут по направлению к ее дому. Она, Люба Филановская, тридцати трех лет от роду, идет с огромным букетом роз, под руку с красивым хорошо одетым мужчиной, который встретил ее после работы, провожает домой и уговаривает выйти за него замуж. Боже мой, могла ли она мечтать о таком счастье? Неужели это происходит с ней?

Она опомнилась.

— Как я понимаю, в вашем браке сексуальная составляющая вообще отсутствовала, коль вы спали с моей сестрой, — сухо произнесла она. — Вы что же, предполагаете жениться на мне, а сексуальную, так сказать, нужду справлять на стороне?

— Зачем вы так, Люба? — с упреком сказал Юрцевич. — Я не собираюсь делать ничего подобного.

— Откуда такая уверенность?

— Для меня не существует никаких других женщин, кроме Нади. Я любил ее и буду любить, пока жив. Но это не имеет никакого значения. Я буду для вас хорошим мужем, внимательным, заботливым, я буду хорошим отцом моим сыновьям. Я буду с уважением и любовью относиться к вашим родителям хотя бы потому, что они — родители Нади, бабушка и дедушка моих сыновей. И я буду приносить в дом отнюдь не маленькую зарплату, потому что зарабатываю я много и при этом не пью.

Люба была достаточно умна, чтобы понимать, что в этой жизни не должно быть окончательного «нет», ибо то, что сегодня кажется хорошим, завтра, может статься, будет выглядеть сомнительным или совсем уж плохим. И наоборот, плохое может начать выглядеть допустимым и вполне приемлемым, а потом, глядишь, и хорошим. Пусть сегодня Юрцевич утверждает, что для него не существует других женщин, кроме Нади, но ведь он уверен, что между ним и Любой могут сложиться уважительные, доверительные и даже дружеские отношения, а от них, как она полагала, до постели — меньше одного шага. И у нее будет семья, нормальная полноценная семья, с мужем и двумя детишками. И рядом будет мужчина, который ей так нравится, и даже больше чем просто нравится. А там, бог даст, все сложится, и она даже родит ему ребенка, их общего ребенка...

— Любаша!

Люба вздрогнула и обернулась. Они, оказывается, уже стоят у подъезда ее дома, и к ним быстрым шагом приближается Тамара Леонидовна, сияющая белозубой улыбкой.

— Что же вы стоите здесь? — звучным, хорошо поставленным голосом спросила мать. — Почему не поднимаетесь? Пойдемте к нам, выпьем чаю.

— Благодарю вас, мне пора, — ответно улыбнулся Юрцевич. — Люба, я приду завтра, хорошо?

— Да, — растерянно ответила она, стараясь вспомнить собственное расписание на завтрашний день. Что у мальчиков завтра? Музыка? Нет, музыка сегодня, завтра тренировка, их надо будет в четыре часа забрать из садика и отвезти во

Дворец спорта. Сколько у нее завтра уроков? Она никак не могла вспомнить точно, не то четыре, не то пять. — Завтра в два.

— Договорились.

Юрцевич откланялся, а Люба с матерью поднялись в квартиру.

— Что за кавалер? — весело спросила Тамара Леонидовна. — Почему я ничего о нем не знаю?

Люба не успела сообразить, что ответить, а мать уже продолжала:

— Хорош, ничего не скажешь, хорош! Глаза — просто умереть на месте можно. И лицо отлично вылеплено. И возраст подходящий. Сколько ему? Лет сорок?

— Да, около того, — пробормотала Люба.

— Женат, поди?

— Разводится.

Тамара Леонидовна скептически вскинула брови.

— Это он так говорит или ты точно знаешь?

— Мама, перестань! Мне же не под венец с ним идти. Просто знакомый.

— С такими розами — и просто знакомый? Деточка, ты или издеваешься надо мной, или ничего не понимаешь в жизни. Как меня покрасили?

Тамара Леонидовна тряхнула пышными длинными кудрями и наклонила голову, чтобы дочь могла оценить качество работы парикмахера.

— По-моему, хорошо, — безразлично ответила Люба, которую цвет волос матери занимал в этот момент меньше всего на свете.

— Моя Ларочка достала потрясающую импортную краску, седины как не бывало, — продолжала Филановская. — Зря ты к ней не ходишь, я давно тебе говорю: обязательно надо краситься, раз у тебя ранняя седина. Ты явно пошла в папу, а не в меня, у меня седина только после Наденьки появилась, а папа с молодости был седым. Давай я позвоню Ларе, сходи к ней, пока у нее эта краска не кончилась, пусть она тебя в порядок приведет.

— Давай, — неожиданно согласилась Люба.

Тамара Леонидовна внимательно посмотрела на дочь и усмехнулась.

— Значит, просто знакомый, — неопределенно протянула она. — Ну-ну. Ты мать-то за дуру не держи. И имей в виду, детка: когда имеешь дело с такими красивыми мужчинами, надо следить за собой. Покажи-ка руки.

— Мама!

— Ладно, можешь не показывать, я и так знаю, что тебе давно пора маникюр делать. Я позвоню Ларе и Светочке, это маникюрша, с Ларой в одной смене работает. Давай быстренько обедать, у меня еще полно дел, а вечером спектакль.

Люба радовалась, что удалось так безболезненно увернуться от скользкой темы. Она переоделась, подрезала стебли у роз, поставила их в красивую хрустальную вазу и отнесла в свою комнату, потом разогрела обед, пообедала вдвоем с матерью, помыла посуду и собралась в детский сад за племянниками. Можно было, конечно, и не особо торопиться, до пяти еще целый час, а садик находится в десяти минутах ходьбы от дома, но она хотела, чтобы мальчики до прихода учительницы музыки позанимались чем-нибудь полезным, например, почитали вслух и пересказали сложные тексты или порешали логические задачи, которые она специально для них составила. Ни одна минута не должна пропасть впустую, дети должны развиваться постоянно, тренировать память, речь, мышление, координацию. Ей не нужен помешанный на покойнице Наде Юрцевич, который обещает снять с нее заботы о детях, она сама вырастит их, уже почти вырастила, еще немножко осталось, еще чуть-чуть — и мальчики будут сами ходить в школу, на музыку и на тренировки, и ими можно будет вообще не заниматься. Она освободится и будет искать себе нормального мужа, который будет любить ее саму, Любу Филановскую, а не ее сестру и ее племянников.

Да, будет искать... Только вот найдет ли? Ей в этом году тридцать три, еще немного — и рожать будет поздно. Кому нужна женщина с двумя чужими детьми без перспективы родить собственного ребенка? А если и найдется такой человек, то сможет ли сама Люба его полюбить? Вдруг он окажется каким-нибудь уродом или необразованным идиотом, к которому и прикоснуться противно, и разговаривать с ним не о чем?

Ночью ей снова приснился Юрцевич, и на этот раз сон был не эротическим, и не было в нем ничего неприличного. Ей снилось, что они женаты, что вместе с детьми отдыхают где-то на море, и она так счастлива, что невозможно выразить, а можно только плакать от этого невыразимого, огромного переполняющего ее счастья. Утром Люба озадаченно осмотрела мокрую от слез подушку и поняла, что плакала не только во сне.

За завтраком она вспомнила, что сегодня должна встретиться с научным руководителем, взять у него отзыв на свою диссертацию и сдать весь комплект документов в Ученый совет. Значит, разговор с Юрцевичем не состоится, ей придется убежать из школы сразу после уроков, чтобы успеть съездить в институт, решить там все вопросы и вовремя забрать Сашу и Андрюшу из детского сада и отвезти их на тренировку. Господи, да когда же это кончится! Ни минуты свободной, продохнуть некогда! И снова в голову коварно заползли слова Юрцевича о том, что он готов взять на себя все заботы о мальчиках и освободить ее, чтобы она могла заниматься тем, чем хочется. Ах, если бы можно было согласиться!

— Любочка, — окликнула ее учительница русского языка и литературы, — вы не забыли, что завтра мы поздравляем Анну Львовну?

Директору школы Анне Львовне исполнялось пятьдесят лет, и к этому событию весь педагогический коллектив готовился вот уже целый месяц.

— Я помню, — на бегу отозвалась Люба.

— Анна Львовна просила всем сказать, что приглашает с мужьями и женами.

— Я не замужем.

— Женихи тоже считаются, — лукаво улыбнулась русичка. — Любочка, не скрытничайте, мы все видели, какой роскошный мужчина встречает вас у школы и дарит шикарные розы! Приводите его, познакомьте с нами, а мы за вас порадуемся.

— Спасибо, но я не уверена, что смогу прийти, у мамы завтра целый день съемка, мне не с кем будет оставить детей.

— Очень жалко, очень, — искренне проговорила учительница. — А вы приводите мальчиков с собой, мы все их так любим! Они нам что-нибудь сыграют, споют английскую песенку, они у вас замечательно выступают.

— Я... постараюсь, — ответила Люба, только чтобы побыстрее отделаться от настырной коллеги.

И снова ее охватило раздражение. Приходите с женихом! Конечно, Юрцевич пришел бы с ней, если бы она попросила, он же сказал, что готов выполнять любые ее требования, только бы ему дали возможность видеться с детьми и общаться с ними. Но разменивать его обещания на такую ерунду, как юбилей директора школы, непростительная глупость. К тому же она еще не приняла решения.

Выбегая из здания школы, Люба на всякий случай осмотрелась: а вдруг Юрцевич пришел пораньше и стоит ждет ее. Но нет, не стоял и не ждал. Они же договорились на два часа, а сейчас только двадцать минут второго. Как жаль, что он не оставил своего телефона, она бы позвонила, предупредила его. А теперь неудобно получится...

«Глупость какая! — сердито говорила себе Люба всю дорогу до пединститута, где профессорствовал ее научный руководитель. — Буду я еще убиваться из-за того, что этот кладбищенский проныра меня прождет понапрасну! Ничего, подождет. Ему нужно, не мне. У меня все в порядке, это у него проблемы, вот пусть он их сам и решает».

Но уже через несколько секунд мысль ее непроизвольно соскальзывала совсем в другую плоскость: что же придумать, чтобы продолжать встречаться с Юрцевичем, и чтобы не узнали родители, и чтобы дети ничего не почувствовали, и — самое главное — чтобы он сам не понял истинных Любиных мотивов. Она не лгала себе и признавалась честно: он ей больше чем просто нравится.

И снова при этой мысли ее охватывали злоба и раздражение. Ну почему, почему в свои тридцать три года она вынуждена прятаться от родителей, почему она не смеет открыто заявить о своем интересе к этому синеглазому мужчине, отцу ее племянников? Отцу племянников... Человеку, который любил и продолжает любить Надю. Значит, снова ей, Любе, достаются остатки, объедки с барского слова, со стола сестры.

Просто голова кругом идет. В каком направлении думать? О чем думать в первую очередь? О том, как сделать так, чтобы быть с Юрцевичем? О том, как обмануть родителей? Или о том, что нужно как можно скорее отделаться от него, пока она окончательно не потеряла голову? Или вообще о том, что нужно прекратить это более чем странное знакомство, потому что работающий на кладбище уголовник с судимостью и с претензиями на отцовство не должен даже на пушечный выстрел приближаться к семье Филановских? Вот и хорошо, что сегодня так вышло и они не встретятся, ей пока нечего ответить Юрцевичу. А то, что он попусту прождет ее возле школы, — ничего страшного, она ему ничего не должна.

Встреча с научным руководителем затягивалась, у профессора оказалось множество соображений по поводу того, как Любе отвечать на возможные замечания официальных оппонентов при защите диссертации, однако разговор на научные темы позволил ей отвлечься, и уже на обратном пути, торопясь забрать мальчиков из детского сада, чтобы не опоздать на тренировку, Любе внезапно удалось успокоиться и посмотреть на проблему конструктивно.

Она примет предложение Юрцевича. Но со своими условиями. Ей нужен еще год, чтобы защититься и найти достойную работу в другом городе, желательно в крупном, например, в Ленинграде, Новосибирске или Красноярске, где есть крепкая научная школа и много вузов. Еще год, пока мальчики не станут совсем самостоятельными. На днях им исполняется шесть лет, и в сентябре их вполне можно отдать в школу, даже сразу во второй класс, потому что в первом им уже давно делать нечего. В принципе по уровню подготовки они бы и в третьем классе отлично учились, но на это ни одна школа не пойдет, даже та, в которой работает сама Люба и где мальчиков хорошо знают и представляют себе степень их развитости и подготовленности. Но насчет второго класса для шестилеток договориться можно. Пусть годик поучатся под надзором Любы, освоятся с новым режимом дня и распорядком жизни, а потом можно будет безболезненно забирать их и увозить хоть на край света, они уже нигде не пропадут. В течение этого года она позволит Юрцевичу приходить смотреть на детей, но не подходить к ним и не заговаривать. Она ничего не скажет родителям, это останется их с Юрцевичем тайной. Если спустя год их отношения перейдут в такую стадию, которая покажется Любе достаточно перспективной, она уедет с ним и детьми. А он, в свою очередь, должен за это время оформить развод со своей женой и найти для себя в том же городе приличную работу. Какое-то время они будут просто встречаться, чтобы дети привыкли к другу своей тетки, подружились с ним. Потом поженятся. Юрцевич возьмет ее фамилию. Родители Любы никогда не видели человека, от которого Надя родила ребенка и которого они не моргнув глазом засадили в тюрьму, так что есть надежда, что они и не узнают никогда, за кого их старшая дочь вышла замуж. Если бы она выходила замуж в Москве, скрыть личность жениха было бы невозможно, ведь начнутся всякие разговоры-переговоры насчет подготовки к свадьбе, и мама непременно потребует, чтобы ее познакомили с родителями будущего зятя. Папа, конечно, ни во что вникать не стал бы, а вот мама непременно будет, ей необходима пышная свадьба с приглашением всех своих театральных друзей. И потом, муж Любы, не имеющий собственного жилья, стал бы жить вместе с ними, в одной квартире, а ведь при ежедневном общении очень легко проколоться. Невозможно ничего скрывать долгое время, когда живешь бок о бок. Совсем другое дело, если Люба выйдет замуж и будет при этом жить в другом городе: никакой пышной свадьбы, она просто поставит родителей в известность постфактум, мол, так и так, у меня теперь есть муж. Почему он взял ее фамилию? А у него собственная фамилия очень неблагозвучная, и Люба категорически отказалась ее брать, вот жених и пошел ей навстречу, чтобы у всей семьи была все-таки одна фамилия, а не разные. А что? Резон вполне уважительный. А какая фамилия у жениха была? Да какая угодно, можно придумать, не станет же мама проверять. Лично общаться с Юрцевичем родителям если и придется, то очень редко, разве что театр приедет на гастроли в тот город, где будет жить Люба, но и в этом случае две-три встречи в полном составе вполне можно пережить, а если мама захочет почаще видеться с дочерью и внуками, то это уже без зятя. Нет, реально, все очень реально, если подойти с умом и все тщательно продумывать.

Вот так. Все логично, последовательно, без надрыва. Никаких поспешных решений, никаких головокружительных виражей, все постепенно, шаг за шагом, и всегда можно отыграть назад. Как только Юрцевич снова появится, она изложит ему свою позицию и не отступит от нее ни на миллиметр. Только вот когда он теперь появится?

Май стоял теплый, и тренер вывел ребят заниматься на открытом стадионе. Юрцевич возник перед Любой минут через десять после начала тренировки, будто все время стоял здесь и поджидал ее.

— Вы меня избегаете? — Он тревожно заглянул ей в глаза. — Я ждал вас возле школы в два часа, как вы и сказали, прождал до трех, но вас не было.

— Извините, — Люба тепло улыбнулась ему. — Я совсем забыла, что у меня назначена встреча с научным руководителем, пришлось ехать на кафедру. У меня нет вашего телефона, иначе я бы позвонила, предупредила.

Она поймала себя на глупой мысли: хорошо, что сегодня на ней модное пальто-макси, в нем она выглядит более женственной. Боже мой, о чем она думает? О том, чтобы понравиться этому... Люба, Люба, ты ли это? Ты же всегда была уверена, что самое главное — это внутреннее содержание, образованность, духовность. Ты так думала, так говорила, ты этому учила детей в школе. Или говорила и учила, но на самом деле не думала?

— Что вы мне ответите? — требовательно спросил Юрцевич. — Вы обещали сегодня дать ответ.

Люба вздохнула, помолчала немного, внимательно глядя в его синие глаза, потом неторопливо и внятно изложила итог своих размышлений.

— Если вас это устраивает, мы сможем договориться, — заключила она, чувствуя, как колотится сердце.

Что он ответит на все это? Что он не согласен? Что это ему не подходит? Или вообще он передумал на ней жениться и хочет просто отобрать детей, любым способом, любыми средствами, вплоть до затевания судебного процесса об установлении отцовства. Дело получит огласку, и родители ей этого не простят. И ему тоже не простят. Мама снова побежит к своему дружку из КГБ, который теперь занимает уже более высокий пост и, соответственно, обладает большими возможностями, и совершенно понятно, что будет дальше. Неужели сам Юрцевич этого не понимает? Впрочем, наверное, не понимает, ему ведь и в голову не приходит, чьими стараниями он угодил за решетку в тот момент, когда его возлюбленная Наденька была на сносях. И нельзя сказать ему об этом, предупредить, потому что это будет предательством по отношению к родителям, да и реакцию самого Юрцевича предугадать невозможно: а вдруг он разозлится на их семью настолько, что даже о своей любви к сыновьям забудет, и перестанет приходить, чтобы посмотреть на них, и Люба больше не сможет с ним встречаться.

— Я согласен, — негромко, но очень твердо ответил он. — Я же сказал, что приму любые ваши условия, только бы быть рядом с мальчиками. Спасибо вам, Люба.

У нее отлегло от сердца. До окончания тренировки они не торопясь прогуливались по аллеям, сперва немного пообсуждали детали предложенного Любой плана, потом заговорили о нашумевшем в том году фильме Тарковского «Зеркало», и Люба поймала себя на том, что удивляется глубине и нестандартности мышления своего собеседника. Немудрено, что Надя в него влюбилась без памяти. Она, наверное, в рот ему заглядывала, восхищенно ловя каждое слово, а он пользовался этим и крутил ею как хотел. Маленькая дурочка. Будь Люба на ее месте, она не залетела бы так глупо, она потребовала бы, чтобы он прежде развелся, потом женился на ней, и, уж конечно, она вовремя разглядела бы в нем диссидента и не ставила бы в известность родителей раньше времени, расписались бы потихоньку — и все, и пусть мама с папой рвут и мечут, сделать уже все равно ничего нельзя. А если из-за этого пострадали бы родительские блага — так и черт с ними, с благами этими, с зарубежными поездками и импортными шмотками. Когда есть муж, которого безумно любишь, можно и в отечественном походить, и кино, если смотришь его по телевизору «Берёзка», ничуть не хуже, чем на экране «Грюндига», и музыка из советского магнитофона «Яуза» звучит точно так же, как из «Панасоника». Ну, почти так же. И книги можно приобретать не по «белому списку» — ежемесячному буклетику на белой глянцевой бумаге с перечнем всего, что было выпущено советскими издательствами за последние 30 дней, в котором нужно было только поставить галочки рядом с нужными книгами, и через три дня все привозилось прямо на дом, — а собирать, как все люди, макулатуру и за каждые 20 килограммов получать томик Уилки Коллинза, Ильфа и Петрова или Конан Дойля. Да какая разница, в конце концов, если рядом муж, и есть любовь, и от этой любви появляются общие дети! Вот пройдет год, она уедет с Юрцевичем подальше от Москвы, от родителей, они поженятся, и она будет счастлива без всяких там испанских туфель и английских костюмов, без балыка, осетрины и вкусных конфет, давно уже исчезнувших с прилавков, на которых теперь пылились отвратительные приторно-кисловатые суррогаты с белой начинкой.

И думала все это Люба Филановская совершенно искренне. По крайней мере в ту минуту. Она хорошо помнила слова матери, произнесенные шесть с лишним лет назад, но помнила их как-то однобоко, в той лишь части, которая касалась лично ее, Любы, и тех благ, которых лично она лишится, если пострадают карьера и положение родителей, однако об угрозе, нависающей непосредственно над мамой и папой, она как-то подзабыла. Да и немудрено забыть, когда думаешь о любви...

— Вы не могли бы принести мне фотографии мальчиков? — попросил Юрцевич, прощаясь. —

У вас ведь наверняка много хороших снимков. Мне бы хотелось иметь хотя бы несколько.

— Конечно, — кивнула Люба, — я принесу в следующий раз. Не боитесь, что ваша жена их найдет?

— Не боюсь. Наташа все знает. Она ведь приходила к вам, так что... — Он пожал плечами и улыбнулся как-то странно и отчужденно.

— Ну да, она знает, что у вас есть сыновья от другой женщины. А о том, что вы все еще хотите быть с ними, что приходите посмотреть на них издалека, она тоже знает?

— Она все знает, — повторил Юрцевич. — К сожалению, я не смогу прийти на следующую тренировку. Работа, заказчики и все такое. Может быть, вы могли бы захватить фотографии завтра? Я подошел бы к школе, встретил вас. А?

— Да ради бога.

Вечером Люба подобрала фотографии Саши и Андрюши, сунула их в портфельчик, а укладываясь спать, с неожиданной улыбкой прикидывала, что бы такое завтра надеть на работу. В модном пальто она уже сегодня показалась Юрцевичу, надо бы завтра покрасоваться еще в чемнибудь сногсшибательном, например в юбке, скроенной «по спирали». Если она правильно сшита, по хорошим лекалам, то при ходьбе создается иллюзия, будто юбка вращается вокруг ног. Очень красиво. Мало кому удается получить такую юбку, потому что хороших лекал ни у кого нет, только у самых дорогих портних. Да, пожалуй, она наденет эту юбку со строгой шерстяной водолазкой, а тонкую талию подчеркнет кожаным пояском. Будет очень неплохо.

Назавтра Юрцевич, получив фотографии, попросил разрешения проводить Любу до дома, на что она, разумеется, сразу же согласилась. Метров за пятьдесят до подъезда она внезапно увидела машину Тамары Леонидовны. Значит, мама дома. Надо прощаться здесь, не стоит искушать судьбу, ведь совсем недавно мать уже видела Юрцевича. Снова начнутся вопросы, расспросы, шутки и совершенно неуместная, на взгляд Любы, ирония.

Она уже открыла рот, чтобы попрощаться с Сергеем, когда он сказал:

— Кажется, Тамара Леонидовна идет.

— Где? — испугалась Люба.

— Да вон, из подъезда выходит.

— До свидания, — заторопилась она. — Спасибо, что проводили.

Она надеялась, что мать сразу сядет в машину, не оглядываясь по сторонам. Но было поздно, Тамара Леонидовна быстрым упругим шагом направлялась прямо к ним.

— Добрый день, добрый день, — пропела она. — Вы к нам? Заходите, пообедайте, а я убегаю, у меня сегодня съемка на студии Горького.

Чмокнув дочь в щеку, она царственно кивнула Юрцевичу, развернулась и пошла к машине. Еще несколько секунд — и белые «Жигули» промчались мимо них.

Любе казалось, что все произошло мгновенно, она даже опомниться не успела, однако уловила цепкий жесткий взгляд, которым мать окинула ее спутника.

На следующее утро Люба столкнулась с матерью на кухне, когда вышла готовить завтрак.

— Что ты так рано? — спросила она удивленно. — Ты же вчера поздно пришла. Я думала, ты проспишь часов до десяти.

— Люба, — строго произнесла Тамара Леонидовна, — нам надо поговорить.

— Что, прямо сейчас? Мама, мне надо мальчиков поднимать и в сад вести, у меня каждая минута расписана. Давай вечером, ладно?

— Вечером у меня спектакль, а когда я вернусь, ты уже будешь спать. Мы и так почти не видимся. Сядь, Люба.

Та покорно села, всем телом чувствуя, как убегают драгоценные секунды, которые можно было бы употребить на что-нибудь полезное.

— Люба, это он?

Люба опешила и слишком поздно поняла, что залилась краской.

— Ты хочешь спросить, является ли мой вчерашний спутник мужчиной моей мечты или это просто милый знакомый? Тебя интересует, насколько глубоко зашли наши отношения?

— Не выкручивайся. Я хочу знать: это он? Это Юрцевич?

Господи, откуда она узнала?! Кто мог ей сказать? Ведь никто же не знает, никто! Только его жена... Неужели она приходила к матери жаловаться, что муж не уделяет внимания ребенку, что он собирается бросить ее и жениться на Любе? Ведь Юрцевич сказал, что Наташа все знает. Выходит, она и об этом знает. Какой ужас!

Люба набрала в грудь побольше воздуха.

— Да, это отец мальчиков. И что в этом такого? Что плохого в том, что отец интересуется жизнью своих детей?

— Я так и думала, — пробормотала Тамара Леонидовна. — Этого я и боялась.

— Чего ты боялась? Он что, убийца, вор, грабитель? Он у тебя чего-то требует? Денег просит? Ему ничего не нужно, только посмотреть изредка на сыновей, и то издалека. И вообще, как ты узнала, что это он?

— У меня есть глаза, — недобро усмехнулась мать. — Я еще в первый раз подумала, что мне его лицо почему-то кажется знакомым. А вчера прямо как ударило: наши мальчики — его копия, никаких сомнений быть не может. Ну, и о чем ты думаешь, хотелось бы знать? Зачем ты с ним общаешься? Гуляешь, разговоры ведешь? К чему все это?

— Ну мама, как ты себе это представляешь? Человек подходит ко мне, представляется, заводит разговор, причем спокойно, интеллигентно, ничего не требует, просто интересуется своими детьми, спрашивает, как они, как растут, как их здоровье, какие книжки они читают, в какие игры играют, как спортом занимаются. Это что, преступление? Он что, права на это не имеет? Я что, должна была орать, звать на помощь, грозить милицией? Как это все должно выглядеть по твоим представлениям?

Люба незаметно для себя повысила голос и сама тут же испугалась. Что она себе позволяет? Как разговаривает с матерью? Она уже готова была извиниться и пойти на попятный, когда Тамара Леонидовна неожиданно улыбнулась:

— Ты права, Любаша. В любой ситуации нужно вести себя интеллигентно. Ты же у меня девочка воспитанная. Нужно только постараться, чтобы этот Юрцевич не принял твою воспитанность за благосклонность и потворство его совершенно неуместным притязаниям. Ты меня понимаешь?

Люба молча кивнула и отвернулась к плите, где на сковородке томились гренки с колбасой и сыром. Из включенного радиоприемника доносился голос Муслима Магомаева, певшего про «свадьбу, свадьбу, свадьбу», и песня эта, никогда не вызывавшая у Любы никаких эмоций (она вообще не понимала, почему свадьбы должны быть «широкими», и считала это пошлейшим отголоском провинциальности), сегодня больно резанула ее уши.

* * *

Тамара Леонидовна прекрасно владела собой и умела быстро находить правильные слова, никоим образом не выдающие ее истинные чувства и намерения. Именно поэтому ей так удавались интервью зарубежным журналистам. Она вовремя прекратила разговор с дочерью о Юрцевиче, потому что, наблюдая за Любой, внезапно увидела и поняла всё. Девочка попалась. Попалась так же глупо и стремительно, как ее младшая сестра. И с этим надо срочно что-то делать, пока не стало поздно.

Выкроив в плотно забитом делами дне свободную минутку, она позвонила своему давнему другу Круглову.

— Ванечка, у меня неприятные новости. Когда вы сможете меня принять?

Иван Анатольевич, достигший в своей карьере уважительных высот, по-прежнему приятельствовал с Филановскими и общался с ними «без чинов», посему на просьбу о встрече отреагировал незамедлительно и договорился с Тамарой повидаться в тот же день. И снова местом встречи была выбрана некая квартира, только уже совсем другая, по другому адресу и подороже обставленная. Впрочем, оно и понятно, у рядовых сотрудников агентура попроще, у начальников — посолиднее.

За последние годы Круглов заметно располнел, отяжелел, появилась одышка и нездоровая розовость на щеках, а брюшко упругой волной набегало на брючный ремень. Глядя на него, Тамара Леонидовна невольно думала о себе: они ведь почти ровесники, неужели она тоже так стремительно стареет? Себя со стороны не видно, да и трудно заметить изменения, когда смотришь на себя в зеркало по сто раз в день.

— Ну, Тамарочка, дорогая, рассказывайте, что у вас случилось?

— У нас... — она выдержала театральную паузу, дабы Круглов проникся драматизмом ситуации, — у нас Юрцевич появился. Подкатился к Любочке. Детьми он, видите ли, интересуется. Ну, и как вам это понравится? Я как только узнала об этом, чуть не умерла от ужаса!

— И давно узнали? — задал Круглов вопрос, который показался Тамаре Леонидовне несколько странным.

— Да сегодня утром! Некоторое время назад я увидела Любочку с незнакомым мужчиной и решила, что это поклонник. А когда вчера снова его увидела, мне показалось, что наши мальчики на него похожи. Меня как током ударило! И сегодня утром я прямо спросила Любу, кто это такой. И оказалось, что это Юрцевич. Вы можете себе представить? Столько лет прошло, Наденьку похоронили шесть лет назад, а ему все неймется.

— Ну, слава богу, — почему-то улыбнулся Иван Анатольевич. — Гора с плеч.

— Это почему? — удивилась она. — Вы рады, что он появился? Вы о чем говорите, Ваня?

— Да мы, видите ли, давно уже знаем, что он встречается с вашей дочерью, и я, признаться, начал беспокоиться, почему это, думаю, моя Тамара Леонидовна молчит, не приходит, не рассказывает ничего, скрывает от старого друга такие важные события. Уж не разлюбила ли она меня, не вышел ли я из доверия? Теперь вижу, что не вышел. А я уж и контрольный срок себе назначил: если до первого июня вы мне не расскажете про контакты с Юрцевичем, придется мне самому задавать вам неприятные вопросы. Спасибо, голубушка, избавили.

— Значит, вы все знали?! — Тамара Леонидовна возмущенно всплеснула руками. — Знали — и молчали? Ваня, да как же вам не стыдно! Почему вы не предупредили меня сразу?

— Уж простите дурака, но я был уверен, что вам все известно, все-таки Люба — ваша дочь.

— Ой, Ванечка, ну что вы такое говорите! Наденька тоже была моей дочерью, а я ничего не знала, пока вы мне глаза не открыли.

— Да, — согласился Круглов, — но Наденька была молодой, неопытной и влюбленной, ее можно понять. К тому же она была беременна от женатого мужчины, так что ей было что от вас скрывать. А уж от Любочки вашей я никак не ожидал такой скрытности. Она же взрослая женщина, очень разумная, очень правильно воспитанная, член партии. Как же она от вас это утаила? Ведь они встречаются аж с февраля месяца, а теперь уж май на дворе.

— Как — с февраля?! — ахнула Филановская.

— Да вот так. Вы же понимаете, что такого типа, как Юрцевич, мы не могли оставить без присмотра и, как только он вернулся из колонии, постоянно за ним приглядывали: куда ходит, с кем общается, чем занимается — словом, вы понимаете, о чем я. Могу даже назвать вам точную дату, время и место, когда он впервые подошел к Любе. Скажу вам больше, дорогая моя: нашим людям удалось пару раз услышать, о чем они разговаривают. Так вот, Юрцевич спит и видит забрать у вас детей.

— Да вы что?! Как это — забрать детей? На каком основании?

— На том основании, что он — их отец. И с этим невозможно спорить, он же действительно их отец.

— Но в метрике...

— Тамарочка, в метрике может быть написано все, что угодно, но существует юридическая процедура признания отцовства. Он подаст иск в суд, приведет десяток свидетелей, которые подтвердят, что Наденька была беременна именно от него и все это знали. Суд назначит экспертизу, и эксперты скажут, что отцовство Юрцевича не исключается.

— А что это значит? — озадаченно спросила Тамара.

— Понимаете ли, Тамарочка, отцовство точно установить пока невозможно, в нашей стране нет таких методик, но можно сказать, может ли данный мужчина быть отцом конкретного ребенка или не может. Если точно не может — то и вопросов нет, а если эксперты скажут, что может, то вопрос остается открытым. То ли кто-то другой с такой же группой крови является отцом мальчиков, то ли действительно он, то есть возможность его отцовства не отрицается, а это существенно. Разумеется, процесс Юрцевичу не выиграть, даже если он приведет тысячу доказательств того, что он отец ваших внуков, потому что суд никогда не примет решение изъять детей из вашей благополучной семьи и передать на воспитание ранее судимому лицу. Тут вы можете не беспокоиться. Но огласки-то не избежать! И нам с вами это совершенно не нужно. Тем более Юрцевич за ум не взялся и от своих диссидентских идей не отказался, напротив, стал еще более активен в своей нелюбви к советской власти, даже примкнул к одному нелегальному сообществу, которое считает, что у нас, видите ли, права человека нарушаются. Ну не смешно ли?

— Смешно, — уныло кивнула Тамара Леонидовна. — И что же делать, Ванечка? Ведь получается, что Юрцевич сейчас еще более опасен, чем шесть лет назад. Я имею в виду нашу репутацию и все такое... Господи, и зачем вы разрешили ему вернуться в Москву? Почему не выслали за сто первый километр?

— У него здесь жена и ребенок, он имеет право жить с ними. Таков закон, дорогая моя.

— Ой, только не надо мне про законы рассказывать! Уж вам ли...

— Тамара! — строго произнес Круглов, и она испуганно замолчала. — Давайте договоримся так: вы мне поведали о своей беде, а я подумаю, что с этим можно сделать. Вы ведь, кажется, через пару месяцев во Францию собрались ехать? На лечение, если я не ошибаюсь?

Она снова кивнула. Конечно, никакое это было не лечение, а пластическая операция в целях омоложения, и Круглову это прекрасно было известно. Тамара Филановская была одной из очень немногих актрис, которых власти во главе с генсеком любили настолько, что позволяли им поддерживать красоту и молодость в зарубежных клиниках, причем за государственный счет. Контакты семьи Филановских с участником правозащитной группы приведут в случае огласки к скандалу куда более громкому, чем шесть лет назад, когда Юрцевич всего-навсего «позволял себе высказываться» и рисовал шаржи на членов Политбюро ЦК КПСС.

— Вовремя вы ко мне обратились, Тамарочка, — с улыбкой произнес Круглов на прощание. — Еще немного, еще буквально пару недель — и никакой Франции вам бы не видать. Вас бы не выпустили, и даже я не смог бы вам помочь.

Она все еще не понимала до конца и потому глупо спросила:

— А что случилось бы за две недели?

— Да ничего, — он пожал плечами. — Просто, если бы вы сами не сообщили мне о контактах с Юрцевичем и не заявили, что они для вас нежелательны, у органов были бы основания полагать, что вы эти контакты сознательно скрываете, потому что разделяете его антисоветские убеждения. Куда ж вам за границу-то, да еще в кап-страну! Вас после этого даже в Болгарию не выпустят. Хорошо еще, если в Москве оставят, но и это было бы под большим вопросом.

Вот так. Дружба дружбой, а табачок, как говорится, врозь. Иван Анатольевич Круглов затаился в засаде и терпеливо ждал, отчетливо понимая, что еще немного — и карьере Филановских придет конец. Впрочем, интересы государства и служебный долг, вполне естественно, стоят на первом месте, а многолетние дружеские отношения в этой иерархии ценностей находятся куда ниже.

Ах, Люба, Люба! Ну ладно Наденька, земля ей пухом, Ваня прав, она была совсем юной, неопытной, глупенькой, но уж Люба-то! Тамара Леонидовна всегда была уверена, что со стороны старшей дочери удара в спину ждать не придется, никогда она, такая послушная, такая спокойная и разумная, безропотно следующая указаниям родителей, не подведет свою семью. И вот надо же... Нет, что и говорить, внешне Юрцевич очень даже привлекателен, даже, можно сказать, красив, и Надю понять можно, а вот Любу понять никак не удается. Ведь она же все про него знает, знает, что этот человек — прямая угроза благополучию семьи, знает, как ее родители ко всему этому относятся, а скрывает. Вернее, скрывала. Ну, что уж теперь-то.

* * *

Прошло около трех недель, когда Тамара Леонидовна, словно бы между прочим, заявила Любе:

— Я всегда знала, что от этого Юрцевича добра не жди. Допрыгался.

— Ты о чем? — спросила Люба, чувствуя недоброе.

— Да арестовали его.

— Как?! За что арестовали?

— Ну, Любочка, при его работе всегда найдется за что. За нетрудовые доходы. Он же памятники делал, вот и брал деньги с заказчиков мимо кассы. Мне Ванечка Круглов сказал сегодня. Юрцевич ведь и в первый раз сидел за то же самое, если ты не забыла, клуб какой-то колхозный расписывал без участия бухгалтерии. Видишь, до чего доводит жажда наживы! Уж казалось бы: попался один раз, отбыл четыре года — так сиди уже тихонечко, сделай выводы и не высовывайся, так нет, все им мало, все урвать хотят побольше в ущерб государству, которое, между прочим, им бесплатно и среднее образование дало, и высшее, и профессию. Какие все-таки люди бывают неблагодарные! Вот теперь его лет на восемь и укатают за хищение в крупных размерах, а то и на подольше, у него ведь судимость непогашенная, так что уже рецидив получается, а за рецидив больше дают. Ты куда, Любаша? Ты же хотела по телевизору концерт посмотреть?

Люба, только что удобно устроившаяся на диване в гостиной в предвкушении трансляции концерта известного пианиста и даже принесшая себе из кухни чашечку чаю с печеньем, встала и направилась к двери.

— Я передумала. Лучше с мальчиками английским позанимаюсь, — каким-то ломким, скованным голосом ответила она.

Тамара Леонидовна посмотрела ей вслед, а когда за дочерью закрылась дверь, вздохнула и удовлетворенно улыбнулась. Ну, кажется, все. Круглов обещал как минимум восемь лет покоя и никаких условно-досрочных освобождений, никаких колоний-поселений и прочих глупостей. Отсидит от звонка до звонка. Надо надеяться, на этот раз урок будет достаточно суровым, чтобы забыть об отцовских чувствах. А то ишь чего выдумал!

Любаша распереживалась, дурочка. Конечно, она все понимает и не строит никаких иллюзий насчет того, почему сотни и тысячи мастеров по граниту и мрамору годами преспокойно себе зарабатывают немалые тысячи на кладбищенских махинациях, а схватили за руку и посадили именно Юрцевича, однако у нее хватает ума не обсуждать это вслух. Деликатная девочка, умненькая, воспитанная. Ни слова матери не сказала. Молодец.

А вот что распереживалась — глупо. Подумаешь, нравится он ей! Большое дело. Мало ли кому кто нравится. Счастливыми в наше время бывают только браки по правильно сделанному расчету.

* * *

Люба действительно ни слова не сказала матери ни в тот день, ни потом. Она даже не позволила себе заплакать. Впрочем, плакать ей и не хотелось. Ей хотелось кого-нибудь убить. Все равно кого: мать, отца, племянников, любого прохожего, который попался бы ей на улице. Злость и ненависть, казалось, скрутились у нее внутри в огромный ком ржавой колючей проволоки, причиняющий при каждом не то что движении или вздохе — при каждой мысли невыносимую боль.

И всю оставшуюся жизнь Люба Филановская несла в себе эту так и не прошедшую ненависть к родителям, особенно к матери.

Москва, март 2006 года

Никита уезжал на сборы перед чемпионатом, и, как всегда, в последний момент оказалось, что на «счастливом» спортивном костюме разошелся шов, который следовало немедленно зашить, ибо ни в каком другом костюме юный кандидат в будущие «Плющенки» готовиться к соревнованиям не будет — примета такая. Усевшись на полу рядом с почти уложенной сумкой, Нана быстро и аккуратно зашивала шов, одновременно слушая какое-то политическое ток-шоу, и, когда зазвонил телефон, не сумела быстро встать — нога затекла от неудобной позы, и пришлось немного подождать, пока застоявшаяся в сосудах кровь не наберет необходимую скорость. Звонки почти сразу прекратились: Никита в своей комнате снял трубку. Через несколько секунд Нана доковыляла до аппарата. В трубке слышались голоса — сына и Александра Филановского.

— Дядь Саш, а правда, что вы с мамой вместе у бабы Веры катались?

— У бабы Веры? Это кто?

— Ну тренер, Вера Борисовна Червоненко. Правда?

— А, Вера Борисовна! Конечно, правда. Только это давно было. А в чем дело?

— Дядь Саш, вот вы как думаете, баба Вера хороший тренер?

— Очень хороший. Правда, мы с братом у нее совсем немножко занимались, всего года два или три. Это твоя мама настоящая фигуристка, а из нас с Андрюхой ничего путного не вышло, и мы в бокс ушли, когда нам было по десять лет. А ты почему спросил?

— Я хочу у нее тренироваться, я ее люблю очень сильно.

— Ну так за чем дело стало? Тренируйся.

— Не получается: Мама не хочет, и баба Вера тоже, кажется, не хочет. Может, вы знаете, почему?

Так, пора вмешиваться. Что это за сепаратные переговоры, да еще на такую щекотливую тему?

— Никита, положи трубку, — строго произнесла она, — Александр Владимирович звонит не тебе, а мне, по делу.

— Ладно, дядь Саш, пока, — торопливо проговорил Никита. — Я завтра утром на сборы уезжаю, мама меня проводит, так что она немножко опоздает на работу, ладно?

— Никита! — снова вмешалась Нана. — Свои служебные вопросы я с Александром Владимировичем как-нибудь сама решу, без тебя.

— Да ладно, — проворчал сын и положил трубку.

— Извини, Саша. Мы тут все немножко неадекватные, все-таки сборы перед юниорским чемпионатом, Никитос в первый раз участвует и жутко нервничает.

— Все нормально, Нанусь, — весело ответил Филановский. — А ты что, действительно с нашей Верой Борисовной общаешься?

— Да, мы с ней дружим.

— И как она?

— Отлично. Тренирует ребят, здорова, бодра и весела. Мы с ней совсем недавно виделись, вместе наших девочек на Олимпиаде смотрели.

— Как ты думаешь, она нас с Андрюхой помнит?

— Еще как помнит! Она никого из своих учеников не забывает.

Нана улыбнулась, вспомнив, как сидела с бабой Верой и рассматривала фотографии, на которых были запечатлены братья Филановские, их жены, возлюбленные и сослуживцы.

— Это приятно. Нанусь, я, собственно, звоню

по делу. Завтра в пятнадцать тридцать совещание по поводу переоборудования типографии, которую мы прикупили. Я бы хотел, чтобы ты обязательно была.

— Зачем? — удивилась Нана.

— Затем, чтобы потом, когда начнут воровать, не ломать все и не строить заново. Если ты сможешь быть на совещании, тогда я сейчас дам команду, чтобы заодно пригласили представителя фирмы, которая изготавливает аппаратуру для видеонаблюдения и всякое такое, ну, это по твоей части. Сможешь? Или у тебя что-то назначено на это время?

— Смогу, Саша. Я сейчас точно не помню, что там у меня завтра в половине четвертого, но наверняка ничего такого, что нельзя было бы перенести. Если что-то действительно важное, я обычно запоминаю. Раз не помню навскидку — значит, ничего нет. Я приду.

— Отлично! И не забудь: послезавтра все издательство стройными рядами готовится встречать весну. Тебя это тоже касается. У тебя в приемной целый дендрарий, так что не забудь принести рабочую одежду. И не вздумай все перевалить на Владу, я лично буду ходить по кабинетам и проверять.

Нана рассмеялась легко и радостно. Господи, как же сильно она его любит! Его просто невозможно не любить. Он — неповторимый, уникальный. Ну кому еще, кроме Александра Филановского, могла прийти в голову идея накануне 8 Марта устроить массовую пересадку комнатных растений, которых в здании издательства развелось видимо-невидимо, да не просто пересадку, не абы как, а в горшки единообразного дизайна. Горшки были заказаны, и послезавтра утром их привезут прямо со склада. Кстати, не забыть бы напомнить начальнику охраны, чтобы заранее созвонился с этим складом и выяснил номер машины. Или машин? Сколько «Газелей» нужно для горшков, если учесть, что в особняке, занимаемом издательством «Новое знание», четыре этажа и на каждом этаже, помимо кабинетов, есть просторный холл, в котором стоят несколько крупногабаритных растений типа взрослых драцен, монстер и кентий? Тут уже нужны не горшки, а кадки, и, пожалуй, одним грузовичком дело не обойдется.

И у самой Наны растений море, что в приемной, где сидит Влада, что в кабинете. И все их им вдвоем предстоит пересадить. Трудотерапия такая. Говорят, что работа с землей и с живыми растениями положительно сказывается на энергетике, на эмоциях и вообще на здоровье. То ли кто-то сказал об этом Филановскому, то ли он где-то это прочел и решил устроить своим сотрудникам день массового оздоровления. Конечно, возиться неохота, но ведь начальник же, с ним не поспоришь. А уж если этот начальник — Александр Владимирович Филановский, то с ним не поспоришь тем более, ибо он никаких споров и пререканий просто не терпит и не допускает. Он всегда сам знает, что и как надо делать, и чужое мнение его интересует меньше всего на свете.

* * *

Почти неделя прошла с того дня, когда Антон Тодоров сказал Любови Григорьевне о том, что Сергей Юрцевич умер. С того самого дня, когда ей пришлось под натиском этого настырного сотрудника Наны Ким кое-что рассказать. Она тщательно следила за каждым словом, стараясь не сболтнуть лишнего, и все последние дни то и дело возвращалась мысленно к тому разговору, вспоминая, что именно и как она сказала. Да что там особенно вспоминать-то! Вся история в ее изложении заняла минут десять, Любовь Григорьевна старательно обкорнала ее, убрала детали и, разумеется, все, что касалось лично ее. Некто Юрцевич очень любил ее покойную сестру и помешался на идее отобрать у Филановских своих детей, а поскольку был он лицом до крайности неблагонадежным как в общеуголовном, так и в политическом смысле, матушка Любови Григорьевны предприняла некоторые меры к тому, что Юрцевича с глаз долой убрали. Его и убрали, и даже два раза. Конечно, некрасиво, конечно, бесчестно, но ведь, по большому счету, абсолютно правильно, если ориентироваться на те ценности и установленные андроповской политикой правила игры, что царили во времена застоя. Это теперь ценности и правила переменились, а тогда... Тогда Тамара Леонидовна сделала все совершенно правильно, и никак иначе она поступить не могла. Семью надо было спасать.

И конечно же, ни слова не было сказано о чувствах самой Любочки, о ее планах и надеждах. Сухо и коротко: «Этот Юрцевич даже предлагал мне выйти за него замуж, уехать с ним и вместе растить его сыновей. Вы представляете, до какой степени помешался на детях этот наглец? От такого типа можно было ожидать чего угодно, и мама приняла самые решительные меры, пока он не нанес мальчикам неизлечимую травму». Вот и все. Юрцевич в ее изложении представал тупым, недалеким и хамоватым — одним словом, именно таким, каким принято представлять себе уголовников, попадающих за решетку.

Но все ли? Любовь Григорьевна беспокоилась, снова и снова вызывая в памяти тот разговор и пытаясь восстановить его до самых мелочей. Не вздохнула ли она как-то неуместно, не отвела ли взгляд в неподходящий момент, не проронила ли какое лишнее слово? Нет, кажется, все в порядке, но она все равно беспокоилась и нервничала и от этого злилась и раздражалась. Впрочем, озлобленность и раздраженность были ее обычным состоянием на протяжении почти всей жизни. Она даже и не замечала их, потому что давно привыкла, как привыкла ненавидеть всех, кто, по ее мнению, что-то отнимал у нее. Много лет назад умершую сестру — за то, что взяла себе лучшее, оставив Любе тяготы и заботы, мать — за то, что разрушила ее так славно составленный план замужества и создания полноценной семьи, Юрцевича — за свой стыд, неловкость и пустые надежды на то, что он когда-нибудь забудет свою ненаглядную Надю и оценит ее, Любу. Юрцевич отнял у нее уважение к себе самой, и с тех пор она продолжала ненавидеть его за то, что позволила себе влюбиться. Она, Любочка Филановская, такая образованная, такая тонкая, глубокая, высокодуховная, — и эти ужасные сны, которые спустя какое-то время стали казаться ей мерзкими, и эти дурацкие мечты, и глупое заглядывание в его синие глаза, как будто в них могло быть что-то еще, кроме самих глаз. Даже воспоминания о своей любви казались ей унизительными и обидными.

Она ни минуты не сомневалась в том, что записки присылал ей именно Сергей Юрцевич. А Тодоров утверждает, что он уже несколько лет как умер. Кто же тогда их пишет? Неужели его сын? Она кривила душой, когда говорила Тодорову, что не знает точно, какого пола ребенок Юрцевича, прекрасно она это знала, просто хотела всячески подчеркнуть, что мало общалась с «этим негодяем» и практически ничего о нем ей не известно.

Наконец Любови Григорьевне удалось взять себя в руки и признаться себе самой, что на самом деле нервничает она вовсе не из-за своего рассказа. «Господи, пусть окажется, что записки присылает сын Юрцевича! Пусть выяснится, что это он! Потому что если это не он, то...» Даже думать об этом было страшно.

* * *

Как обычно, вместе с Сашей в квартиру врывался ураган эмоций, звуков, запахов свежего воздуха (и как только он умудрялся им пропитываться, сидя в офисе или в машине?) и дорогого парфюма, коробок и пакетов с продуктами и подарками.

— Люба! — прокричал он прямо от порога. — Смотри, что я тебе принес! Ты обалдеешь! А где Тамара? Не спит? Тащи ее сюда, я ей купил потрясающий наряд, сейчас будем мерить.

С самого детства мальчики звали тетку и бабушку по именам. Тамара Леонидовна, борясь за сохранение молодости, запретила внукам называть себя бабушкой, Люба же, общаясь с детьми, принципиально не пользовалась словами «мама» и «тетя», а коль дети этих слов не слышат, то откуда же им научиться их употреблять? Никаких «иди к тете» или «тетя будет сердиться», только «Люба» или «я». Потом, по мере взросления, Саша и Андрюша, конечно, разобрались, кто кому кем приходится, и отчетливо понимали, что мама умерла, когда их рожала, Люба — мамина сестра, то есть их тетка, Тамара — Любина мама и мама их собственной мамы, то есть бабушка, а Григорий Васильевич — дед, который, к слову сказать, вовсе не возражал против такого обращения и даже радовался, слыша короткое, крепкое и в то же время такое уютное слово. Не «дедушка», а именно «дед».

— Я принес грунтовые помидоры, свежую зелень и отличную брынзу, сейчас будем есть греческий салат. Маслины есть?

— Сашенька, — Любовь Григорьевна подошла к племяннику и привычно подставила щеку для поцелуя, — у нас есть ужин, Валя все приготовила.

— Да ну, перестань, — он весело тряхнул головой, как большой пес, выбравшийся из пруда на берег, — что там ваша Валя приготовила! Завтра съедите, а сегодня будем есть мой любимый греческий салат с черным хлебом. Такой салат нужно есть правильно, обязательно с черным хлебом, только хлеб должен быть мягким, дышащим, свежим-пресвежим. И обязательно запивать молодым вином.

Любовь Григорьевна недовольно поджала губы. Она не ела черный хлеб, у нее начиналась изжога, а греческий салат вообще ненавидела, он казался ей слишком острым и соленым. Сашка весь в этом, всюду и всегда устанавливает собственные порядки и навязывает собственные вкусы. То ли дело Андрюша, он совсем, совсем другой, даже не верится, что они родные братья, к тому же близнецы.

— У нас нет черного хлеба, — сухо сказала она.

— Так я же принес! Любочка, я все принес, и хлеб, и вино.

Саша счастливо улыбался и резво таскал коробки и пакеты из прихожей в кухню. Она предприняла еще одну попытку сопротивления:

— Я уже отпустила Валю. Готовить некому. И вообще, мы уже ужинали недавно.

— Да я сам все сделаю, ты не беспокойся. А греческий салат — это не ужин, это кулинарная радость, вкусно и не тяжело. Не спорь, Любочка, лучше иди посмотри, что я тебе принес. И Тамару зови, где она там? Тамара!!! — завопил он громовым голосом. — Звезда моя, душа моя, я пришел!!! И подарки тебе принес!!!

Застучала палка, скрипнула дверь, Тамара Леонидовна в сопровождении сиделки царственно поплыла навстречу внуку.

— Сашенька, — пропела она звучным и совсем несостарившимся голосом, — радость моя! Ты совсем забросил старуху. Почему ты так редко навещаешь меня?

— Мама, побойся бога, — сердито вмешалась Любовь Григорьевна, — Саша был у нас три дня назад. Он приезжает два раза в неделю, а то и чаще.

— Не ври! — ответствовала бывшая актриса. — Если бы он приезжал три дня назад, я бы помнила об этом. А я не помню. Он целый год у нас не был.

— Да как же не был, когда он привез тебе кассеты и твой любимый торт, — Любовь Григорьевна рывком распахнула холодильник и достала оттуда блюдо с наполовину съеденным тортом. — Смотри, мы его даже доесть еще не успели. Ну, вспомнила?

— Люба, — прошептал Саша ей на ухо, — ну ты что, с ума сошла? Ты же не в классе и не в аудитории. Оставь ее в покое, у нее склероз, осложненный маразмом. Чего ты от нее хочешь?

Она хотела... ну, понятно чего. Чтобы мать была в здравом уме и твердой памяти и чтобы не нужно было поминутно объяснять ей самые простые вещи, например, кто такая Люба и почему в доме посторонние. Саше легче, он искренне верит в то, что его бабка плохо соображает и ничего не помнит, а она, Люба, очень в этом сомневается и считает, что мать просто нарочно ее изводит. Как изводила всю жизнь, так и сейчас продолжает.

Тамара Леонидовна с помощью сиделки взгромоздилась на стул и оперлась обеими руками на поставленную между ног палку.

— И где твой подарок? Ты что-то говорил о подарке, или мне послышалось?

— Ниночка, — обратился Саша к сиделке, — возьми там, в прихожей, белую коробку.

Просто удивительно, как ему удавалось помнить всех сиделок и ни разу не перепутать имя.

Саша повязал фартук и принялся мыть овощи, пока все остальные занимались разворачиванием и разглядыванием подарка, предназначенного Тамаре Леонидовне. Это оказалось вечернее платье с глубоким декольте и красивыми фалдами. И зачем старухе такой наряд? Можно подумать, она куда-нибудь выходит из дома! То есть выходит, конечно, но только в тех случаях, когда Саша присылает за ней машину, чтобы привезти на очередной семейный праздник в свой загородный дом или на корпоративную вечеринку. Тамара Леонидовна тут же велела сиделке проводить ее в комнату, чтобы примерить обновку.

— И зачем это? — недовольно спросила Любовь Григорьевна. — Ты только впустую тратишь деньги.

— Любочка, если деньги потрачены на то, что приносит человеку радость, то они уже потрачены не впустую. Радость дорогого стоит. Посмотри, как она радуется! Как ребенок!

— Ребенок! — фыркнула она. — Вот именно что ребенок! Она впала в детство, а ты ей потакаешь. У нее уже шкаф ломится от тряпок, которые ты ей покупаешь, а надеть их некуда.

— Но Тамара их носит дома, — возразил Саша. — Она всю жизнь была красавицей-актрисой, звездой, она привыкла выглядеть ярко и нарядно. Да, теперь она состарилась и ослабела, она не выходит из дому, но она красиво одевается, ей приятно смотреть на себя в зеркало, она знает, что хорошо выглядит, и это приносит ей радость. Разве это плохо? Разве это не стоит тех денег, которые потрачены? А в новом платье Тамара будет на нашей вечеринке по случаю 8 Марта. И вообще, не порть мне настроение, пойди лучше свой подарок посмотри, ты ведь даже не взглянула. Я там в комнате на стол положил.

Любовь Григорьевна пошла в комнату за подарком. На столе лежала продолговатая, обитая бархатом коробочка, в которой продают ювелирные украшения. Открыла, посмотрела, молча улыбнулась. Дорогая вещь, очень красивая. Она приложила колье к шее, подошла к зеркалу. Элегантно, но идет ли ей? Саша никогда не жалеет денег на подарки для тетушки и бабушки. Что ж, вполне адекватная плата за потраченную на племянников молодость и за не состоявшуюся из-за них личную жизнь.

Она вернулась в кухню, где Саша, неловко орудуя ножом, резал овощи.

— Посмотрела? — спросил он. — Ну как, понравилось?

— Спасибо, детка, очень красиво.

— Наденешь на нашу вечеринку, — не терпящим возражений тоном заявил он. — Будешь лучше всех. И голубой костюм надень, ты в нем прелестно выглядишь.

— Я вообще-то собиралась надеть черный... — начала было Любовь Григорьевна, но племянник не дал ей договорить:

— Голубой. А Тамара пусть наденет новое платье.

— Но, Саша, — с возмущением заговорила она, — там такое декольте! Вся шея и грудь в морщинах, зачем это демонстрировать! Ни в коем случае! Если тебе так нравится, пусть носит его дома, но не на людях же!

— Она накинет меховую пелерину, которую я на Новый год подарил. Не спорь, Любочка, я лучше знаю. Твою мать!

Он отдернул руку, бросил нож на пол и сунул палец в рот. На деревянной разделочной доске рядом с яркой зеленью петрушки Любовь Григорьевна увидела алое пятно — кровь.

— Порезался? — с тревогой спросила она. — Ну как же ты так неосторожно?

— Пластырь есть?

— Я лучше сиделку позову.

Через минуту ловкие руки сиделки Ниночки превратили глубоко порезанный палец во вполне работоспособную и прилично выглядящую часть руки.

— Оставьте, Александр Владимирович, — сказала она, берясь за нож, — я сама доделаю.

— Тамара переоделась? Как платье?

— Да вроде ничего... Кажется, все в порядке... Да вы посмотрите сами.

— Ну так веди ее сюда! — скомандовал он. — Будем любоваться красотой. Брось ты резать, приведи Тамару, потом займешься салатом. Да, возьми норковую пелерину и набрось ей на плечи.

Сиделка послушно отправилась в комнату Тамары Леонидовны, а Филановский уселся в гостиной на диван и схватился за телефон. Любовь Григорьевна знала, что он звонит брату. Так повелось еще с детства: связь между близнецами была настолько тесной, просто мистической, что они не только болели, но и травмы получали одновременно, даже если находились в разных местах и в разных обстоятельствах.

— Катя? А где мой брат? Занят? Гость? Ладно,

не отвлекай его, смотри только, чтобы он был аккуратнее, а то я порезался только что. Значит, у нас с ним сегодня планеты не в тот ряд встали. Я-то? Я у Тамары, вот салат хотел приготовить... Кстати, скажи Андрюхе, что он совсем совесть потерял, уже недели три здесь не был. Непорядок. Было бы неплохо, если бы вы сейчас приехали. Что? Да, конечно, они будут рады... Давай. Только быстренько, машину поймай.

Положив трубку, Саша несколько секунд задумчиво разглядывал травмированный палец, потом поднял голову, прислушиваясь к медленным тяжелым шагам: Нина вела Тамару Леонидовну демонстрировать вечернее платье.

— Андрюха занят, но Катя сейчас приедет, — сообщил он тетке.

— Зачем?

— Просто так, навестить вас, посидеть в семейном кругу.

— Она не член нашей семьи, — сухо возразила Любовь Григорьевна. — Они с Андреем не расписаны.

— Ну какая разница, Любочка! Они столько времени живут вместе, что вполне могут считаться женихом и невестой. Ты что-то имеешь против нее?

— Да нет, — она сделала неопределенный жест рукой. — Пусть приезжает, если ей так хочется. А почему Андрюша не может приехать?

— У него гость какой-то.

— Гость или гостья? — прищурилась Филановская, памятуя частые жалобы Кати на то, что к ее милому постоянно приходят какие-то женщины, с которыми он ведет долгие разговоры без участия своей подруги.

— Да гость, гость, мужчина, — рассмеялся Саша. — О, вот и наша красавица! Ну, Тамара, ты — супер! Самая красивая женщина страны!

Тамара Леонидовна стояла посреди комнаты, изо всех сил стараясь держать спину прямо. Платье было и впрямь великолепным, на этот раз, как это ни странно, Саша угадал. Оно струилось и переливалось, скрывая деформированную старческую фигуру, а округлые мягкие складки серо-голубого меха деликатно прятали дряблую морщинистую кожу подбородка, шеи и груди. Над всем этим великолепием красовалось обвисшее, почти уродливое лицо нездорового мучнистого вида — последствия неудачной пластической операции, которую Тамара Филановская, несмотря на советы специалистов, все-таки сделала, когда ей было далеко за семьдесят. Все в один голос говорили, что в таком возрасте пластические операции чрезвычайно рискованны, особенно если учесть количество ранее сделанных процедур подобного же рода, и что кожа уже утратила эластичность и способность к регенерации, и что заживление окажется весьма проблематичным, и что изношенному немолодому организму не полезен общий наркоз, но Тамара заупрямилась. Она отлично себя чувствовала, была полна сил, энергична и стройна, находилась в прекрасной форме во всем, кроме, как ей казалось, лица, она по-прежнему много играла в театре и ее до сих пор с удовольствием снимали в кино, но она была убеждена, что лицо необходимо поправить. Скинуть при помощи пластики лет десять-пятнадцать, плюс грим, которым можно убрать еще десяток лет, — и она сможет играть не только возрастные роли, но и романтические.

Врачи, как очень скоро выяснилось, были правы, а Тамара Леонидовна — нет. Результаты операции оказались ужасающими, и с тех пор она ни разу не вышла ни на сцену, ни на съемочную площадку. Однако, и сидя дома, Тамара Филановская продолжала оставаться великой актрисой.

— Отлично, — подытожил Александр, закончив придирчивый осмотр. — Ниночка, запиши для памяти: к этому платью подойдут серьги с жемчугом и бриллиантами, браслет от Картье и кольца, которые я привез из Лондона. Вечеринка послезавтра. Кто седьмого марта дежурит?

— Я, — отозвалась сиделка, — я с Ирой поменялась, ей нужно дома побыть по семейным обстоятельствам.

— Хорошо, значит, не забудешь, когда будешь Тамару одевать. И вызови на седьмое число маникюршу, пусть ей руки в порядок приведут. Да, Тамарочка? Да, моя красавица? — ласково заговорил он, обращаясь к бабушке. — В таком платье и с такими украшениями ручки должны быть идеальными. Ты на нашей вечеринке будешь самой красивой, все просто в обморок упадут — до чего ты будешь хороша!

Он встал с дивана, обнял старуху, поцеловал в макушку и тут же перевел строгий взгляд на сиделку.

— Нина, почему корни седые? Почему вы не можете вовремя вызвать парикмахера? Сколько раз я просил, чтобы вы как следует следили за Тамарой Леонидовной! Сейчас же позвоните, пусть завтра приедет. Или нет, пусть приедет седьмого, в середине дня, покрасит и уложит волосы, чтобы была красивая прическа.

— Хорошо, Александр Владимирович, — испуганно пролепетала Нина. — Вы не волнуйтесь, все будет сделано.

— Правильно, Сашенька, — пропела Тамара Леонидовна, — скажи им, скажи построже, а то меня совсем запустили. Пусть я стара, но я остаюсь женщиной, и не позволяй им пользоваться моей беспомощностью.

— Не позволю, Тамарочка, не позволю, ты всегда была самой красивой женщиной страны и останешься такой. Нина, что ты стоишь? Иди делай салат, я с голоду тут с вами умру.

Сиделка метнулась прочь из комнаты, прошуршав взметнувшейся юбкой что-то виноватое и почти обиженное. Александр помог бабушке устроиться в ее любимом кресле, сам сел на пол, положил голову ей на колени, потерся щекой о шелковистую ткань нового платья. Любовь Григорьевна, присев на краешек диванного валика, наблюдала эту сцену с привычным, но так и не прошедшим удивлением. Неужели он действительно так любит бабку? Тому, что племянник любит свою тетушку, она вовсе не удивлялась, а как же может быть иначе, ведь она заменила ему мать, всегда была рядом, вырастила, воспитала, кормила и одевала, лечила и ухаживала. А бабушка минуты лишней с внуками не провела, стеснялась их — у молодых женщин внуков не бывает, если есть внуки, значит — старуха, бабушка все играла и играла свои бесчисленные роли, ездила на гастроли, репетировала, участвовала в правительственных концертах, лежала в косметологических клиниках — одним словом, занималась только собой, своей карьерой и своей славой, отдавая внукам лишь минимум внимания и душевного тепла, да и то исключительно в узком семейном кругу, когда никто не видит. Так почему же Саша так беззаветно ее любит?

Любовь Григорьевна вообще плохо понимала своих племянников, несмотря на то, что вырастила их и воспитала. Но Андрей, при всех его заморочках и диковинных теориях, был ей все-таки ближе, понятней, а вот перед Сашей она пасовала. Не понимала она его такой безразмерной и безграничной любви к людям, особенно к тем, кто не сделал ему ничего хорошего. Впрочем, покойную сестру Надю с ее любовью ко всему человечеству она тоже не понимала. Вероятно, Саша унаследовал это качество от матери, а Андрюша — нет, он своим протестным мышлением скорее в отца пошел. Что ж, бывает.

В отца... Господи, пусть окажется, что сын этого отца написал те проклятые записки. Тогда по крайней мере все понятно и совсем не страшно, хоть и противно. То есть нет, страшно, конечно, страшно, что мальчики узнают, кто и каким способом лишил их отца, но с этим можно справиться, можно, Нана сделает все, как надо, поручит кому-нибудь, да хоть тому же Тодорову, и если нужны будут деньги — Любовь Григорьевна их достанет, это не проблема. Вполне реально откупиться от шантажиста и сохранить мир в семье. Но если записки писал не он, то... Нет, не думать об этом, не думать!

* * *

Катя заглянула в кухню, где сидели Андрей и его гость. Еще не открыв дверь, она услышала голос Андрея:

— Нет, это совершенно невозможно.

— Но может быть... как-нибудь?..

Голос гостя был виноватым и каким-то просительным. Странно. Этого мужчину Катя никогда прежде не видела, но в этом-то как раз ничего странного не было, мало ли какие новые знакомые появляются у Андрея. Странным был его тон. К Андрею приходили обычно поделиться проблемами, поговорить, что-то обсудить, выслушать совет, но уж никак не просить. О чем речь, хотелось бы знать? Впрочем, какая разница?

— Нет, не может быть и не как-нибудь, — голос Андрея звучал очень четко и напряженно. — Мы с вами не сможем договориться. И вообще это не предмет договоренностей, неужели вы сами не понимаете?

— Но я хочу помочь... — бормотал гость.

— Я бы тоже искренне хотел помочь, от всей души хотел бы, но не таким способом, понимаете? Не таким! То, что вы предлагаете, — не метод решения проблемы. И проблема, позволю себе заметить, вообще не в этом. Вы наметили себе ложную цель, и, идя к этой цели, вы всех сделаете несчастными, в том числе меня и себя самого.

Кате стало скучно: опять эти разговоры про цели, методы и проблемы! Вечно одно и то же. Она-то думала, здесь что-то необычное, интересное, все-таки к Андрюше, как правило, приходят девицы и тетки, а тут — мужчина, но оказалась все та же нудятина. Она коротко постучала в дверь и вошла.

— Извини, Андрюша, я вас прерву, — она мило улыбнулась. — Буквально на секунду.

— Что случилось, Катюша?

Андрей посмотрел на нее как-то особенно, Катя даже не поняла, что такого было в его взгляде. Нет, не во взгляде, взгляд был самым обычным, а вот выражение лица показалось ей каким-то уж слишком многозначительным, будто, глядя на нее, он все еще продолжал молчаливый диалог со своим гостем. И гость тоже посмотрел на нее, но совсем иначе, со странной смесью любопытства и покорности судьбе. Ей пришло в голову, что так осужденный на смертную казнь смотрел бы на гильотину, если бы для него решили заранее провести ознакомительную экскурсию. Мол, вот она, красавица, смотри, любуйся, ты же никогда прежде ее не видел, час еще не настал, но настанет обязательно и уже совсем скоро.

Она поежилась под этими странными взглядами.

— Саша только что звонил, он резал овощи и сильно поранил палец. Он просил тебя быть осторожнее и сегодня ничего не резать.

— Хорошо, — улыбнулся Андрей, — я не буду резать.

— Это я к тому, — продолжала Катя, — что, если вы будете пить чай, я бы бутерброды сделала заранее, чтобы ты за нож не хватался. Сделать?

— Катюша, если мы надумаем попить чаю, я тебя позову на помощь, хорошо? Мы еще не закончили разговор...

— Саша сейчас у Тамары Леонидовны, они очень хотели бы, чтобы ты тоже приехал, ты давно их не навещал. Но я вижу, что ты занят, и я сказала, что приеду одна. Все-таки это твои тетя и бабушка, нужно оказывать им внимание. Так что, когда вы созреете для чая, меня уже может не быть дома.

— Спасибо тебе, Катюша. Не нужно бутербродов, не обращай на нас внимания, действуй по своему плану.

Она вежливо попрощалась, притворила за собой кухонную дверь и отправилась в комнату одеваться. Действуй по своему плану! Можно подумать, она умирает от желания в промозглый мартовский вечер вылезать из уютной нарядной трикотажной пижамки, одеваться, краситься, ловить машину и ехать к двум дурам-старухам, одна из которых — сущая змеина, а вторая — впавшая в детство сумасшедшая, и изображать там лубочно-родственные картинки с выставки. Дескать, семейные ценности превыше всего, но Андрюшенька так занят, так занят, просто ужас, а уж она, Катя, с преогромным удовольствием навестит его престарелых родственниц, посидит с ними за столом и поговорит о жизни и мировых проблемах. Можно подумать, это она сама себе такой план составила. Будь ее воля, она бы лежала на диване и смотрела телевизор, но Саша... Такой шанс выпадает редко: увидеться с Сашей без Андрея, без Сашиной жены и в неформальной обстановке, и упускать этот шанс было бы полным идиотизмом.

Надо правильно одеться. Правильно — значит так, как нравится Саше Филановскому, даже если, по Катиному мнению, это идет в ущерб ее внешности. Вспомнить бы, что ему сейчас нравится... На новогодней вечеринке у подавляющего большинства издательских дамочек в ушах были крохотные сережки-пуссетки, а на пальцах — тонюсенькие колечки из белого золота с едва различимыми бриллиантиками. Катя тогда здорово удивилась, ведь Новый год она всегда считала праздником, когда уместно одеваться ярко, броско и украшения надевать крупные, чтобы издалека было видно. Однако шеф издательства был строг, и все хотели ему угодить, вот и носили то, что ему нравится. Значит, на текущий исторический момент для Александра Владимировича эталоном изящества и признаком хорошего вкуса являются маленькие украшения из белого металла. Золота с бриллиантами у Кати нет, но есть серебро с фианитами. Пойдет. Неважно, сколько это стоит, важно, как выглядит.

Она быстро сделала макияж, накинула дубленку и выскочила на улицу. Хоть бы удалось машину побыстрее поймать. Завтра рабочий день, и вряд ли Саша засидится у своих тетушек-бабушек за полночь, вот и выйдет, что она заявится к Филановским, а через пять минут он соберется домой. И что ей, сидеть с этими двумя престарелыми калошами? Или уезжать вместе с ним? Нет, некрасиво, и все сразу догадаются, что она примчалась исключительно ради него.

С машиной Кате повезло, она и трех минут

не простояла с вытянутой рукой, как нашелся частник, согласившийся ее подвезти. И с пробками повезло, в том смысле, что их не оказалось, и добралась она до Тверской на удивление быстро. Это показалось ей хорошим предзнаменованием: там, наверху, всё видят, а Андрей часто говорит, что, если ты идешь правильным путем, эти, которые наверху, тебе помогают. Значит, если ей сегодня помогают — она идет правильным путем и у нее все получится.

* * *

— Люба, ты помнишь тренера, у которого мы с Андрюхой катались в детской спортшколе?

Вопрос был неожиданным и потому отвлек Любовь Григорьевну от неприятных мыслей.

— Тренера? — Она наморщила лоб, пытаясь понять, о ком спрашивает Саша. — Боюсь, что нет.

— Ну Веру Борисовну! — продолжал настаивать он. — Неужели не помнишь? Такая симпатичная тетка, рыжая, ей тогда лет тридцать пять было или чуть меньше. Ну?

— Припоминаю, — осторожно ответила Любовь Григорьевна, — но смутно. А в чем дело? Почему я должна ее помнить?

На самом деле она эту тренершу абсолютно не помнила, но решила не сердить племянника. В учебно-тренировочной группе детской спортивной школы мальчики занимались с восьми лет, и к этому времени они были уже настолько самостоятельными, что на тренировки ездили одни, без Любы, так что если она и знакомилась с тренером, то лишь в тот момент, когда переводила их из платной детской группы в школу.

— Ты представляешь, оказывается, наша Нана до сих пор с ней общается!

— Ну и что? — Любови Григорьевне не удалось скрыть равнодушия, да она, собственно, и не особо старалась.

— Ну как что? Я хочу пригласить ее к нам на корпоративную вечеринку. Повидались бы, Андрюха тоже обрадуется, я уверен, и Хануська будет рада. Я даже знаешь что подумал? Пусть Вера Борисовна напишет воспоминания, она много интересного могла бы рассказать, у нас ведь совсем нет литературы об изнанке подготовки спортсменов. Об актерах есть, о шоу-бизнесе есть, а о спорте никто не пишет. Народу интересно, ведь по телевизору за наших вся страна болеет, а что там за кулисами — неизвестно. А ведь там уйма всякого любопытного, начиная от технологических вещей и заканчивая системой взаимоотношений. Нет, правда, пусть Вера Борисовна напишет, а я издам и гонорар ей хороший заплачу, ей не помешает, наверняка она стеснена в средствах.

— Сашенька, ну почему ты уверен, что все люди спят и видят, как бы им книжку написать и издать? Ты даже представить себе не можешь, что кому-то это совсем не интересно и не нужно. Ты — издатель, вот тебе и кажется, что твоя деятельность — самая для всех вожделенная сфера. И потом, далеко не каждый в принципе способен написать книгу.

— Глупости, — решительно оборвал ее Саша. — Написать может не каждый, а воспоминания есть у всех, причем интересные. Для этого и существуют литобработчики. У меня целая редакция сидит на жизнеописаниях, биографиях и мемуарах, сплошные литобработчики, они на этом руку набили. Автор только надиктовывает на диктофон в соответствии с вопросами опытного редактора, а остальное мы сами делаем. И между прочим, наши книги этой серии идут на «ура». Все, решено, я сейчас же позвоню Нане, спрошу телефон Веры и сам ее приглашу.

— Как знаешь, — все так же равнодушно ответила Любовь Григорьевна.

Ей действительно было совершенно все равно, кого ее племянник пригласит на свою вечеринку, и ей не было никакого дела до какой-то там тренерши, у которой мальчики занимались фигурным катанием в незапамятные времена.

Приехала Катя, и Саша усадил всех за стол есть этот невозможный, острый и соленый салат. Тамара Леонидовна сияла, Нина сидела напряженная, словно боясь еще чем-то вызвать гнев богатого нанимателя, Саша шутил, смеялся и с аппетитом уминал свое любимое блюдо, а вот Катя...

Любови Григорьевне все это не нравилось. Она давно уже приметила кое-что неладное, но никогда прежде у нее не было такого явного, такого четкого ощущения, что на ее глазах происходит «перестановка кадров». Да, Катя и раньше бросала на Александра заинтересованные взгляды, она и раньше вроде бы ненавязчиво пыталась вступить с ним в отдельный от всех разговор, но всегда рядом были и Сашина жена, и Андрей, и вообще это были семейные праздники или издательские мероприятия, когда все друг с другом общаются, всем весело, все немножко (или порядочно) выпили и расслабились. А сейчас совсем другое. Сейчас нет ни Сашиной жены Елены, ни Андрея, и никакой это не праздник, и выпили всего-то по бокалу вина, а Катя смотрит на Сашу так, словно... Короче, понятно. Чего она приехала? Зачем? Андрей занят, но он хотя бы член семьи, а ее-то сюда вообще не звали. Кто она такая? По какому праву сидит за столом Филановских? Может быть, ее Сашка позвал? Нет, Любовь Григорьевна точно слышала весь его разговор с Катей по телефону, не приглашал он ее, она сама сказала, что Андрюша занят, у него гость, а она, мол, сейчас приедет. Саша вообще не произнес ни слова, которое можно было бы истолковать как приглашение. Значит, девочка сама решила явиться сюда. Ну и как это понимать прикажете?

А может быть, Саша с ней заранее договорился? Предупредил, что собирается побывать здесь, попросил, чтобы она приехала, предлог вполне благовидный. Откуда он знал, что Андрюша будет занят? Ну, это могло быть известно Кате заранее. Впрочем, какая ерунда... Саша взрослый человек, имеет право устраивать свою личную жизнь по собственному разумению, лишь бы не в ущерб семье и детям. Но получается, что в ущерб брату, родному брату! И что, конец миру в семье? Между братьями вражда навеки? А тетка окажется первой среди виноватых, потому что у нее под носом, читай — под крылом, устраивались любовные свидания? Нет, это невозможно, это совершенно невозможно. Этого нельзя допустить.

Любовь Григорьевна вся превратилась в локатор, улавливающий малейшие не то что слова и жесты — нюансы дыхания. Если бы она могла, она бы и мысли улавливала. Впрочем, сейчас ей казалось, что у нее и это получается, настолько Катины намерения были ей ясны, и тем яснее, чем больше она убеждалась в том, что ее племянник об этих намерениях даже не догадывается. Что ж, тем лучше. Еще не все потеряно.

Саша посмотрел на часы и спохватился, что не сделал какой-то деловой звонок. Вытащил мобильник, набрал номер, и Любовь Григорьевна заметила, что Катя вслушивается в разговор как-то уж очень внимательно, просто неприлично внимательно. Да и разговор-то пустяковый, чего там особенно выслушивать? Саша спрашивал у невидимого абонента, удалось ли ему связаться с какой-то Красиной и готова ли она поучаствовать послезавтра, шестого марта, в общеиздательском мероприятии. Ничего личного, что могло бы касаться этой настырной девицы.

— А что у вас в издательстве послезавтра? — тем не менее спросила Катя, и Любовь Григорьевна даже поморщилась: ну как это можно? Где ее воспитывали, боже мой! Ладно бы просто слушала, это все-таки незаметно, если особенно не всматриваться, но давать понять, что ты слушала, — это уже за рамками приличия.

Сашу, однако, это ничуть, судя по всему, не задело, и он вполне мирно ответил:

— Массовая пересадка цветов. У нас огромное количество растений по всему издательству, но все в разных горшках, стоят как бог на душу положит — в общем, никакого дизайна. Я выбрал по каталогу коллекцию емкостей: от самых маахоньких горшочков до огромных кадок, их завтра привезут, и послезавтра мы всем коллективом будем пересаживать растения.

— А кто такая Красина? — не унималась Катя.

«Я бы ее убила, — подумала Любовь Григорьевна. — Если бы она посмела подслушивать мои разговоры и после этого еще вопросы задавать — точно убила бы. И почему Саша это терпит? Почему не осадит ее?»

— О, Зинаида Артамоновна Красина — это легенда! — с воодушевлением заговорил Саша. — Я ее обожаю! Она — автор самых известных в нашей стране книг по разведению комнатных растений. Больше, чем знает о комнатных растениях она, не знает никто. Мы издали четыре ее книги, и все они держатся на рынке уже шесть лет, мы постоянно делаем допечатки. О цветах пишет масса авторов, но стабильно покупают только Красину. Я велел связаться с ней и попросить поруководить нашим послезавтрашним мероприятием, а то мы ж там все самоделкины, мы только в книгах понимаем, а растения — штука тонкая и сложная. Я тут попробовал одну красинскую книжку целиком прочитать, так у меня голова уже на пятой странице отказалась воспринимать информацию. Вот вы, например, знали, что некоторые растения цветут только в тесных горшках, а если их пересадить в горшок побольше, они цвести не будут?

Любовь Григорьевна слышала об этом впервые и могла бы поклясться, что и для Кати это оказалось новостью, но девушка тем не менее не моргнув глазом заявила:

— Конечно, я давно об этом знаю. А ты разве не знал?

Врет, подумала Любовь Григорьевна, нагло врет. И совершенно понятно, зачем. Эта часть шахматной партии просчитывается в полсекунды.

— Так ты что, в цветах разбираешься? — удивился Саша.

— Разбираюсь, — кивнула Катя, и снова Любовь Григорьевна решила, что это ложь. — Если хочешь, я тоже приеду послезавтра и помогу. Лишние руки не помешают, правда ведь? Мне все равно делать нечего, я пока на работу не устроилась.

— Здорово! — обрадовался Саша. — Приходи, конечно. Я тебя к компьютерщикам отправлю, там у меня одни пацаны безмозглые работают, они даже камень могут загубить, не то что живое растение.

— Да ну, Саш, я бы лучше у тебя в приемной и кабинете поработала, — заныла Катя. — У тебя там такие красивые растения, одно удовольствие будет с ними повозиться. Я их обрежу, если надо, прищипну, в общем, сделаю красиво. Хорошо?

— Да как хочешь, — он пожал плечами. — А хочешь, я тебя на работу возьму?

Ну вот, партия сыграна, подумала Любовь Григорьевна, мальчик получил мат в два хода и даже не заметил, точнее — даже не понял, что с ним сыграли партию. Девочка добилась своего: послезавтра она будет полдня крутиться у Саши в приемной и в кабинете, вилять попкой и выставлять напоказ бюст, а потом станет работать в его издательстве, получать немаленькую зарплату и иметь неограниченные возможности по обольщению богатого и красивого начальника. Фу, как пошло!

— Кем? — обрадовалась Катя. — В отдел рекламы? Или в пресс-службу?

— Я тебя сделаю главной по цветам, — рассмеялся Саша. — Будешь отвечать за все растения в издательстве, поливать их, подкармливать, опрыскивать, прищипывать и что там с ними еще делать полагается. Будешь приходить в семь утра, пока никого нет, ухаживать за растениями — и все, в девять утра ты свободна, как птица в полете, можешь работать еще где-нибудь или учиться. Как тебе такое предложение?

— А зачем в семь утра? — не поняла Катя. — Я и днем могу, я не собираюсь больше нигде работать.

— Ты, может, и не собираешься, только я не позволю, чтобы в рабочее время кто-то ходил по кабинетам и отрывал людей от служебной деятельности. Твое рабочее время с нашим рабочим временем пересекаться не должно, как у уборщицы. Понятно?

— Ну, Саша, я серьезно...

В глазах Кати Любовь Григорьевна увидела такое отчаяние, такую детскую обиду, что с трудом сдержала улыбку. Все-таки ее племянник хоть и специфический человек, но не полный идиот.

— Я тоже серьезно, — он посмотрел на Катю с улыбкой, в которой наметанный глаз Любови Григорьевны увидел проступающую угрозу. — Тамарочка, звезда моя, тебе было вкусно? Что-то ты притихла, ничего не говоришь. О чем задумалась?

— О леди Макбет. Я сейчас репетирую «Макбета», и мне кажется, я нашла очень интересный рисунок роли. Я теперь вспоминаю, как твой дедушка Григорий Васильевич... Вы знаете, Катенька, мой муж Григорий Васильевич Филановский был выдающимся театральным режиссером, но он скончался много лет назад, так вот, он когда-то говорил мне о том, что хотел бы поставить «Макбета» так, чтобы леди Макбет выглядела не двигателем всей злодейской интриги, а ее невинной жертвой... Я много лет не могла понять, что он имеет в виду и как это можно сделать, и теперь, кажется, нашла оригинальный ход... Впрочем, вам это вряд ли интересно, — она снисходительно улыбнулась Кате. — Вы, деточка, не из нашего карасса.

«Нет, она не сумасшедшая, — подумала Любовь Григорьевна, — она все видит и понимает, она просекла игру этой девицы и вступила в нее, причем вступила на нашей с Сашей стороне. И весьма прозрачно намекнула на Катину малообразованность, ввернув как бы между прочим цитату из «Колыбели для кошки» Воннегута, мода на которого прошла лет тридцать назад, но которого люди, желающие быть причисленными к интеллектуальной элите, все-таки читают и сейчас. Ах, как ей нравилась эта книга когда-то, как она хохотала, как сыпала цитатами! Как уговаривала отца самому написать инсценировку и поставить! Господи, почему же она меня-то изводит? Почему в отношениях со мной прикидывается безумной? Она же видит, как меня это злит, и все равно делает. Или это такая форма безумия?»

Когда пришло время прощаться, Любовь Григорьевна попросила племянника зайти на минутку к ней в кабинет.

— Саша, ты понимаешь, что происходит? — строго вопросила она.

— Ты о чем, Любочка?

— О Кате. Она смотрит на тебя совершенно недвусмысленно. Ты что, готов закрутить с ней романчик?

— Да бог с тобой! Значит, мне не показалось... — расстроенно добавил он. — Знаешь, я заподозрил было неладное, но все успокаивал себя, что мне просто кажется, что она очень любит Андрюху и хорошо относится ко мне... ну, просто потому, что я его брат. А ты точно уверена?

— Сашенька, со стороны всегда виднее. И потом, что значит — она любит Андрюшу? Наш Андрей — глубоко и оригинально мыслящий человек, а она — малограмотная простушка, которая просто по определению не может ни понимать его идеи, ни разделять их. Он бессребреник, лишних денег у него нет, так что материальной выгоды от него никакой. Значит, ее привлекает в нем только внешность, лицо, тело. Так лицо и тело у вас одинаковые, только у тебя к этому лицу и телу прилагаются еще и огромные деньги. Она готова любить тебя с неменьшим пылом, чем Андрюшу, а может быть, и с большим, уж прости мне мой цинизм, но я старше тебя и кое-что повидала в жизни. Будь осторожен, дружок, она готова вцепиться в тебя при первой же возможности, и ты испортишь отношения с братом. Ради чего? Ради этой необразованной дурочки?

— Черт! — с досадой произнес он. — Только этого мне не хватало. Слушай, Любочка, а я ведь собирался ее домой подвезти. И надо бы, сейчас ведь поздно, как она будет добираться?

— Ну, поймай ей машину, заплати водителю, чтобы выглядеть джентльменом, — посоветовала она. — Впрочем, у тебя же свой водитель, в твоей машине вы в любом случае не будете одни, так что можешь и подвезти. Только садись вперед, а она пускай сзади сидит. Не сидите в темном салоне рядом, не нужно создавать даже видимость интимности. Ты меня понял?

— Понял. Спасибо за совет, — усмехнулся Саша.

* * *

Анна Карловна Тидеманн была из тех многоопытных секретарей старой школы, которые никогда ничего не забывали, не путали и — самое главное! — никогда ничему не удивлялись. Это не означало, что Анна Карловна была особой безразличной и равнодушной, отнюдь, она на все обращала внимание, брала на заметку и тщательнейшим образом обдумывала, однако не позволяла себе ни задать вопрос, ни даже просто приподнять брови, выражая недоумение. Все, что слетало с уст ее обожаемого шефа Александра Владимировича Филановского, было истиной в последней инстанции и обсуждению не подлежало. Имеется в виду — обсуждению вслух. А уж мысленно-то... Тут Анна Карловна ни в чем себя не ограничивала.

Вот и сегодня она лишь молча сдержанно кивнула, когда явившийся без десяти девять Александр Владимирович, отдав срочные указания, произнес:

— Да, Анна Карловна, если появится Катя,

подружка Андрея, ко мне не пускать. Ни под каким предлогом. Она вызвалась помочь с пересадкой растений, вот пусть и помогает мальчикам-программистам, отправьте ее к ним. И здесь, в приемной, чтоб не сидела.

Однако! Анна Карловна некоторое время смотрела на закрывшуюся за шефом дверь кабинета, словно на ней могло огненными буквами проступить разъяснение, мол, так-то и так-то, потому-то и потому-то. Но деревянная обшивка в экран компьютера почему-то не превратилась, и буквы на ней не появились. Пришлось Анне Карловне строить догадки самостоятельно.

Что же такое случилось между Александром Владимировичем и Катериной? Всегда он ее привечал, улыбался, девушка частенько здесь бывала, приходила с братом шефа, а что же теперь? Уж не поссорились ли братья? Да нет, на это не похоже, все десять лет, что Анна Карловна сидит в приемной у Филановского, не было между ними ни раздоров, ни размолвок. Уж кому, как не ей, знать об этом! Ни разу не было такого, чтобы Александр Владимирович велел ей не соединять, если позвонит Андрей, наоборот, каких бы контактов он ни избегал, всегда предупреждал: мол, меня ни для кого нет, кроме моих. Под «моими» шеф подразумевал членов своей семьи — брата, тетушку Любовь Григорьевну, бабушку Тамару Леонидовну, свою жену Елену, а также бабушкиных сиделок (а вдруг что случится) и подружек Андрея, которых за время работы Анны Карловны в издательстве сменилось изрядно. Даже бывшую жену Андрея Александр Владимирович не избегал, напротив, она регулярно обращается к нему с какими-то проблемами, и он всегда охотно помогает. А тут Катя! Чем она могла ему досадить? Вообще-то нельзя сказать, чтобы Анна Карловна была от Катерины в восторге, но это уж дело такое, на вкус и цвет товарищей нет, а так-то она безвредная, всегда веселая, и чего они там не поделили?

Анна Карловна вздохнула и оглядела плацдарм: растений в приемной много, да каких! Одной ей ни за что не управиться, и не потому, что много, а потому, что приемная просторная и растения в ней большие, одна бокарнея чего стоит, бутылкообразный ствол диаметром почти в метр, тут без помощников не обойтись, ей самой и кадку-то не поднять. С девяти до десяти рабочие будут разносить по кабинетам мешки с землей, горшки и рулоны полиэтилена, чтобы застилать пол. Кого бы попросить помочь? Все будут заняты, у всех в кабинетах что-нибудь растет. Жаль, что нельзя Катю использовать, шеф сказал — даже в приемной пусть не сидит. Да еще вопрос, придет ли она.

Но Катя пришла. Как раз в тот момент, когда рабочие складывали в приемной пятидесятикилограммовые мешки с грунтом. Анна Карловна сухо поздоровалась с девушкой и тут же отвлеклась, давая указания, что куда ставить, потому что стали заносить горшки и кадки.

— Саша у себя? — Катя потянулась к ручке на двери, ведущей в кабинет главы издательства.

— Александр Владимирович занят, к нему нельзя, — строго произнесла Анна Карловна.

— Ну тогда я подожду.

Катя решительно уселась на кожаный диванчик для посетителей, закинула ногу на ногу и раскрыла лежащий на журнальном столике проспект какого-то целлюлозно-бумажного комбината.

— Александр Владимирович предупредил, что вы придете, и велел мне проводить вас к программистам.

— Да ну, Анна Карловна, — жалобно протянула Катя, — зачем мне идти к программистам? Давайте лучше я с вами останусь. У вас вон какие растения огромные, вы же одна с ними не справитесь.

Что верно — то верно, но указания шефа подлежат только исполнению, а уж никак не обсуждению.

— Мне помогут, — Анна Карловна старалась не смотреть на Катю.

И как это она собралась цветы пересаживать в таком наряде? Брючки узюсенькие, бирюзовая трикотажная кофточка в облипочку, да такая коротенькая, что при каждом движении рук обнажается полоска спины и живота. Ни нагнуться, ни горшок поднять, ни перевернуть его в такой одежде невозможно без риска оказаться полуголой: или брючки лопнут, или кофточка подберется почти до самых плеч.

Однако Катерина сдаваться не собиралась.

— Анна Карловна, может, вы все-таки доложите своему начальнику, что я пришла, а?

— Я же сказала, Катенька: Александр Владимирович занят.

— Ну я только на минуточку! Я хотела у него в кабинете цветы пересадить и вам помочь, мы с ним позавчера договорились, он же согласился, вот я и пришла. Не будет же он сам цветы пересаживать, правда?

Правда, подумала Анна Карловна. Для этого у него есть секретарь. Во всех приличных организациях в нынешние-то богатые времена для таких массовых пересадок приглашают специальных людей, которые делают все быстро, аккуратно, грамотно и за деньги. Но Филановский решил, что в издательстве «Новое знание» обойдутся собственными силами, и не потому, что денег жалко, уж таких щедрых хозяев, как Александр Владимирович, поискать, да еще и не скоро найдешь, а просто ему отчего-то показалось, что коллективный физический труд внесет приятное разнообразие в жизнь сотрудников. Вместе поработаем, посмеемся, покопаемся в земле, а потом вместе полюбуемся на красоту. Кстати, насчет красоты Анна Карловна что-то засомневалась, дизайн горшков, которые заказал Филановский, показался ей несколько... ну, одним словом, странноватым, у себя дома она такие точно ни за что на свете не поставила бы. А он хочет, чтобы все издательство, все четыре этажа были уставлены этими желтыми стрекозами, налепленными на фисташково-зеленый фон.

— Александр Владимирович просил вам передать, что если вы хотите поучаствовать в садовых работах, то будете помогать программистам, — твердо повторила Анна Карловна. — В его кабинете и в приемной работы будут вестись поздно вечером, когда он уже уйдет домой.

— А почему не днем? — удивилась Катя.

— Потому что у него ответственное совещание, потом переговоры, здесь будут важные гости, в том числе из Госдумы, и никакого беспорядка быть не должно, — солгала опытная секретарша, не моргнув глазом.

Анна Карловна, во избежание дальнейших пререканий, тут же позвонила в отдел программного обеспечения и попросила прислать кого-нибудь из мальчиков, чтобы проводить Катерину до их кабинетов. Девушка явно расстроилась, а Анна Карловна еще больше озадачилась: Катя рвется увидеться с Филановским, при этом ни в ее лице, ни в голосе не заметно ни малейших признаков тревоги или напряжения, то есть она, похоже, вовсе не считает, что между ними что-то произошло, что-то такое, после чего люди обычно не стремятся встретиться и остаться наедине. Она, стало быть, не считает, а он, выходит, считает. Наверное, она его чем-то обидела и сама этого не поняла, а Филановского больно задело. Впрочем, чему удивляться, Катя — простушка, и душевной тонкости в ней отродясь не было. Просто удивительно, как Андрей Владимирович столько времени с ней живет! Он — такая умница, философ, мыслитель, и зачем ему эта дурочка?

Через пять минут явился симпатичный паренек из программистов, восхищенно присвистнул при виде Катерины и увел ее с собой, а Анна Карловна, аккуратно сложив уже разобранную почту в папку с надписью «На доклад», постучалась к шефу. Никакого совещания у него, разумеется, не было.

— Катерина приходила? — спросил Филановский, перебирая бумаги.

— Да, Александр Владимирович, в соответствии с вашим указанием я отправила ее в отдел программного обеспечения, — четко доложила Анна Карловна, подкладывая ему очередной документ.

— Сопротивлялась?

— Весьма. Александр Владимирович, я могу попросить кого-нибудь помочь мне с цветами? Растения очень крупные, мне в мои преклонные года одной не справиться.

— Я сам вам помогу, Анна Карловна. Мы же договорились: каждый работает на своей территории. Кто любит, чтобы цветов было много, будет и работать побольше. Кто любит крупные растения, тому будет потруднее. Это естественно. За свои пристрастия надо платить самому.

Он оторвался от документов, поднял на секретаршу синие глаза и улыбнулся так, что она мгновенно растаяла. В эту секунду Анна Карловна Тидеманн готова была жизнь отдать за своего обожаемого шефа.

— Я прав, Анна Карловна?

Она расплылась в ответной улыбке:

— Я не смею оценивать вашу правоту или неправоту, но мне, безусловно, приятно, что вы приняли такое решение. Благодарю вас.

Никакие эмоции, даже самые положительные, не могли заставить ее изменить тот стиль речи, которым она пользовалась, находясь на службе.

— Александр Владимирович, я могу задать вам вопрос?

— Ну конечно, — кивнул он, снова утыкаясь в почту.

— Если вы собираетесь вместе со мной заниматься растениями в приемной, что мне надлежит сделать, чтобы оградить вас от нежелательных контактов?

Так и только так. Не «как вы собираетесь прятаться от Катерины», а «что мне надлежит сделать». Старая школа.

— Н-да, — он поднял голову и озадаченно посмотрел на нее, — об этом я не подумал. А мы дверь запрем! Закроем приемную и займемся делом.

— Но ведь все знают, что вы в издательстве, — осторожно возразила Анна Карловна. — Это совершенно невозможно, чтобы я закрыла приемную и ушла, когда вы здесь. Люди этого не поймут.

Филановский расхохотался, и получилось это у него задорно и как-то вкусно.

— Голубушка, Анна Карловна, мы с вами не в том возрастном статусе, чтобы люди могли подумать что-нибудь необыкновенное. Вы — почтенная дама, строгая и неприступная, у вас внуки, и один из них настолько взрослый, что даже работает у меня, ну кому придет в голову подумать о вас что-то нехорошее? И потом, вы, по-моему,

давно не перечитывали книгу моего брата. По-
листайте ее, вы найдете там все необходимое для
того, чтобы разрешить ваши сомнения.

Вернувшись в приемную, Анна Карловна еще
какое-то время занималась своими прямыми обя-
занностями, отвечая на звонки, передавая указания и заполняя контрольные карточки на распи-
санные начальником документы, потом заварила
себе чаю и достала с полки книгу Андрея Филановского «Забытые истины», выпущенную их же
издательством. Читать она не собиралась, хотела
только открыть и положить на видное место,
чтобы Александр Владимирович, если выйдет,
мог убедиться: она беспрекословно следует его
советам. Но... открыла, пробежала глазами пару
строк — для порядка — и увлеклась.

«...мы живем в мире, наполненном мифами и
иллюзиями, и этот мифический иллюзорный
мир управляет нашими жизнями, а мы покорно
следуем его требованиям, не давая себе труда за-
думаться: а правдивы ли эти мифы? И обязаны
ли мы им следовать?

Вот вам самый простой пример: знаменитая
пушкинская фраза о том, что «гений и злодейство — две вещи несовместные». Вспомните, сколько раз ваши учителя цитировали ее, ссылались
на нее, внушая вам, что злодей не может быть ге-
нием, а гений, соответственно, злодеем. Не при-
поминаете? А вспомните все свои школьные учебники. Разве хоть об одном выдающемся ученом
или писателе там было написано хоть одно худое слово? Нет, они все были сплошь ангелами
во плоти, чудесные, добрые, порядочные, любили своих близких и никому не делали зла. Ну а
как же может быть иначе, ведь они — гении.
И ни слова о причинах смерти Чайковского.
И ни звука о более чем сомнительном поведе-
нии Федора Михайловича Достоевского, проиг-

равшегося в казино и бросившего беременную жену без копейки, чтобы уехать в другой город и завести себе другую женщину, у которой взять деньги и снова их проиграть. Так что же, выходит, Достоевский не гений, раз он такое себе позволял? Да нет же, друзья мои, гений, конечно, гений. Просто гении — они точно такие же люди, как мы с вами, и точно так же могут поступать и хорошо, и дурно. И не следует нам делать вид, что гении могут поступать только на «пять с плюсом». Но как же тогда быть с Пушкиным, спросите вы. Ведь Пушкин же сказал, что гений и злодейство несовместны, что ж мы, против Пушкина попрем? Пушкин сам по себе — гений, а это значит, что он не может ошибаться. Как сказал, значит, так и есть. И будем его цитировать, и ссылаться на него как на истину в последней инстанции, потому как — гений. Остановитесь, дорогие мои, остановитесь на секунду и подумайте: кто вам сказал, что гений изрекает одни лишь истины? Кто вам внушил, что гений не может быть не прав? Да, можно согласиться с тем, что гениальный математик вряд ли ошибется, рассуждая о математических материях, но разве он не может ошибаться, высказываясь на темы музыки, литературы, биологии или жизни вообще? Да запросто! И вот гениальный математик, не имея в виду ничего плохого, публично заявляет, что какой-нибудь роман какого-нибудь Васи Тютькина — книга всех времен и народов. И что? В наше время — почти ничего. А вот в те времена, когда мы с вами росли и учились в школах, это высказывание поднимали как знамя, цитировали и руководствовались им как бесспорной истиной. Ну как же, гений сказал, а гении не ошибаются. Вернемся же к Александру Сергеевичу: он был гениальным поэтом, но вовсе не гениальным философом, не гениальным психологом, не гениальным человековедом, и его высказывания, касающиеся сущности человека и его отношений с окружающим миром, это всего лишь его частное мнение, а не наше с вами руководство к действию. Так почему же мы позволяем весьма дилетантским высказываниям управлять нашей жизнью, формировать наше мышление? Задумайтесь об этом.

Пойдем дальше и возьмем пример еще более простой. Главное предназначение женщины — материнство. Знакомая фраза, правда? И не просто знакомая, а вколоченная нам в головы с раннего детства. И что в результате имеют женщины? Страшный комплекс собственной ненужности, неполноценности, никчемности в тех случаях, если материнство по каким-то причинам не состоялось. Ну как же, нам же сказали, что это главное предназначение, а коль мы его не выполнили, значит, прожили жизнь зря. И началось! Депрессии, попытки стать матерью любым способом, многолетнее мучительное и нередко опасное для здоровья лечение от бесплодия, стремление выйти замуж за кого угодно, лишь бы был ребенок, усыновление, экстракорпоральное оплодотворение, суррогатное материнство. Это все прекрасно, если женщина действительно хочет ребенка и готова ради того, чтобы он родился, идти на любые жертвы. А если она его не хочет? Ну вот просто не хочет — и все? Тогда у нее возникает комплекс неполноценности и собственной вины за то, что она не соответствует идеалу, норме. В норме каждая женщина должна стремиться к материнству, и идеал — это женщина-мать. Так нам внушили. А мы позволили себе это внушить, и поэтому если женщина идеалу или норме не соответствует, она считается ущербной со всеми вытекающими отсюда последствиями вплоть до психических расстройств. А теперь представьте себе, какой чудесный, добрый, уравновешенный, любящий жизнь и людей ребенок вырастет у матери, которая его, в сущности, не хотела и родила его только для того, чтобы никто не упрекнул ее в несоответствии идеалу, которая родила ребенка не для того, чтобы дать ему жизнь, а исключительно для решения собственных проблем адаптации в социуме, диктующем ей определенные нормы поведения и жизни.

Но позвольте, а кто сказал, что материнство — главное предназначение и его непременно следует исполнить? Ну кто, кто это сказал? Покажите мне этого человека, и я с удовольствием с ним поспорю. Природа создала человека — существо чрезвычайной сложности. Человеческий организм — творение поистине высочайшей степени точности, тонкости, организованности. Те, кто не знаком с анатомией и физиологией, до конца этого понять не могут, но поверьте мне на слово. Человеческий мозг — это просто что-то невероятное! Над тайнами человеческого организма ученые бьются тысячелетиями, и до сих пор множество этих тайн так и осталось неразгаданными, а это означает, что современный уровень науки и познания все еще не поднялся до тех же высот, на которых находится природа, создающая человеческие существа. Можем ли мы, учитывая сказанное, утверждать, что природа глупа, тупа и постоянно совершает ошибки? Возможно, но, уж во всяком случае, на сегодняшний день мы с вами никак не умнее ее. А ведь именно природа создает достаточно большое число женщин бесплодными. Как же это может быть, если материнство — главное предназначение? Природа ничего не делает «просто так», в каждом ее проявлении есть смысл, и если на свет появляются бесплодные женщины — в этом тоже есть смысл, это для чего-то нужно. И эти женщины нужны мирозданию для чего-то другого, а не для продолжения рода. Таким образом, мы приходим к выводу, что для женщин предназначаются и какие-то другие цели, помимо деторождения, и цели эти не менее важны как для природы, так и для цивилизации. А слова об обязательном материнстве — это просто миф, которым веками нам морочат голову, но этот миф, к великому сожалению, заставляет многих женщин, а заодно и мужчин, действовать вопреки собственным желаниям и возможностям, он душит их, не дает свободно дышать, приводит к появлению психических травм, к депрессиям, а в самых тяжелых случаях — самоубийствам. Вы только вдумайтесь, насколько чудовищно это звучит: миф управляет человеком настолько, что может заставить его лишить себя жизни.

И, наконец, пример самый простой и понятный абсолютно всем. Я имею в виду моду на определенный тип внешности. Прямые широкие плечи, узкие бедра, длинные ноги. Знакомая картинка? Ну конечно же, мечта любой женщины, образ модели. Богатые или желающие казаться успешными мужчины стараются именно с такими «моделями» показываться в публичных местах. Мы все искренне считаем, что такая внешность — это красиво. Ну, о том, что такое «красиво», нам еще Иван Ефремов давным-давно объяснил в романе «Лезвие бритвы», поэтому повторяться не стану. Но вдумайтесь, что означает именно этот эталон красоты, за которым наши несчастные женщины гоняются, изводя себя диетами, таблетками для похудания и изнуряя тело в тренажерных залах? Повторюсь: прямые широкие плечи, узкие бедра, длинные ноги. Ничего не напоминает? Ну конечно же, это мужское сложение. Абсолютно мужское и совершенно не женское. И, к слову заметить, не предназначенное для деторождения. Так кому же пришло в голову заставить нас считать красивой женщину, похожую на мужчину и не приспособленную (узкие бедра!) для продолжения рода? Ответ прост: модельерам. Как известно, одежда лучше всего смотрится на вешалке, а прямые плечи и отсутствие бедер как нельзя более приближают фигуру именно к ней. Я не хотел бы затрагивать такую деликатную тему, как сексуальная ориентация ведущих мировых модельеров, но аналогии напрашиваются сами собой. Они разрабатывают модели, которые лучше всего смотрятся на женщинах, соответствующих их, модельеров, представлениям о прекрасном. Для демонстрации этих моделей подбираются девушки соответствующего типа, и этот типаж становится для всех нас эталоном красоты. Мы должны стать такими, иначе не сможем носить платья от Версаче или джинсы от Кардена. Миф о том, что красивы только длинноногие, узкобедрые, широкоплечие худышки, совершенно заморочил нам голову и заставляет гробить собственное здоровье. Да остановитесь же! Природа создала вас определенным образом, вы такие, какие есть, и вы не обязаны быть похожими на кого-то или соответствовать навязанному вам идеалу, потому что идеалов нет вообще, это тоже миф, это выдумка. То, что вам преподносится как идеал, есть не что иное, как проявление чьего-то личного вкуса, не более того. Личные вкусы есть у каждого человека, так что же, вы будете стремиться соответствовать миллиардам разных идеалов в соответствии с числом жителей планеты? Абсурд! Поднимитесь над мифами, которыми битком набита наша повседневная жизнь, отряхните эти мифы со своих плеч, не позволяйте им висеть на вас пудовыми гирями и диктовать, как вам жить, что носить и как выглядеть...»

На этом месте Анна Карловна остановилась, вернее, вынуждена была прерваться, потому что в приемную зашла Нана Константиновна Ким, руководитель службы безопасности издательства.

— Анна Карловна, вы с цветами... — Нана оглянулась и кивнула, — я смотрю, вы еще не начинали. Прислать вам кого-нибудь в помощь?

— А вы сами закончили?

— Да, мы с Владой с утра пораньше начали и уже все сделали. У меня же коллектив в основном мужской, они цветы не разводят, так что мои ребята сидят и бездельничают. Давайте я пришлю парочку покрепче, они вам хотя бы эту пальму громадную пересадят.

— Это не пальма, а бокарнея, — с достоинством ответила Анна Карловна. — Благодарю вас, Нана Константиновна, Александр Владимирович уже распорядился.

— А, ну тогда ладно. Он у себя?

— Сейчас доложу.

Анна Карловна прекрасно знала всех сотрудников издательства, с кем у Филановского отношения были давние и дружеские, но все равно без доклада не пускала никого. Порядок должен быть. Старая школа.

Пока она разговаривала с начальником, Нана еще раз быстро окинула глазами приемную и заметила висящую на вешалке женскую дубленку.

— Идите, Нана Константиновна, — разрешила секретарь.

— А это чье? — Нана кивком головы указала на дубленку. — У шефа гости?

— Это Катерина, пришла помочь программистам с пересадкой.

— Катерина? — Нана наморщила лоб.

— Девушка Андрея Владимировича.

— А почему она здесь разделась, а не у шефа в кабинете?

Ну ничего от нее не скроешь! Одно слово: служба безопасности. Личные гости Филановского, к которым относились в первую очередь те, кого он именовал «моими», никогда не раздевались в приемной, они проходили к нему в кабинет прямо в верхней одежде.

— Она пришла, когда Александр Владимирович был занят, — уклончиво ответила Анна Карловна.

Не станет она сплетничать, не так воспитана. Хотя любопытно, что и говорить, а Нана может что-то знать, они ведь с Филановским друзья, знают друг друга с детства.

— Странно, — рассеянно бросила Нана, — он всегда ее принимал, даже если сильно занят, хотя бы на полминуты, чтобы поздороваться. А Андрей где? И где его одежда?

— Катерина пришла одна, — Анна Карловна недовольно поджала губы, — без Андрея Владимировича.

Нана, уже почти дошедшая до двери в кабинет главы издательства, остановилась и вопросительно взглянула на секретаря.

— Одна? Что-нибудь случилось?

— Насколько мне известно, нет.

— Ну ладно.

Нана Ким скрылась за дверью, а Анна Карловна что-то распереживалась. Конечно, ей, как и любому секретарю «в приемной», да еще с многолетним стажем, и полуправда была привычна, и прямая неправда, но сегодня ей от этой странной ситуации с Катериной стало не по себе.

* * *

Если Анна Карловна Тидеманн, человек старой закалки, воспитанный и проживший большую часть жизни при советской власти, идей Андрея Филановского не разделяла, считала их бредовыми и принципиально неверными, хотя и признавала, что изложены они последовательно, логично и весьма увлекательно, а книгу «Забытые истины» читала исключительно из любви к его брату, своему шефу, то человек, сидевший этажом ниже и занимавший должность руководителя отдела продаж, читал ее постоянно и совсем с другими чувствами. Книга Филановского была его первым проектом. Самым первым. И — что печально — единственным. Но, что еще более печально, проектом нереализовавшимся, хотя в него было вложено много души, рвения и желания сделать как можно лучше. И все это оказалось никому не нужным.

До прихода в издательство «Новое знание» Станислав Янкевич к преуспевающим людям себя никак отнести не мог. Он закончил полиграфический институт, получил диплом редактора, но с работой ему не везло просто катастрофически. Работать он начал в девяносто втором году, как раз тогда, когда повсеместно стали возникать, как грибы после дождя, частные издательства, публиковавшие то, что народу больше всего в тот момент хотелось читать: переводные детективы, триллеры и боевики, которых в прежние времена на прилавках книжных магазинов не водилось. Все это было жутким старьем, написанным и опубликованным до 1973 года, то есть до момента, когда СССР присоединился к международной конвенции по авторским правам, зато права на подобные произведения можно у авторов не покупать и денег им не платить. Янкевичу легко удалось найти место редактора в одном из таких издательств, и платили неплохо, и он уже подумывал о покупке подержанной машины, но издательство прогорело и закрылось, не просуществовав и полугода. Следующее место работы оказалось столь же неудачным, и через год Станислав снова остался без работы: новое издательство не прогорело, а напротив, заработало столько денег, что неуплата налогов грозила обернуться большими проблемами, и во избежание этих проблем владельцы просто перекинули деньги со всех счетов в офшор, лавочку прикрыли и уехали на постоянное жительство подальше от России.

После этого Янкевич зарекся иметь дело с частным бизнесом и почти год сидел без работы, ожидая обещанное ему место в государственном издательстве. Место он получил и с 1995 года уныло редактировал школьные учебники, получая более чем скромное жалованье. Ему было скучно. И очень не хватало денег.

В скуке и безденежье прошло восемь лет, когда однажды на книжной ярмарке «Non-fiction» он столкнулся со своим одноклассником Сашей Филановским. Станислав знал, конечно, что его школьный товарищ командует довольно крупным и преуспевающим издательством, но ему никогда и в голову не приходило обратиться к нему. Он даже не был уверен, что Саня Филановский его помнит. Однако он ошибался.

— Что ты сидишь со своими учебниками?!

Филановский радостно улыбался, хлопал Янкевича по плечу и всячески демонстрировал радушие.

— Бросай ты это дело, переходи ко мне, я тебя посажу начальником отдела продаж. И платить буду хорошо. Ну как, договорились?

— Да я в продажах-то не очень разбираюсь, — смущался от такого натиска Станислав. — Я ведь редактор, а не коммерсант.

— А тебе и не надо быть коммерсантом, у меня в отделе продаж работают опытнейшие люди, которые все знают и со всеми знакомы. У тебя круг обязанностей будет шире. Ты же редактор, значит, можешь оценить потенциал рукописи, довести ее до ума и вместе с бренд-менеджером придумать идею, как продвигать книгу, под каким соусом ее подавать читателю.

— Саня, я не справлюсь, — вяло сопротивлялся Янкевич. — Это не мое.

Ему очень хотелось согласиться, но он панически боялся оказаться некомпетентным в той работе, которую предлагал Филановский.

— Ты не понимаешь, — терпеливо объяснял Александр, обнимая старого приятеля за плечи, — у нас большой вал, много работы, и просто некогда отрабатывать отдельные издания, выделить из общего потока нечто особенное. Я давно уже думал над тем, чтобы организовать группу особых проектов, на те случаи, когда надо продвинуть совсем нового очень интересного автора. Или, например, автор известный, но написал что-то в непривычном жанре или на непривычную читателю тему. Ну, сам понимаешь, что я тебе рассказываю! Мои бренд-менеджеры умеют придумывать идеи, но они, к сожалению, не умеют читать. Не научились. Они не в состоянии осмыслить рукопись, вникнуть в нее и выудить то зерно, на котором можно эффективно строить работу, поэтому у них все серо и шаблонно, как под копирку. Они вообще читать не любят, как и вся нынешняя молодежь. А ты, Стасик, редактор! Ты по определению умеешь читать и вникать. В отделе продаж у меня сейчас начальника нет, так что я тебя назначу, место хорошее, зарплата большая, кабинет огромный. И секретарша там очень симпатичная, тебе понравится.

И Филановский заразительно рассмеялся. Почему-то именно в этот момент Станислав Янкевич дрогнул. Не зарплата, не кабинет и не симпатичная секретарша растопили неуверенность, словно коркой покрывавшую всю его жизнь в последние годы, а именно этот искренний и счастливый смех.

— Можно рискнуть, — осторожно улыбнулся он.

— Нужно, Стасик, не можно, а нужно. У меня на тебя особый расчет.

— Какой? — тут же испугался Янкевич.

— Да не вздрагивай ты! — Александр снова расхохотался. — Ничего противозаконного. Ты моего Андрюху помнишь?

Еще бы он не помнил! Братья-близнецы — явление всегда заметное.

— Ну так вот, я его заставил написать книгу. Знаешь, он у меня в философию подался, семинары какие-то организует, лекции читает, короче, продвигает свои идеи в замученные депрессиями массы. Мотается по всей стране, живет в каких-то протараканенных занюханных гостиницах, где нет горячей воды, а холодная — по расписанию, два часа в день. В общем, все прелести обнищавшей провинции. Я ему давно говорил: заканчивай ты с этими поездками, если уж тебе есть что сказать и очень хочется это сказать — сядь и напиши книгу. Одну, две, три — сколько хочешь. Я их издам и сделаю все, чтобы хорошо продать. Денег заработаешь на порядок больше, чем своими дурацкими семинарами, и ездить никуда не надо. А ему, видите ли, лень!

Ему, понимаете ли, много денег не нужно, ему вполне достаточно того, что он лекциями и семинарами зарабатывает. Ну, мне надоело с ним бороться, я просто послал человека с диктофоном к нему на семинар, потом запись расшифровали, вот она теперь лежит у редакторов, ждет, пока ее причешут. Андрюха же без конспектов выступает, из головы, так что сам понимаешь. И вот я, Стас, хочу, чтобы ты взял этот проект и провел его от начала до конца. Возьмешь стенограмму, сам ее отредактируешь, придумаешь, как это лучше продавать. В июне поедешь в Судак, там каждый год собираются работники библиотек со всего СНГ, толкнешь перед ними речугу, чтобы они аж затряслись и захотели непременно иметь эту книгу. Потом поедешь в Питер, там в июне проходит Невский форум, поагитируешь. Да, если мы с тобой договорились, то уже в феврале будешь работать на книжной ярмарке в Минске. А осенью у нас сначала Московская ярмарка, потом Издательский форум во Львове, так что поедешь охватывать Украину. Я Андрюхину рукопись никому, кроме тебя, доверить не могу, у моего издательства сам знаешь какой профиль — лютики-цветочки, рыбки-грибочки, кошечки-собачки, сделай сам и сам сломай, короче, оздоровляйся народными методами. Литературу по психологии мы выпускаем, и очень много, но Андрюха — это нечто особенное. И на этот проект нужен особенный человек.

Филановский помолчал немного, потом посмотрел на Станислава внимательно и немного смущенно.

— Все-таки это мой брат. И мне этот проект особенно важен. Ты меня понимаешь?

О том, что Андрей Филановский читает лекции и проводит семинары, Янкевич никогда не слышал. Но какое это имеет значение, когда тебе говорят, что на особенный проект нужен особенный человек, и человек этот — ты? Разумеется, он согласился, написал заявление об уходе и уже через две недели сидел в действительно просторном и хорошо обставленном кабинете руководителя отдела продаж издательства «Новое знание».

Сколько сил он вложил в рукопись Андрея! Сколько бессонных ночей провел, обдумывая его слова, стараясь полностью вникнуть в их суть и передать эту суть как можно точнее и в то же время понятнее для читателя! Он шлифовал каждую фразу, благоговейно сохраняя присущий автору легкий разговорный стиль изложения, выверял по первоисточникам цитаты, которыми изобиловал текст и которые Андрей выдавал по памяти и потому не всегда дословно, выписывал в блокнот отдельные высказывания, которые, по его мнению, могли бы стать основой для рекламных плакатов и для оформления обложки, он составлял конспекты выступлений перед книгопродавцами и — отдельно — перед издателями других стран — членов СНГ, которые могли бы заинтересоваться приобретением прав на перевод книги.

Работал он с огромным удовольствием, впервые за много лет ему было по-настоящему интересно то, что он делал. Во-первых, сама рукопись была очень любопытной и совершенно необычной, а во-вторых, Станислав полагал, что первым самостоятельным проектом он создает себе репутацию и имя в издательстве. Если продвижение и продажа книги Андрея Филановского пойдет успешно, Александр даст ему следующее задание, такое же интересное и приносящее столько же удовлетворения.

Янкевич, приступив к работе в начале декабря, закончил ее как раз к Минской ярмарке. Поездка в Беларусь была его первой служебной командировкой в качестве представителя издательства «Новое знание», и он очень волновался, что не сумеет сделать все, как надо. Специального мероприятия, на котором можно было бы выйти на трибуну и рассказать о готовящейся к изданию необыкновенной книге, предусмотрено не было, и Александр постоянно повторял, что «надо тусоваться», то есть знакомиться с нужными людьми и выдавать им информацию. Кажется, поездка прошла успешно и оказалась плодотворной, потому что сразу после ярмарки в издательство обратились несколько книготорговых фирм с вопросом о новой книге. Филановский был доволен и в середине февраля заявил Станиславу:

— Неси загранпаспорт и фотографии, поедем с тобой на книжную выставку в Лондон, а прямо оттуда — на Парижский книжный салон. Надо тебе отдохнуть, а то на тебя смотреть больно.

— А кто еще поедет?

— Дамочек возьмем, пусть встряхнутся, по магазинам побегают.

Фраза показалась Янкевичу странной и двусмысленной. Ни о каких дамочках он и не помышлял, он был вполне счастлив в своем устоявшемся браке и не собирался вынимать кирпичи из крепкой, надежной стены. Однако уточнить, что имеется в виду, постеснялся.

На деле же все оказалось совсем не так, как он предполагал. Под «дамочками» глава издательства подразумевал четверых сотрудниц с тяжелыми семейными или личными обстоятельствами. Самой молодой из них было под сорок, самой старшей — корректору Лидии Степановне — шестьдесят семь. Кто-то из них маялся с сыном-алкоголиком, кого-то недавно бросил муж, у кого-то умер отец... Не предвиделось даже намека на какой бы то ни было флирт, Алек-

сандр Филановский, будучи моложе всех своих
«дамочек», по-отечески опекал их, не пожалев
денег из издательского бюджета на то, чтобы вывезти их за границу, поселить в хорошей гости-
нице и выдать приличные командировочные.
Более того, он совершенно потряс воображение
Станислава Янкевича, когда в один из дней сказал:

— Сегодня на ярмарку не идем, без нас обойдутся. И вообще, там нечего делать. Дамы, сегодня мы идем по магазинам вас одевать. На цен-
ники не смотреть, я все оплачиваю.

— Мне ничего не нужно, — попыталась было
посопротивляться немолодая и по-старушечьи
одетая Лидия Степановна, — у меня все есть.

— Не сомневаюсь, — великодушно ответил
Филановский, — но пусть у вас будет все и еще
чуть-чуть. Просто для настроения.

Процесс одевания издательских дам Янкевича сперва развеселил, потом изрядно озадачил.
Филановский с деловым видом ходил вдоль
кронштейнов с одеждой, отбирал то, что ему
нравилось, и требовал примерить. Когда он увидел, как одна из женщин понесла в примероч-
ную ярко-бирюзовый шелковый костюм, то рва-
нулся к ней и буквально выхватил вешалку из ее
рук.

— Вы с ума сошли, Галочка, разве это можно
носить? Повесьте на место немедленно. Вот,
смотрите, что я для вас нашел. Вы должны носить только такой цвет и только такой фасон.

Галя примерила то, что посоветовал ей начальник. Костюм сидел безупречно, и Янкевич
даже подивился тому, как это Саша смог угадать.
Но... он совершенно не шел тридцатидевятилет-
ней Галине. Она была очень милой темноволо-
сой женщиной с чистой смугловатой кожей,
обаятельной и улыбчивой, но, как и почти все

смуглокожие брюнетки, выглядела старше своих лет, и тот бирюзовый костюм, что она присмотрела для себя вначале, оживил бы ее и сделал свежее, моложе. Филановский же выбрал темный строгий деловой костюм, который подчеркнул красивую фигуру Галины, но ее саму сделал как минимум лет на десять старше. И вообще, она в этом костюме производила впечатление озлобленной старой девы, хотя, как Станиславу было известно, у нее чудесная семья, любящий муж и прелестные ребятишки. Да, глаза у нее печальные, потому что месяц назад она похоронила отца, но это же не повод для того, чтобы заставлять ее носить такой костюм!

— Отлично! Просто супер! — заявил Александр. — Снимайте и давайте мне, я сам отнесу на кассу. Теперь вы, Лидия Степановна. Вот, это для вас.

Увидев вышедшую из примерочной Лидию Степановну, Янкевич чуть не подавился хохотом. На ней был точь-в-точь такой же костюм, как у Галины, только несколько иного оттенка, не темно-серый, а серо-зеленоватый. При этом сидел он на пожилом корректоре, мягко говоря, неважно.

— Замечательно, — безапелляционно произнес Филановский, — сюда мы сейчас подберем блузку, и вы будете лучше всех.

Для двух остальных дам были выбраны костюмы такого же плана, различия оказались практически незаметны: где-то чуть длиннее пиджак, где-то чуть короче лацкан, где две пуговицы, где три, но суть была одна. И из всех четверых выбранная начальником одежда действительно понравилась только одной даме, остальные тщательно скрывали свои сомнения за благодарными улыбками, и Янкевич их отлично понимал. Никому из них, если бы его спросили, он такие костюмы не посоветовал бы. Они были хорошими, добротными и дорогими, они были даже элегантными, но если человек не хочет такую вещь носить, то зачем его заставлять? Он этого не понимал.

За костюмами последовали блузки и туфли. Филановский всем выбрал туфли на высоких каблуках, и когда кто-то из женщин попытался пожаловаться на то, что ей неудобно, строго сказал:

— Это красиво. Ради красоты можно и потерпеть. Зато смотрите, как хорошо смотрится костюм с этими туфлями!

Спорить было трудно, выглядело все действительно превосходно, как на картинке из журнала мод.

Закончив с дамским гардеробом, Филановский повел всех в венскую кондитерскую, усадил женщин за столик, заказал всем кофе и пирожные (Янкевич даже не удивился, когда пирожные Александр тоже выбрал для всех сам) и велел никуда не уходить, пообещав вернуться через час.

— Пошли, Стас, теперь твоя очередь.

— Куда? — испугался Янкевич.

— Будем покупать тебе костюм, сорочки и галстуки.

— Не нужно, Саня, ну зачем?

— Затем, что ты должен быть одет...

Филановский запнулся, потом широко улыбнулся и закончил:

— Как следует. Как подобает моему лучшему сотруднику.

А Янкевич про себя подумал: «Я должен быть одет, как ему нравится. Вот в чем дело. Не в том, что я его лучший сотрудник, а в том, что я подданный Его величества». Он решил, что если уж от нового костюма увернуться не удастся, то надо хотя бы настоять на том, чтобы оплатить покупку самому. Однако ничего не вышло, костюм был выбран, и сорочки, и галстуки, и как ни спорил Станислав, в ход пошла все-таки кредитная карта Филановского.

Но в целом поездка оставила у Янкевича самые радостные впечатления, и он, вернувшись в Москву, уже предвкушал, как он закончит проект Андрея и как начнет новый... Он подолгу сидел с художниками, разрабатывавшими макет обложки, потом составлял рекламный проспект, на котором вместе с фотографией обложки содержалась аннотация (эти проспекты Янкевич планировал раздавать на всех ярмарках, выставках и издательских мероприятиях), он ездил в Судак, в Санкт-Петербург, во Львов. В начале сентября книга «Забытые истины» вышла из печати, продажи шли очень хорошо, и Станислав гордился собой и радовался, что у него все получилось, и ждал, что вот-вот Филановский вызовет его и поручит новый проект, такой же ответственный, оригинальный и потому интересный. Работа над книгой Андрея была его первым опытом подобного рода, и Янкевич тщательно прорабатывал собственные записи и заметки, выискивая ошибки и продумывая более эффективные шаги. «Забытые истины» — это, можно сказать, первая проба пера, а вот теперь-то он себя покажет!

Но шли недели, месяцы, и ничего не происходило. Филановский его не вызывал и ничего не поручал, зато исправно посылал в командировки на книжные ярмарки, в том числе и зарубежные. Перелеты бизнес-классом, первоклассные гостиницы, большие командировочные. Янкевич совершенно не понимал, зачем он туда ездит. В книжной торговле он ничего не смыслил, с книготорговыми организациями никогда дела не имел, ни с кем не был знаком, и вместе с ним всегда ездила его заместитель Елизавета Филипповна, съевшая на своем деле не одну дюжину собак. Она пришла в издательство из крупнейшей книготорговой организации, была знакома со всеми и знала, как решить любой вопрос. Елизавета в командировках действительно работала, а он, Янкевич, спал в гостиничном номере до полудня, плавал в бассейне, лениво гулял по городу, заходил в магазины, обедал в ресторанах и отчаянно скучал. Он не понимал, зачем Александр тратит такие деньги на то, чтобы посылать за границу бесполезного сотрудника, но утешал себя тем, что это, вероятно, нечто вроде бонуса, премиальные за отличную работу по раскрутке книги его брата.

И точно так же скучал он в своем просторном кабинете. Елизавета Филипповна регулярно приносила ему какие-то бумаги на подпись, он даже не пытался разобраться — продажи его не интересовали, он считал себя личностью творческой, так что подмахивал не глядя. Саша ведь предупредил его: не морочь себе голову, Лизавета все знает, она отличный работник с огромным опытом, она не подведет. Она и не подводила. Только очень было скучно.

Через полгода Станислав не выдержал и пошел к Филановскому сам.

— Саш, я, кажется, даром проедаю твои деньги. Сижу и ничего не делаю. Давай мне работу, а то я окончательно потеряю квалификацию.

— Ну что ты такое говоришь? — Филановский, кажется, даже обиделся. — Ты отлично поработал с книгой Андрюхи, спасибо тебе огромное.

— Но я же совсем не работаю. Мне стыдно зарплату получать.

— Слушай, — Александр весело прищурился, — хороший начальник — это знаешь кто? Думаешь, тот, кто много работает? Ошибаешься,

Стасик. Хороший начальник — тот, который сумел организовать работу вверенного ему коллектива так, что она идет эффективно и без сбоев. А сам начальник после этого может курить бамбук и наслаждаться жизнью. Твой коллектив работает хорошо? Хорошо. Сбои есть? Нет. Эффективность высокая? Высокая. Вот и кури бамбук и наслаждайся жизнью.

— Но высокая эффективность — не моя заслуга, это Лизавета все организовала...

— Стас, не морочь мне голову, — отмахнулся Филановский. — Ну чего тебе неймется? Ты скучаешь на рабочем месте? Так тебе совсем не обязательно приходить в издательство каждый день. Одного раза в неделю вполне достаточно. Предупреди Лизавету, что будешь подписывать документы раз в неделю, например по средам, а остальное время используй себе на радость. Съезди куда-нибудь, возьми жену, детей, и поезжайте хоть в Подмосковье, хоть за границу, развлекитесь, проведите время всей семьей. Ну чего ты, в самом деле? Будет интересный проект — я тебе его передам, а пока отдыхай.

Но интересного проекта все не было и не было. Станислав не смог позволить себе не ходить на работу, он по-прежнему являлся в свой кабинет к девяти часам, изнывая не только от скуки, но и от сознания собственной ненужности и никчемности. Подпись ставить — велика ли наука! А больше он ничего не делал. Даже вопросы никакие не решал, потому как не разбирался в них.

Постепенно он начал выходить из кабинета, слоняться по издательству, знакомиться поближе с сотрудниками, общаться. И с изумлением обнаружил, что таких, как он, наберется еще как минимум десятка два, а то и больше. Однокурсники, учившиеся вместе с Александром в Плехановском институте, знакомые, соседи по дому и даче, товарищи по спортивным секциям, их жены, дети, близкие и дальние родственники, а также бывшие любовницы Филановского, которых он устраивал к себе в издательство уже после того, как интимные отношения себя изживали (никаких романов на работе Александр не допускал, и это тоже было всем известно). Никто из них не имел отношения к издательскому бизнесу, ни у кого не было подходящего образования, но всех их он взял на работу, чтобы помочь, и трудовых подвигов от них не ждал. Просто облагодетельствовал, без какого бы то ни было расчета на хотя бы минимальную отдачу. И все эти люди маялись бездельем, бродили по этажам, курили, пили кофе, болтали, играли на компьютерах, исправно получали зарплату и прекрасно себя чувствовали. Они оказались превосходным источником информации, поскольку целыми днями только и делали, что обменивались сведениями друг с другом, а теперь обменивались и с ним, Станиславом Янкевичем. Он узнал, что Филановский, оказывается, вообще очень любит набирать персонал «из своих» и довольно часто попадает на хороших профессионалов либо на тех, кто любит и умеет обучаться и быстро постигает азы новой деятельности и вполне преуспевает в ней, так что штат издательства «Новое знание» состоит из этих «своих» процентов на семьдесят, если не на восемьдесят. Почему-то это больно царапнуло Янкевича, он-то думал, что он один такой — старый знакомый, которого пригласили на работу и дали хорошую должность, а их, оказывается... В общем, как грязи.

У него возник было порыв уволиться. Но как раз в это время подоспела поездка на книжную выставку в Эдинбург. А потом, буквально через неделю, он поехал на ярмарку в Пекин. За годы, проведенные в бюджетной организации, Станислав привык жить скромно и тратить мало, и поскольку привычки к широкой жизни у него пока не было, большая зарплата, получаемая у Филановского, позволила скопить приличную сумму, на которую уже можно было сделать в квартире хороший ремонт и сменить старенькую машину на иномарку. Уж каким путем узнал Александр об этих его планах — непонятно, но узнал, вызвал Янкевича к себе и строго сказал:

— Стас, ты собрался ремонт делать?

— Да, — ответил недоумевающий Янкевич. — А что? Ты против?

— Значит, так. Я пришлю тебе своего дизайнера, очень толковый парень, с отличным вкусом, он сделает тебе эскизы, как все должно быть. А то ты там налепишь черт-те чего.

— Да ты что, Саш, не надо никакого дизайнера, мы сами как-нибудь управимся...

— Ну да, вы управитесь, — кивнул Филановский. — Короче, я его пришлю, он тебе все сделает. Только рабочих без меня не нанимай, а то нарвешься на шарашкину контору. Я тебе дам хорошую бригаду, работают быстро, качественно и берут недорого. Понял?

— Спасибо, Саша, — пробормотал Янкевич.

Присланный Филановским дизайнер ему не понравился с первого взгляда, был он каким-то сальным, самоуверенным и отличался неуемной тягой к авангарду. Он походил по квартире, что-то начертил, что-то спросил, что-то записал и обещал представить варианты проекта через две недели. Через две недели, к немалому удивлению Станислава, они встретились, но почему-то в кабинете Филановского.

— Ну, — Александр протянул руку к принесенной дизайнером папке, — показывай, что ты там навалял.

Он раскрыл папку, достал листы, разложил их на столе рядом друг с другом и принялся внимательно изучать. Станиславу даже видно не было, что там нарисовано, и в нем кипело негодование: все-таки речь идет о ремонте в ЕГО квартире, а не в доме Филановского.

— Это никуда не годится, — Александр решительно взял один из листов и сунул назад, в папку, — и вот это тоже. А вот это нужно доделать, и можно принимать за основу. Смотри, Стас, — он соизволил наконец вспомнить и о хозяине квартиры, — вот так будет хорошо, только пусть он подумает над идеей кухни, здесь она явно неудачная.

Янкевич посмотрел эскизы. Единственное, что ему понравилось, так это была как раз кухня, потому что в ней дизайнер сделал все то, о чем говорила жена Станислава, все же прочее повергло его в шок. Не так представлял он свою квартиру после ремонта, ну совсем не так! И не хочет он этого модного сегодня японского стиля с раздвижными дверьми, прямыми линиями и сведенной к минимуму обстановкой! Не нужен ему огромный прямоугольный хромированный стол с одиноко стоящей в центре крохотной изящной вазочкой! И не собирается он спать на низкой широкой кушетке на четырех ножках, без спинки и изножия, расположенной ровно в центре комнаты, далеко от стен! Не привык он так!

— Мне не нравится, — спокойно сказал он. — Это совсем не то, что я хотел.

— Что значит «не нравится»? — вздернул брови Александр. — Это красиво. Здесь есть стиль, здесь есть определенное чувство, мысль. И потом, здесь много воздуха и света. Знаю я тебя, тебе только дай волю — ты зароешься в нору, шторы задернешь, двери на замки позапираешь и свет выключишь. Так жить нельзя, Стас, тебе надо внутренне меняться.

— Я должен посоветоваться с женой, — сдержанно ответил Янкевич. — В любом случае я не могу принимать решение один.

— Ну конечно, посоветуйся, — улыбнулся Филановский. — Я уверен, твоей Светке понравится, у нее вкус хороший.

Светлана была умной женщиной, но уставшей от многолетнего безденежья. Она так радовалась, когда Станислав перешел в издательство к Филановскому, она была так счастлива, что можно наконец перевести детей в гимназию (раньше им это было не по карману) и свозить их летом на море, она с таким детским восторгом принимала привозимые мужем из-за границы подарки, что Янкевич нисколько не удивился, когда она спросила, посмотрев эскизы:

— Если ты сделаешь по-своему, он обидится?

— Наверняка.

— И из-за этого он может тебя уволить?

— Не знаю. Глупо как-то увольнять из-за того, что ремонт сделан не так, как ему нравится. Может быть, обойдется.

— Но вероятность такая есть?

— Наверное, есть. Сашка — человек малопредсказуемый.

Она вздохнула, помолчала, повертела листы с эскизами.

— Полное дерьмо, на мой вкус. Но придется сделать так, как он хочет. Твоя работа и твоя зарплата этого стоят. А может, он не узнает?

— Узнает, — твердо ответил Станислав. — Если уж он эскизы сам захотел посмотреть и настаивал на своем, то, когда мы ремонт закончим, он обязательно напросится в гости. Надо знать Сашку...

— Н-да, — Светлана швырнула эскизы на

стол, налила полный стакан воды из двухлитровой бутыли, выпила маленькими глотками. Она всегда так делала, когда нужно было успокоиться и принять решение. — Это ж надо так попасть! Из-за ремонта в квартире мы можем лишиться возможности дать детям нормальное школьное образование и медицинское обслуживание. И вообще... Ладно, будем терпеть.

И они стали делать ремонт в соответствии с теми эскизами, которые одобрил Филановский.

Ситуация с ремонтом каким-то образом подстегнула Янкевича. Он встряхнулся, собрал множество записей, сделанных в первые полгода работы в издательстве, проанализировал их еще раз, обдумал и написал на имя директора пространную докладную записку со своими предложениями по организации совместной деятельности отдела продаж, пиар-службы и бренд-менеджеров по продвижению новых книг. На какое-то время он снова почувствовал вкус к работе, докладную составлял увлеченно, с интересом и азартом, несколько раз переделывал, стараясь придать документу как можно более стройности, логичности и доказательности. На прием к Филановскому записываться не стал, передал бумагу через секретаря Анну Карловну и стал ожидать вызова. Он был уверен, что Александр его докладную прочтет сразу же и уже через день-два, максимум — через три пригласит начальника отдела продаж к себе для более подробного разговора.

Но время шло, а вызова в кабинет директора не было. Встретив Анну Карловну в столовой, он как будто невзначай, словно между прочим, поинтересовался, передала ли она документ.

— Ну разумеется, — кивнула Тидеманн, — все входящие ложатся на стол директора каждый день в десять утра. Этот порядок никто не отменил.

У Станислава язык не повернулся спросить, уверена ли она, что бумага не затерялась на ее рабочем столе, не попала в другую папку или, не приведи господь, в мусорную корзину. Ему хорошо известна была деловая репутация Анны Карловны: все всегда в идеальном порядке, за десять лет работы ни одного прокола, ни одного забытого поручения или утерянного документа.

В ход пошли домыслы и догадки, объясняющие молчание Филановского. Он мог, например, направить докладную в другие службы, тем же пиарщикам и бренд-менеджерам для обсуждения и подготовки собственных предложений, чтобы потом сразу собрать совещание, не теряя времени на разговоры с каждой службой в отдельности. На проработку документа нужно время, недели две, так что можно еще подождать.

Миновали две недели, потом три, потом месяц. Подошло время очередной зарубежной книжной ярмарки, и Янкевич решил проявить инициативу: собрал сведения о готовящихся к выпуску новинках, положил перед собой несколько только что вышедших книг, сам составил на каждое издание рекламную аннотацию на русском и английском языках и отправился к верстальщикам с просьбой подготовить макет буклета с фотографиями обложек. У верстальщиков на него посмотрели с недоумением и, весело улыбаясь, объяснили, что без команды руководства никакие заказы они не выполняют, если этого нет в плане. Янкевичу, проработавшему много лет в государственном учреждении, такая постановка вопроса была вполне понятной, и он тут же написал коротенькую докладную директору, мол, так и так, близится ярмарка, для повышения эффективности продаж считаю целесообразным подготовить буклет с описанием новинок для распространения среди зарубежных книготорговых организаций, продающих книги на русском языке, а также для улучшения деятельности по продаже прав на перевод; прошу дать указание подготовить макет и сделать тираж.

И снова в ответ он не получил ничего, кроме молчания. Когда времени до ярмарки осталось совсем мало, Станислав позвонил Филановскому.

— Саша, мы с чем во Франкфурт поедем? С пустыми руками? Почему буклет не делается?

— Да не волнуйся ты, все будет в порядке. И книги продадим, и права. Не в первый раз.

Янкевич так и не понял, прочел директор его вторую докладную записку или нет, а спросить не посмел. Никакого буклета никто не делал, и присутствие издательства «Новое знание» на ярмарке было организовано так же, как и в прошлые годы: один человек постоянно торчал на объединенном стенде Российской Федерации, а все остальные, включая Янкевича, гуляли по городу, ходили по магазинам, ездили на экскурсии в Кельн, Бад-Гомбург и Баден-Баден или просто шатались по выставочному комплексу, глазея на то, как кипит жизнь на стендах английских, немецких, французских и американских издательств, где постоянно велись переговоры и покупались права. Сам Филановский на ярмарку не поехал.

Дома делался ремонт, на работе ничего не происходило. Янкевич по-прежнему приходил в свой кабинет каждый день, он так и не смог пересилить себя и свести свое присутствие в издательстве к одному-двум дням, его постоянно терзали опасения, что если он пропустит хотя бы один рабочий день, то именно в этот день его станет искать Филановский с новым заданием или новыми идеями. Янкевича не окажется на месте, и директор не станет разыскивать начальника отдела продаж, а поручит работу кому-нибудь другому. Станислав сидел в кабинете и целыми днями читал только что вышедшие в свет новинки, потому что надо же было хоть что-то делать, хоть чем-то себя занять, чем-то таким, что имеет отношение к получаемой им зарплате. Пусть начальник отдела продаж ничего не смыслит в организации самих продаж, но он по крайней мере должен быть в курсе того, что они продают. Опытный редактор, наделенный вкусом и чувством текста, он частенько видел редакторские и корректорские огрехи и упущения, понимал, что можно было бы сделать, чтобы книга читалась лучше и была интереснее и понятнее, и злился. Злился на Филановского, который посадил его в это кресло, а не в кресло ответственного редактора одной из множества редакций. Злился на себя самого за то, что не может отказаться от благ, сопутствующих его должности. Злился на тех, кто оказался в таком же положении, как и он сам, но почему-то принимающих это положение легко и радостно, словно так и должно быть, и снова злился на себя, потому что ему подобное отношение к ситуации никак не давалось, и он чувствовал себя из-за этого каким-то несовременным, неполноценным, неправильным. Ну почему другие так живут — и все отлично, а он не может!

Все чаще и чаще открывал он книгу Андрея Филановского «Забытые истины», погружался в нее и снова возвращался, пусть только в ощущениях и воспоминаниях, в те несколько месяцев, которые оказались самыми счастливыми в его жизни: у него была потрясающе интересная работа, которую он готов был делать даже бесплатно — столько радости она ему приносила, но за которую еще и платили бешеные, по его тогдашним госбюджетным представлениям, деньги. И дома тогда все было удивительно хорошо, дети пошли в новую школу, жена вся светилась...

Он думал, что книгу уже выучил наизусть, но теперь она почему-то казалась ему совсем незнакомой, словно и не читал ее ни разу. То и дело Янкевич натыкался на те места, которые раньше виделись ему любопытными и даже привлекательными, а сейчас они раздражали, будто прикосновение грубой ткани одежды к едва зажившей ране на теле. Вот, например, такой пассаж:

«В этом параграфе мы поговорим о законе, который я назвал Законом Н—О. Одной из самых распространенных и опасных ошибок нашей цивилизации является представление о том, что у людей есть недостатки. Вам кажется, что это звучит невероятно? Согласен. Но давайте разберемся. Каждый человек имеет внутри себя, в своем менталитете, в своей душе, некоторый стержень, нечто вроде арматуры из его представлений, предпочтений и вкусов, и все, что он думает, говорит и делает, естественным и логичным образом вытекает из того, какова эта арматура. А арматура у всех разная, поэтому мысли, слова и поступки у всех людей тоже разные. Казалось бы, прописная истина, с которой никто и не думает спорить. Но так ли это на самом деле? В самом ли деле мы с этим не спорим? Как бы не так! Стоит какому-либо человеку начать поступать так, как нам не нравится, мы тут же заявляем, что у него есть определенные недостатки. Иными словами, мы считаем, что его арматура не такова, как нам хотелось бы. А кто мы, собственно говоря, такие, чтобы давать ей оценки и требовать ее соответствия нашим представлениям и желаниям? Она — сама по себе, она такова, какова она есть, а мы со своими желаниями и требованиями — другие, у нас своя арматура, и мы тоже сами по себе. И нам, между прочим, ужасно не нравится, когда кто-то недоволен нашей так называемой арматурой, то есть нашими представлениями о правильном и неправильном, о хорошем и плохом, о красивом и уродливом. Мы сердимся, когда кто-то, кому не нравится наша арматура, считает, что у нас есть недостатки. Мне кажется, дальше эту мысль можно не продолжать, чтобы не впасть в совсем уж менторский тон.

Итак, к чему же мы приходим? К тому, что у людей вообще нет недостатков, и забудьте навсегда это ужасное словосочетание. Выбросьте его из головы и не пользуйтесь им ни в разговорах, ни даже в мыслях. У каждого человека есть особенности характера. В психологии это называется длинно и труднопроизносимо: устойчивые индивидуально-личностные особенности, но мы с вами будем пользоваться просто словом «особенности». Да, у каждого человека, с которым вы сталкиваетесь на протяжении жизни, есть особенности, которые вам не нравятся. Это нормально. Это совершенно естественно. Но не забывайте, что они не нравятся лично вам, то есть человеку с собственной «арматурой», с собственными «особенностями». Что из этого следует? А то, что «мне не нравится» — не более чем ваша субъективная оценка, продиктованная лично вашими особенностями. Найдется целый легион людей с принципиально иными особенностями, которых вполне устроит то, что вам так «не понравилось», а если и не устроит, то не вызовет раздражения и гнева, а просто оставит равнодушным. Они могут даже не заметить того, из-за чего вы так сердитесь и злитесь.

Мы договорились с вами, что словосочетание «мне не нравится» выражает вашу субъективную оценку явления. Еще раз подчеркну — субъективную. И что же мы делаем с этой субъективной оценкой? Мы совершаем ошибку и переводим ее в категорию объективного. Мы говорим: этот человек — плохой. Он поступает плохо. У него плохой характер. У него отвратительная манера делать так-то и так-то. И далее мы совершаем очередную ошибку, пытаясь бороться с тем, что нам не понравилось, как с объективно существующим злом. А оно вовсе и не зло, и существует оно вовсе не объективно, а лишь в нашем восприятии. Это всего лишь наша оценка, продиктованная нашей внутренней арматурой, то есть нашими личностными особенностями, а мы придаем ей всемирно-историческое значение и считаем непреложной истиной. В своих наивных и ошибочных попытках «бороться со злом» мы делаем массу неправильных вещей, в том числе начинаем перевоспитывать взрослых, давно сформировавшихся личностей, стремясь перестроить их внутреннюю арматуру таким образом, чтобы она нас устраивала. Ну как же, мы же такие замечательные, умные и правильные, мы точно знаем, что и как должно быть, а если у кого-то это не так, то это следует непременно и немедленно переделать. И что же это, если не гордыня? И что такое гордыня, если не величайший из грехов?

Итак, у людей нет недостатков, у них есть особенности характера. Но вам-то что делать, если эти особенности вас ну никак не устраивают, если вы не можете с ними мириться, если вы не в силах их терпеть? Что угодно, только не переделывать человека и не перевоспитывать. Помимо переделки и перевоспитания, существует огромное множество способов сделать ситуацию приемлемой, так что выбор у вас всегда есть. Например, вы можете просто перестать общаться с человеком, чьи особенности вас так уж сильно выводят из себя. Это ведь так просто — не общаться, не встречаться, не иметь с ним дела. Вдумайтесь, и вы поймете, что ничего сложного в этом нет. Даже если речь идет о вашем сослуживце, с которым вы сидите в одном кабинете, вы можете попробовать перейти в другую службу или в другой отдел. Даже если вы терпеть не можете своего начальника, вы всегда можете уволиться. Вы мне ответите: куда же я пойду, кто возьмет меня на работу, кто будет платить мне такую большую зарплату? А вот это уже другой вопрос, и он не имеет ничего общего с тем, что вы не выносите своего руководителя. Не надо путать одно с другим. Вы не обязаны терпеть начальника, который вам до смерти не нравится. Просто запомните: вы не обязаны. Вы в любой момент имеете возможность прекратить всякие контакты с ним. А то, что вы этого не делаете, потому что вам трудно найти адекватную работу и зарплату, — это уже результат вашего свободного выбора. Но вы ведь могли сделать и совершенно иной выбор, например, вы могли сказать себе: пусть я буду сидеть без работы, или пусть я буду заниматься чем-то другим, менее интересным, или я готов работать за существенно меньшую зарплату, но я больше не хочу иметь дела с человеком, чьи особенности заставляют меня каждый день нервничать и терять здоровье от злости. У вас есть выбор, и вы его делаете, или, наоборот, вы не хотите его делать, и это уже сугубо ваша задача и ваша проблема, тяжесть которой лежит лично на вас, а не на ком-то третьем, и личность начальника или сослуживца тут совершенно ни при чем.

Есть еще один вариант: можно не обращать внимания на то, что вам не нравится, если все остальные особенности человека вас устраивают и вы дорожите общением с ним.

Но данный совет хорош только в том случае, когда с этим человеком вас не связывают родственные или иные узы, которые не в ваших силах разорвать. А что делать, когда вас категорически не устраивают особенности близких, с которыми вы не можете перестать общаться? Попробуйте не обращать внимания, если этот человек вам дорог и вы хотите сохранить с ним близкие и доверительные отношения. А уж если не обращать внимания не получается, попробуйте дистанцироваться от всего того, что вам не нравится. Поднимитесь над ситуацией, посмотрите как будто сверху и постарайтесь увидеть двух человек: его и себя. У каждого из вас свой путь, своя программа, заложенная при рождении. Этот путь предопределен звездами, планетами, космосом, земной природой — любой высшей силой, в которую вы верите, и для прохождения этого пути каждый человек, в том числе и вы сами, и тот, кого вы видите рядом с собой, наделен определенными особенностями, позволяющими выполнить именно эту задачу и пройти именно этот путь. Что, вам не нравится, что у вас не спросили, когда формулировали задачу и определяли путь? Вас сердит, что с вами не посчитались, когда выбирали необходимые для этого особенности личности? Ну и на кого вы сердитесь в данном случае? На высшую силу, чей замысел оказался вами не понят и поэтому не принят? Ай-яй-яй, дорогие мои, мы снова вернулись к гордыне.

Могу предложить вам еще один прием, который иногда дает очень неплохие результаты. Представьте себе, что то качество, которое вас раздражает в человеке, у него полностью отсутствует. Вы ведь об этом мечтали, не правда ли? Например, вам не нравится, что ваши родители постоянно пристают к вам с вопросами о вашей личной жизни, о ситуации на работе, о том, что вы сегодня ели, куда вы собираетесь идти и почему это вы так оделись, и кто это вам позвонил, и почему вы расстроились после этого телефонного разговора, и так далее. Вы буквально озверели от этих вопросов и с трудом сдерживаетесь, чтобы не заорать: «Отстаньте от меня! Оставьте меня в покое!» Знакомая картина, правда? Ну так вот, представьте себе, что родители полностью утратили интерес к вашей жизни, к вашим делам, к вашему настроению, к вашему здоровью. Они не задают вам ни одного вопроса. Они вообще не разговаривают с вами, а когда вы пытаетесь о чем-то им рассказать — отмахиваются, утыкаются в книгу или в телевизор, уходят в другую комнату. Им не интересны ваши проблемы и не нужны ваши рассказы. Вы ничем с ними не делитесь, что вас, безусловно, устраивает, но и не получаете ни сочувствия, ни сопереживания, ни моральной поддержки, когда они вам понадобятся. Между вами стоит глухое молчание, прерываемое лишь вежливыми «Доброе утро» и «Спокойной ночи». День, два, три... Неделя. Месяц. Год. Вся жизнь. Ну и как? Понравилось? Вам не кажется, что от такой жизни вы озвереете куда быстрее, чем от вопросов, на которые вам так не хочется отвечать? Основополагающий принцип этого нехитрого приема — довести ситуацию до абсурда и посмотреть, что получится. Получается иногда смешно, иногда грустно, иногда страшно, но в любом случае результатом является ваш новый взгляд на проблему, а за новым взглядом всегда следует новое понимание.

А теперь вернемся к названию Закона Н—О. Почему оно такое странное? А вот посмотрите, и вам будет легче запомнить все то, о чем шла речь на предыдущих страницах.

Н — О

Нет Недостатков есть Особенности

вам Не Нравится и вы считаете, что это Объективная Оценка

Но это Ошибка

Не Общаться

Не Обращать внимания

Держите мысленно перед глазами эти постулаты, и они заменят вам целый параграф.

И вот здесь мы вплотную подходим к разговору о еще одной ошибке, которую люди нашей цивилизации совершают постоянно, изо дня в день. Мы уже затрагивали ее, но только мельком, самым краешком, а теперь пришло время посмотреть ей в глаза и заявить о ней в полный голос. Позволю себе некоторый повтор, чтобы сделать изложение более связным. Нам что-то не нравится, и мы считаем, что это объективно плохо и с этим надо бороться. Вопрос: зачем надо бороться? Ответ: чтобы нам стало хорошо. Вывод: плохо НАМ, а то, с чем мы собираемся бороться, находится в ДРУГОМ человеке, в ДРУГОЙ личности. Вы еще не почувствовали ошибочность построения? Уверен, что почувствовали. Когда НАМ плохо, когда НАС что-то не устраивает, это НАША проблема, и больше ничья. Когда мы намереваемся «бороться с недостатками» ДРУГОГО человека, мы собираемся ломать и перестраивать его внутреннюю арматуру, то есть перекраивать его личность, подделывая ее под собственные вкусы и предпочтения. Мы его будем ломать и корежить, ему будет больно и неприятно, пусть он страдает, но в результате МЫ получим то, что хотим, и НАМ станет хорошо. А говоря проще, мы просто-напросто пытаемся решить собственную проблему за чужой счет, в данном случае — за счет человека, чьи поступки нас не всегда устраивают. Не устраивают-то эти поступки НАС, а ломать и переделывать мы собираемся ЕГО. Разве это справедливо? И разве в этом есть логика?

Вы мне тут же ответите, что вы никогда ничего подобного не делаете и даже не пытаетесь, и никого вы не ломаете в угоду себе. Так ли? Припомните, разве вы никогда не пытались «бороться» со своими знакомыми, которые либо всегда опаздывают, либо обещают прийти и не приходят, а вы прождали их полдня, отменив какие-то свои дела? Разве вы никогда не скандалили со своими детьми на тему: «Если ты задерживаешься — позвони и предупреди, чтобы родители не волновались»? Разве никогда не выговаривали своему супругу или супруге: «Пусть твоя мама не лезет в нашу жизнь»? Вспомните, мужчины, сколько раз за накрытым столом вы удивлялись, что кто-то не пьет, и пытались заставить его выпить, не слушая никаких возражений насчет болезней, предстоящих дел или просто нежелания употреблять спиртное? Вы когда-нибудь задумывались, зачем, собственно говоря, вы это делаете? Зачем вам обязательно нужно, чтобы ваш товарищ по застолью поднял рюмку? Зачем вы к нему пристаете и стараетесь заставить сделать то, чего он делать не хочет? Вы ломаете его, а для чего, в угоду чему? Задайте себе этот вопрос и поищите ответ, уверен, вы страшно удивитесь, когда найдете его. А вы, милые дамы, сколько раз требовали, чтобы ваш спутник ходил с вами на спектакли и концерты, хотя ему эти виды искусства совершенно не интересны? И вы тоже ломали его, заставляли делать то, чего ему делать не хочется. При этом заметьте себе, крайне мало мужчин делают то же самое и пытаются заставить женщин посещать вместе с ними футбольные матчи или ездить на рыбалку. Они почему-то понимают, что женщинам это не интересно, а вот женщины подобным пониманием как-то не отличаются. Зато мужчины проявляют необыкновенную, просто-таки удивительную настойчивость в ситуации застолья, о чем мы уже говорили. А сколько раз мы демонстративно переставали разговаривать со своими домашними, если они делали что-то такое, что нам не нравилось? Конечно, сперва мы пытаемся объяснить свою позицию и как-то договориться, и нам кажется, что нас поняли и наше пожелание учли, но ситуация повторяется снова и снова, и тогда мы очертя голову кидаемся «на борьбу», вместо того чтобы сказать себе: этот человек такой, у него такие особенности, и если я хочу продолжать с ним жить или просто общаться, МНЕ придется с этим смириться и это принять, во всяком случае, эти особенности МНЕ следует иметь в виду и всегда о них помнить, если Я хочу минимизировать конфликтность своей жизни. А что мы говорим вместо этого? ТЫ должен, ТЕБЕ придется, ТЕБЕ следует, ТЫ не смей, я ТЕБЕ запрещаю и так далее. Проблема МОЯ, а решать ее будешь ТЫ.

Подобная постановка вопроса пронизывает всю нашу жизнь во всех ее проявлениях. Наиболее ярко можно проиллюстрировать ее на примере любви и ревности. Объект вашей привязанности к вам охладел и проявляет интерес к другому человеку. Из трех вовлеченных в ситуацию человек плохо только вам, двое других вполне счастливы. И что делают девяносто восемь процентов людей в этом случае? Правильно, пытаются сделать несчастными этих двух ДРУГИХ, чтобы стало хорошо ОДНОМУ. Это самая типичная попытка решить собственную проблему за чужой счет...»

Станислав Янкевич не понимал, почему при чтении этого параграфа у него моментально портится настроение. Он впадал в тяжелую мрачную апатию, которая через некоторое время прорывалась бурной яростью, а ярость, в свою очередь, довольно быстро сменялась тупой, нудящей, как больной зуб, ненавистью к Александру Филановскому, поставившему его в такое положение, при котором он вынужден ненавидеть самого себя и собственную слабость.

В этот день, 6 марта 2006 года, Янкевич послушно взял зеленый керамический горшок с дурацкой желтой стрекозой, отсыпал из большого мешка свежий грунт и пересадил единственный в его кабинете пахиподиум, который упорно именовал кактусом, после чего закрыл дверь, чтобы не слышать оживленной возни сотрудниц своего отдела, и привычно раскрыл книгу «Забытые истины».

Через два часа он закрыл книгу, повернулся в кресле, уставился в окно, на котором рядом со стопками книг одиноко сияла яичной желтизной стрекоза на боку новенького горшка с лохматым растением, и подумал: «Если бы я мог, я бы его уничтожил».

* * *

В ту самую минуту, когда начальник отдела продаж Станислав Янкевич впервые осознал в себе подспудное желание уничтожить Александра Филановского, руководитель службы безопасности Нана Ким вошла в кабинет директора издательства, стараясь, чтобы привычное «Господи, как я его люблю!» не проступило ни на лице, ни в голосе. Она ожидала увидеть Александра, заваленного деловыми бумагами, и страшно удивилась, обнаружив, что он раскладывает на компьютере пасьянс.

— Заходи, Нанусь, — весело приветствовал ее

Филановский, — побездельничаем на пару, а то одному скучно.

Он встал и сделал шаг ей навстречу. Его руки на плечах, его губы, прикасающиеся к ее щеке в дружеском, ни к чему не обязывающем поцелуе. Нана сжалась: только бы он не заметил, только бы не почувствовал. Как она ненавидела эту его привычку целовать в щечку всех знакомых женщин! Да пусть целует кого угодно, только не ее, потому что это невозможно вынести, потому что однажды у нее не хватит сил и она сорвется, и сделает что-нибудь такое, за что ей потом будет неловко и о чем она будет горько и стыдно сожалеть.

Нана уселась в кресло напротив стола Филановского, одернула юбку, чтобы закрыть колени, устроилась поудобнее и с облегчением поняла, что не чувствует жара в лице. Значит, обошлось.

— А ты что, действительно бездельничаешь?

— Ага, с самого утра. Как пришел — такое на меня настроение ленивое навалилось! Почту посмотрел, как порядочный, думал — соберусь, втянусь, ан нет, не вышло. Ни к чему сегодня руки не лежат. Да и срочного ничего нет. Хотел было уехать, да неловко, я ж день защиты растений объявил и пообещал, что буду лично ходить по кабинетам и контролировать процесс. А начальник, как тебе известно, не должен давать пустых обещаний, особенно если они касаются контроля за дисциплиной. Вот и сижу как дурак. Еще часок пораскладываю, потом помогу Карловне ее баобаб пересадить, или как он там называется, помню, что на букву «б», и пойду по этажам. Чай, кофе?

— Ничего. Саша, я по делу. Напряжешься или не трогать тебя сегодня?

— А дело приятное?

— Не особенно, — честно предупредила Нана.

Что же приятного может быть в воровстве? В ее службе были сотрудники, занимающиеся вопросами экономической безопасности, и к ним уже несколько раз обращались из бухгалтерии по поводу списания дорогостоящей компьютерной техники, которая якобы морально устаревала, и выделения средств на приобретение новой. Бухгалтеры, которые мало что понимали в высоких технологиях, не переставали изумляться тому, с какой скоростью устаревают, изнашиваются, портятся, ломаются и прочим образом приходят в негодность компьютеры, сканеры, принтеры, всеразличные модемы и прочие штучки, названия которых они даже запомнить не могли. Специалисты из службы Наны Ким понимали в этом вопросе побольше, чем бухгалтеры, и путем весьма несложных оперативных мероприятий они установили, что окопавшиеся в издательстве мальчики-программисты и системные администраторы попросту воруют. До сведения Филановского сей прискорбный факт был доведен, однако реакции никакой с его стороны не последовало, правда, оставалась надежда, что пойманные за руку мальчики испугаются строгих дядек из службы безопасности и «больше так не будут». Однако прошло всего два месяца, и все повторилось. На этот раз Нана решила сама поговорить с шефом.

— Саша, твои мальчики продолжают воровать.

Она не случайно употребила местоимение «твои», ибо мальчики, о которых шла речь, сплошь были детьми, племянниками и младшими братьями друзей, знакомых, одноклассников, сокурсников, деловых партнеров и прочих «своих».

— Можно догадаться, — усмехнулся в ответ Филановский.

— Ты собираешься что-нибудь предпринимать?

— Нет, — резко ответил он.

— Почему? Неужели тебе самому не противно, что тебя считают идиотом? Они воруют нагло, практически открыто, в полной уверенности, что никто, в том числе и ты, не догадается, потому что все вокруг дураки необразованные, в компьютерах не понимают и видели такую технику только на картинках. Они же тебя в грош не ставят, Саша! И ты собираешься с этим мириться?

— А что ты предлагаешь? Выгнать их и набрать новых? Таких же молодых, жадных, наглых и голодных, которые тоже будут воровать?

— Саша, прости меня, я лезу не в свое дело, и не в том я положении, чтобы говорить такие вещи, но... Они воруют, потому что знают, что ты их не уволишь. Ты дорожишь отношениями с их родственниками, которые попросили тебя пристроить ребенка на хорошую работу, и на конфликт не пойдешь. Вот они и чувствуют себя в безопасности. Может, тебе имеет смысл поговорить со своими друзьями? Это же просто невозможно терпеть!

— Возможно, — спокойно произнес Филановский. — И я собираюсь терпеть. Между прочим, один из них — внук моей Анны Карловны, и как я буду ей в глаза смотреть, если я его выгоню? Ты сама прекрасно понимаешь, что преданный и надежный секретарь — половина успеха деятельности босса, это азы менеджмента. Если нет надежности — в делах бардак, если нет преданности — идет утечка информации. Я за свою Карловну глотку любому перегрызу, она работает у меня чуть ли не десять лет, она в курсе всех моих дел и вообще всех дел издательства, как же я могу рисковать ее хорошим отношением ко мне, ее преданностью? А другой юный воришка — племянник врача, который оперировал моего сына. Он оказался единственным хирургом, который взялся за эту операцию, все остальные в один голос твердили, что у нас такого не делают и нужно везти Вовку в Штаты. А он рискнул и сделал, да как сделал! Доклад об этой операции вошел во все медицинские вестники по всему миру, и никто поверить не мог, что это возможно. Сколько буду жить, столько буду ему благодарен. Разве я могу уволить его племянника, да еще за воровство? В конце концов, Нанусь, это молодые мальчики, дети совсем, если по большому-то счету, ну пусть они поиграются в свои игрушки, не обеднею я! Что мне, жалко?

Он не кривил душой, и Нана это знала. Филановский был неправдоподобно щедр и добродушен и для «своих» не жалел ничего и никогда. Если бы компьютерные мальчики были набраны со стороны, он уволил бы их даже не в два счета, а в полтора, но они были взяты на работу по просьбе «своих», и Александр готов был позволить им все, что угодно. У него было много денег, и он щедро тратил их на то, чтобы радовать людей и доставлять им удовольствие, если эти люди были подданными его империи.

— Нанусь, давай все-таки кофейку выпьем, а то мне одному скучно.

— Ну ладно, — сдалась она.

Александр позвонил Анне Карловне, и через пару минут секретарь внесла поднос с кофейником, чашками и тарелкой с маленькими бутербродами. Глядя вслед удаляющейся пожилой даме, Нана вспомнила, о чем еще хотела спросить.

— Так ты с самого утра дурака валяешь? — спросила она, сделав первый глоток кофе, который, на ее вкус, оказался крепковатым.

— Абсолютно!

Филановский весело тряхнул головой.

— А Карловна сказала, что ты был занят каким-то важным делом, — заметила Нана.

— С чего это она так сказала? — удивился он. — Ничем я не был занят.

— Ты был чем-то очень занят, когда пришла Катерина, поэтому она разделась в приемной. Ты с ней даже не поздоровался.

— Ах это... — он махнул рукой. — Не обращай внимания. Вранье. Попросил Карловну меня прикрыть, чтобы с Катериной не встречаться.

— Что-то случилось? Ты ухитрился с ней поцапаться? — изумилась Нана. — Она же совершенно безобидная.

— Ага, безобидная. Она, видишь ли, решила сменить одного любовника на другого, точно такого же, только с деньгами и возможностями. Меня, как ты понимаешь, это устроить никак не может.

— Да ты что! — ахнула она. — Не может быть!

— Может.

— Ты точно уверен, Саша? Тебе не показалось?

— Знаешь, Нанусь, я сам не был уверен и долго думал, что мне кажется, а тут Люба мне прямо об этом сказала. Ей со стороны очень даже видно было. Я приехал своих проведать, палец порезал, ну и позвонил Андрюхе, чтобы предупредить, чтобы был аккуратнее, а Катерина как услышала, что я у наших, да один, без жены, так и примчалась якобы старушек навестить от имени Андрюхи, который в этот момент чем-то занят и сам приехать не может. Вот такая фигня. Я сдуру сболтнул насчет сегодняшнего цветочного мероприятия, она вызвалась приехать помочь, а у меня как-то аргументов не нашлось, чтобы отказать. Ну что я ей мог сказать? Нет, не приезжай, мы без тебя управимся? Невежливо, особенно если человек явно выказывает желание помочь. Вот я Карловне с утра и велел меня прикрыть, когда Катя придет.

— Поня-атно, — протянула Нана. — Ну и дальше что?

— А что дальше? — не понял Филановский. — Ты что имеешь в виду?

— Ну, ты же будешь все равно с ней встречаться. Завтра, например, вечеринка, и она обязательно придет вместе с Андреем. Да и сегодня она как минимум за своей дубленкой явится, она же у Карловны в приемной разделась. Ты ведь не можешь всю оставшуюся жизнь от нее прятаться.

— Не могу, — согласился он. — И не собираюсь. Сегодня я просто даю ей понять, что не рвусь ее видеть, особенно наедине. И завтра на вечеринке я буду продолжать давать ей это понять. Пока вежливо и под благовидными предлогами. А если она проявит настойчивость, перейду к жестким мерам.

— А вдруг она обидится?

— Значит, она обидится, — невозмутимо ответил Александр. — В конце концов, у нас с ней разные проблемы. Ее проблема — обижаться или нет. А моя — не позволить никому и ничему, никакой бабе и никакому делу встать между мной и моим братом. Между мной и Андрюхой никогда и никто стоять не будет. Я понятно выразил свою мысль?

— Более чем. Саш, а можно я задам тебе очень личный вопрос? Мне давно хотелось спросить, но как-то случая не было.

— Валяй, — согласился он, — я сегодня добрый.

— Вы же близнецы, у вас, по идее, должны быть одинаковые вкусы, и вам должны нравиться одинаковые женщины. Андрей влюблен в Катерину, это очевидно, так неужели она тебе самому совсем не нравится?

Ну вот, она спросила. Ответ на этот вопрос Нане хотелось услышать с того самого момента, когда она поняла, что у нее внутри все обрывается при одной только мысли об Александре Филановском. Много лет назад, когда они с братьями Филановскими катались в одной группе у тренера Веры Борисовны Червоненко, в нее влюбился Андрюша. Это было очевидно всем, да он, собственно, и не пытался скрывать своего интереса к смуглой яркой девочке с раскосыми корейскими глазами. В спорте дети взрослеют рано, и девятилетние фигуристы были далеки от принятых в среде их ровесников шуточек на тему «тили-тили-тесто». А вот Саша, напротив, никакого особенного внимания Нане не оказывал, хотя с удовольствием вместе с братом провожал ее после тренировок до метро. Они так и дружили втроем, и в кино вместе ходили, и ее коньки мальчики носили по очереди. А ей нравился Саша...

Тогда, в детстве, ей и в голову не приходило, что близнецы часто влюбляются в одних и тех же девушек, а вот теперь Нана задумалась над этим. Почему так вышло, что Андрюше она нравилась, а Саше — нет? А может быть, он тоже ею интересовался, но скрывал, чтобы не ссориться с братом? Ей было важно услышать ответ, хотя она и не смогла бы сказать, зачем. Что ей с этого ответа? Просто услышать, что когда-то давно она тоже нравилась Саше Филановскому? Ну услышит, и дальше что?

— Катерина-то? — задумчиво переспросил Александр. — Не-а, она совсем мне не нравится. Не мой тип.

— Значит, умные книжки врут и близнецам совсем необязательно влюбляться в одних и тех же или похожих женщин?

— Ну, я не знаю, обязательно или нет, у нас с Андрюхой все было по-другому. Мы с ним совсем разные, нас даже не путали никогда, хоть мы и гомозиготные близнецы. Но это — результат упорного и тяжелого труда.

— Даже так?

— Представь себе. Нам было лет по шесть... — он почесал бровь, улыбнулся каким-то далеким воспоминаниям, сунул в рот очередной крошечный бутербродик с розовой прозрачной семгой, — ну да, как раз летом перед тем, как мы пошли в первый класс... нас же с шести лет в школу отдали... Мы с Андрюхой устроили свару из-за карандаша, я кричал, что карандаш мой, Андрюха вопил, что карандаш его, мы вцепились друг другу в волосы, и тут вошла Люба, разняла нас и строго спросила, как нынче принято выражаться, об чем базар. Выслушала наши сопливые претензии и сказала замечательные слова: «У вас вообще нет ничего своего. Этот карандаш не твой, Саша, и не твой, Андрюша. Этот карандаш — мой, потому что я купила его на свои деньги, которые заработала собственным трудом. А вам я дала его только попользоваться. В этом доме нет ничего вашего, потому что все принадлежит бабушке, дедушке и мне, все это куплено на заработанные нами деньги. Просто вы еще маленькие, сами зарабатывать не можете, а мы вас очень любим и поэтому разрешаем всем этим пользоваться. Понятно?»

— И неужели вам это было понятно в шесть-то лет? — не поверила Нана.

— Ну, не сразу, конечно. Мы еще задали массу дополнительных вопросов, чтобы окончательно прояснить позицию. Я стал выяснять, например, насчет книжек и игрушек, Андрюха начал спрашивать про коньки и футбольный мяч. Надо отдать Любе должное, у нее всегда хватало терпения объяснять и по многу раз повторять одно и то же, пока она не убеждалась, что мы действительно поняли. В общем, базарили мы долго, торговались буквально за каждую пуговицу на рубашке, но и пуговицы, как ты понимаешь, оказались тоже не нашими. А под конец Люба сказала: «Запомните, мальчики, вам принадлежат только ваши имена и ваша внешность. Все остальное — не ваше, и вы этим только пользуетесь». Вот это и стало основным камнем преткновения.

— И что было дальше? — спросила она.

Ей стало ужасно интересно. Никогда она не слышала ни от Саши, ни от Андрея этой истории.

— А дальше я взял инициативу в свои руки, я же как-никак старше на целых десять минут, — засмеялся Филановский. — В тот же день, вечером, когда мы с Андрюхой укладывались спать, я потребовал, чтобы он надел другую пижамку. Нам же, как и всем близнецам, вещи покупали одинаковые, и мы до того момента всегда бывали одинаково одеты. Белье мы меняли тоже одновременно. Как сейчас помню, в тот момент мы уже неделю спали в синих пижамках в желтую клеточку. Я свою надел, гляжу — Андрюха такую же надевает, и стоим мы с ним такие одинаковые-одинаковые. Что ж, думаю, такое творится, у нас всего-то и есть своего, что имя и внешность, так даже и внешность одна на двоих. Не бывать этому! У меня все будет свое! Представляешь, во мне уже тогда проснулся оголтелый собственник, — он снова рассмеялся и подлил в чашку еще кофе. — Короче, я велел ему эту пижамку снять, а надеть другую, зеленую с полосочками. Резоны свои я Андрюхе объяснил, так что он переоделся и со мной согласился. А утром я попросил Любу отвести нас в парикмахерскую, чтобы

Андрюху постригли по-другому. В общем, с этого момента у нас появился пунктик: сделать все возможное, чтобы внешность у нас была разной, у каждого своя. Лет в пятнадцать я начал отпускать усы, Андрюха тоже хотел, но ему пришлось бриться, чтобы не быть похожим на меня. Но внешность, Нанусь, — это было только начало, причем далеко не самое сложное. Вот все остальное оказалось куда труднее, но мы и с этим справились.

Как интересно получается, думала Нана, слушая своего шефа, вот шестилетний Саша захотел, чтобы внешность у них с братом была не одна на двоих, а у каждого своя, и что же он сделал? Изменил собственный облик? Да ничего подобного! Свой облик он сохранил, а вот от Андрюши стал требовать, чтобы он подстраивался. И тот согласился с такой постановкой. Поменял пижамку, перестригся, не стал отпускать усы... Неужели даже в таких ситуация проявляется тандем «лидер — ведомый»? Все в тех же умных книжках Нана прочитала когда-то, что тот из близнецов, который рождается первым, становится лидером, а второй — ведомым.

— А что — остальное? И почему было труднее? — спросила она.

— Ну, мы же боролись за собственную индивидуальность, значит, у нас должны были быть разные вкусы, разные привычки. А любили-то мы на самом деле одно и то же, и привычки у нас были одинаковые. Мы, например, оба обожали творожную массу с изюмом, молочную пшенную кашу, жареную картошку и овсяный кисель. А тут пришлось разделиться. Я оставил себе творожок и картошку, а Андрюхе достались каша и кисель. Представляешь Любино удивление, когда мы сели за стол и Андрюха отодвинул от себя блюдечко с творожной массой и заявил, что не будет это есть, он это разлюбил и теперь будет любить простоквашу с сахаром. Это был цирк! Люба бесилась, потому что надо было покупать для нас разные продукты и готовить разную еду, но мы твердо стояли на своем: это будем, а это — не будем. Я вместо пшенной каши стал требовать манную, хотя и не любил ее, но ничего, со временем привык, потом даже понравилось. Я ведь и до сих пор пшенную кашу не ем, — улыбнулся Филановский. — А Андрюха, бедолага, давился простоквашей вместо сладкого творога, но тоже пообвыкся со временем. Самым трудным оказалось менять привычки. Не все, конечно, а только те, которые проявляются на людях. Как сидим, как стоим, как ходим, в какой руке портфель носим и все прочее. Но ничего, справились. Книжки разные читали, по телику передачи разные смотрели, я все больше по части спорта ударял, а Андрюха — «Клуб кинопутешествий», «В мире животных», в общем, все такое образовательно-познавательное. Правда, фигурное катание мы вместе смотрели, да и то только до тех пор, пока сами катались.

— А что насчет девочек? — осторожно поинтересовалась Нана.

— Да тоже договорились сперва, а потом втянулись. Тут я на правах старшего брата проявил благородство и сам про себя решил, что пусть Андрюха влюбляется в тех, кто ему действительно нравится, а уж я подстроюсь как-нибудь. Буду ухаживать за принципиально другими девочками. Он — за брюнетками, к примеру, а я — за блондинками, он — за худенькими, я — за пышечками. Главное, чтобы нам не понравилась одна и та же девушка.

— И что, неужели ни разу одна и та же не понравилась?

Филановский пожал плечами.

— Да вроде нет. Я, во всяком случае, такого не припоминаю. И потом, это же только в первые два-три раза внешность имеет значение, а потом, с годами, начинаешь понимать, что дело вообще не в этом, я имею в виду, не во внешности. Вот тут и проявились наши с Андрюхой различия: для него важна внешность, а для меня характер, менталитет. Ты посмотри, у него же все бабы на одно лицо, что бывшая жена, что подружки его бесконечные. Дружить и сутками вести разговоры он может со всеми, кто ему близок по духу, независимо от характера, а в постель ложится только с одним типажом, с другими у него то ли не получается, то ли желания не возникает. А у меня все наоборот, я могу трахнуть любую бабу, даже самую страшную, у меня нет таких проблем, лишь бы меня ее характер устраивал.

Нану слегка покоробила такая откровенность, но, впрочем, чего еще можно ожидать, если Александр воспринимает ее только как давнюю подружку, с которой в детстве бегал в кино и тренировался на одном катке. Нана Ким для него не женщина, а товарищ и подчиненный.

Она посмотрела на часы и поднялась.

— Спасибо за кофе, Саня, я пойду, у меня назначено рандеву с кадровиком. У нас с десятого числа новая дама выходит на работу в отдел рекламы, хочу посмотреть ее анкетку.

— Да брось ты, — махнул рукой Филановский, — чего там смотреть-то, я ее отлично знаю. Ты имеешь в виду Савицкую?

— Ну да. А что, она из твоих бывших?

— Угадала. Так что можешь ее не проверять.

Значит, Сашка снова привел в издательство очередную брошенную любовницу. Таких в «Новом знании» трудилось уже трое, теперь появится четвертая. Каждый раз, когда у Филановского заканчивался период романтического угара и он

280

переставал оплачивать совместные поездки, развлечения и подарки, он считал своим долгом пристроить бывшую подругу на денежное и необременительное место. Сексуальные отношения прекращались, дама получала полную свободу личной жизни и не менее полную помощь и поддержку в любой жизненной ситуации со стороны бывшего любовника. По большому счету, Александр Филановский своих женщин не бросал в том смысле, который принято обычно вкладывать в это понятие, он только прекращал интимно-романтическую составляющую их отношений, продолжая по мере возможности с ними дружить и им помогать. Интересно, подумала Нана, нашлась ли хоть одна, которую такая постановка вопроса не устроила бы? Или Саша действительно выбирает женщин с одинаковым менталитетом, которые после окончания романа ведут себя совершенно одинаково?

— Саша, я за свою работу отвечаю, — очень серьезно ответила она, — поэтому я на всякий случай все-таки проведу проверку, хотя бы самую поверхностную.

— Ну ладно, ладно, делай как знаешь. Кстати, она будет завтра на нашей вечеринке, так что ты сможешь к ней присмотреться, если уж моему мнению не доверяешь. Да, и Веру Борисовну я тоже пригласил.

— Я знаю, — улыбнулась Нана, — я с ней вчера разговаривала. Она очень удивлена, но с удовольствием приедет, ей хочется на вас с Андреем посмотреть. Я приставлю к ней кого-нибудь из своих ребят, чтобы она не скучала и не чувствовала себя потерянной.

— Вот это ты молодец, — одобрительно кивнул Филановский. — Черт, все работают, один я бездельничаю.

Он встал, снял пиджак, небрежно швырнул

его на кресло и сладко потянулся. Расстегнул манжеты и принялся заворачивать до локтей рукава дорогой сорочки.

— Пойду помогу Карловне пересадить это страшное чудовище на букву «б», хоть что-то полезное сделаю.

— Бокарнею, — со смехом подсказала Нана.

— Да ладно, — фыркнул он, — мне все равно не запомнить.

* * *

Катерина солгала Филановскому, в комнатных цветах она не понимала ровным счетом ничего. Ее поход в издательство был продиктован единственно стремлением попытаться создать ситуацию, удобную... ну, понятно для чего. Любые серьезные отношения все равно начинаются, как она полагала, с легкого флирта, а для флирта нужны условия, и вот эти самые условия в момент пересадки цветов в кабинете директора казались Катерине самыми что ни на есть подходящими. И одежда ее может быть не строгой (читай — фривольной и соблазнительной), и посторонних не будет, и обстановка не деловая.

Когда Анна Карловна жестко пресекла Катины попытки высидеть в приемной встречу с Филановским и отправила ее к каким-то там сосункам-компьютерщикам, девушка с трудом сдержала слезы. Но все-таки пошла, потому что уйти сразу было бы равносильно признанию в своих довольно пикантных намерениях, а этого ей, разумеется, не хотелось.

Компьютерные мальчики оказались веселыми и бесшабашными, в цветах они понимали еще меньше, чем сама Катерина, да и было-то у них растений — раз-два и обчелся, так что она быстро и относительно ловко переселила парочку чахлых сингониумов и один непонятно как выживший без всякого ухода рипсалис в новые горшки, после чего полностью отдалась процессу получения комплиментов и знаков внимания. Мальчики были, конечно, по ее меркам, никудышные, слишком молодые, слишком несерьезные и не слишком денежные, но все равно же приятно, когда на тебя смотрят с восхищением и пытаются якобы ненароком то к груди прикоснуться, то к попке. Ее угощали пивом и колой, что, по Катиному мнению, свидетельствовало о крайне низком уровне взрослости, но она не отказала себе в удовольствии поцарствовать в этом детском саду и похихикать над выкопанными из Интернета анекдотами и хохмами. Ей нужно было протянуть время часов до двух, когда Александр соберется ехать на обед. Она знала, что Филановский в издательской столовой не кормится, предпочитает ходить в расположенный рядом ресторан. Надо так подгадать, чтобы прийти за своей дубленкой в приемную и задержаться там, пока он не выйдет, тогда есть шанс, что он пригласит ее с собой пообедать, а это даже лучше, чем корячиться с цветами у него в кабинете, когда за дверью пыхтит эта церберша Анна Карловна. Только вот как подгадать? Впрочем, время есть, можно посидеть у мальчиков и подумать, как это половчее провернуть.

Катя уселась на подоконнике, постаравшись принять наиболее соблазнительную позу, и то и дело посматривала в окно, из которого отлично видны были вход и парковка. Вон машина Филановского, значит, он здесь, никуда по делам не уехал. Уже хорошо. Она задумалась и чуть не пропустила момент, когда нужно было рассмеяться над очередной выуженной из Сети полупохабной шуткой.

— Катюха, пойдешь с нами обедать? — спросил один из программистов, самый симпатичный, но, к сожалению, самый молодой, моложе Кати на целых четыре года.

— А что, уже пора? — невинно поинтересовалась она.

Разумеется, идти с ними в столовую она не собиралась, но сочла нужным сделать соответствующий вид.

— Самое время. Через пятнадцать минут Большой Фил отвалит на кормежку, а если шеф обедает, то и нам положено.

— Большой Фил — это кто? — не поняла она.

— Да Филановский, кто ж еще.

— Он что, в одно и то же время обедает?

Раздался дружный хохот, причины которого остались для Кати неясными.

— Нет, обедает он как бог на душу положит, но его водила работает строго по часам, у него каждый чих по минутам расписан. Ровно за пятнадцать минут до выхода шефа из здания он выходит из комнаты охраны, садится в машину и включает климат-контроль, чтобы к моменту появления Большого Фила температура в салоне была ровно такая, как он любит, ни градусом меньше — ни градусом больше. Вон, смотри, он в машину садится, видишь?

— Вижу, — кивнула Катя, наблюдая за одним из двух сменных водителей Филановского, Пашей, которого знала в лицо.

— Значит, точно через пятнадцать минут Большой Фил куда-нибудь поедет.

Она произвела в уме необходимые вычисления. От кабинета Александра до выхода — две минуты максимум, если не останавливаться и ни с кем не разговаривать. Отсюда до приемной — тоже минуты полторы-две. Нужен некоторый запас на тот случай, если Филановский выйдет чуть раньше. Одним словом, еще пара минут — и самое время отсюда уходить. Хорошо бы Анна Карловна уже уползла в столовую, тогда в приемной никого не будет и никто не помешает ей перехватить Александра, сделав вид, что она только что вошла и надевает дубленку. Самое то получится! Но если Карловна еще там, то задержаться она не даст, собака сторожевая. Что же придумать? Если только одного из мальчиков использовать... А что, это мысль! Значит, так: выходить надо немедленно, чтобы не разминуться с Филановским, и если Карловна в приемной, просто постоять с мальчиком в коридоре, якобы поболтать, это не вызовет ни у кого ни удивления, ни подозрений. Не станет же она стоять в коридоре одна, как полная дура! Это сразу бросится в глаза, начнут вопросы задавать и вообще...

— Я, пожалуй, пойду, — лениво протянула она, соскакивая с подоконника. — Только пусть кто-нибудь меня проводит до приемной, а то я в ваших переходах запутаюсь.

— Как, Кать? — загалдели компьютерные гении. — А обедать с нами?

— Я уже давно в столовые не хожу, — высокомерно пропела она. — Красивые девушки обедают в ресторанах.

— И не за свой счет, — ехидно подколол кто-то из присутствующих.

— Это уж само собой, — согласилась Катя со снисходительной улыбкой. — Так кто меня проводит?

Проводить ее вызвался тот же паренек, который приходил за ней в приемную. Уже в дверях они столкнулись с мужчиной, при одном взгляде на которого у Кати почти остановилось сердце. Вот это да! Такой красоты она отродясь не видела. Куда там братьям Филановским до него, что одному, что другому. Темные глаза смотрели ласково и тепло, и ей показалось, что ее плавно закутали в шелковистую мягкую меховую накидку. Красиво очерченные губы незнакомца дрогнули, и Кате показалось, что сейчас он скажет ей какие-то очень важные слова, после которых они вместе умчатся в прекрасное королевство...

Но мужчина посторонился, пропуская ее, и произнес нечто совершенно будничное:

— Ребята, на крыше много снега. Чтобы не было протечек, через час начнем сбрасывать снег. Кто машины близко к зданию поставил — давайте-ка быстренько убирайте их подальше.

Иллюзия чудесной сказки развеялась так же быстро, как и возникла.

— Кто это? — негромко спросила Катя, когда они с сопровождающим отошли подальше.

— Сергеич-то? Это наш инженер. Отвечает за техническое состояние здания. А что? Приглянулся? — молодой человек хитро прищурился и лукаво подмигнул. — У нас половина баб издательских по нему тайком сохнет. Хочешь примкнуть к стройным рядам?

— Очень надо, — фыркнула она.

— И правильно. Он для тебя старый. И денег у него мало.

Мало денег — это, конечно, весомый аргумент, с которым Катя не могла не согласиться. А вот насчет того, что старый, — это еще как сказать. При первом взгляде она даже не смогла определить, сколько ему лет. Обильная седина, но при этом гладкая кожа, так что с равным успехом ему может быть и тридцать пять, и пятьдесят. Всмотреться повнимательнее у нее не было ни времени, ни возможности. Впрочем, какая разница, сколько лет какому-то там инженеру Сергеичу, пусть он хоть трижды красавец писаный, ее цель — Александр Филановский.

Катя непроизвольно ускорила шаг, и к дверям

приемной директора она уже почти подбегала. Вот сейчас все решится...

Но ничего не решилось. Потому что дверь была закрыта. Заперта. Катя подергала ручку и принялась стучать в дверь кулаком.

— Ну чего ты молотишь? — укоризненно произнес ее спутник. — Видишь же, что заперто. Шеф уехал, Анна Карловна ушла на обед.

— Но там моя дубленка! — Катя чуть не плакала, и вовсе не оттого, что не могла уйти без своей дубленки, а оттого, что ничего не понимала. Почему дверь заперта? Куда делся Александр, если, по самым щедрым расчетам, он должен выйти из здания только минут через семь-восемь? Компьютерщики сидят на первом этаже, и разминуться с Филановским она никак не могла, она шла ему навстречу, и лифт в здании только один. Неужели он спустился по лестнице как раз в тот момент, когда она села в лифт? Как глупо! Всего каких-то несколько секунд...

— Никуда твоя дубленка не делась, — спокойно заметил провожающий, — вот, смотри, специально для тебя написано.

Он ткнул пальцем в листок бумаги, прикрепленный двумя канцелярскими кнопками к двери. Листок, что удивительно, оказался прямо перед Катиным носом, но она его почему-то сразу не заметила. Текст набран на компьютере и отпечатан жирным шрифтом: «Екатерина! Ваша одежда находится в каб. 24. С уважением, А.К.Тидеманн».

— В двадцать четвертом кабинете, — растерянно пробормотала девушка.

— Ну да, вон дверь, прямо по коридору, напротив туалета.

Почему-то Катю добил именно этот туалет, точнее, не он сам, а тот факт, что кабинет, куда отнесли ее дубленку, находится строго напротив этого столь важного и необходимого всем, но повсеместно вызывающего смущение помещения. «Она бы еще в уборную дубленку швырнула!» — с ненавистью твердила про себя Катя, с трудом сдерживая слезы. Слезы сдерживались плохо, они наползли на глаза огромными мутными пузырями и мешали видеть ступеньки лестницы и кнопки в кабине лифта.

Первым, что она увидела, выбежав на улицу, была машина Филановского, выезжающая с парковки. Никаких тонированных стекол Александр не признавал, и ей было отлично видно, что в салоне нет никого, кроме водителя. Значит, Саша никуда не уехал, а водителя отправил с поручением. Он никуда не уехал, он здесь, в издательстве, но запер дверь и велел Анне Карловне выкинуть Катину дубленку из приемной и вывесить эту оскорбительную записку. Поступок, не имеющий двойного толкования. Он не хочет ее видеть. Она ему не интересна. Более того, он разгадал ее замысел и посмеялся над ней. Может быть, посмеялся вместе с этой жуткой стервой Карловной. Господи, какой стыд! Какое унижение! Что же теперь делать?

Она разрыдалась так отчаянно, что сразу поняла: дойти до метро ей сейчас не удастся, нужно найти укромное место, выплакаться, потом привести себя в порядок, и только после этого можно выходить на свет божий. Куда бы приткнуться со своей истерикой?

Катя развернулась и ринулась назад, в издательство. Промчавшись мимо охранника, сидящего в стеклянной будке у входа, она завернула за угол и толкнула дверь в комнату охраны. Там сидели двое мускулистых парней в черной униформе, обоих она помнила в лицо, и еще какой-то человек, которого Катя не знала, но решила, что это кто-то из водителей. Водители постоянно торчали в комнате охраны.

— Катерина, что случилось? — вскочил один из охранников.

— Нога, — простонала она, пытаясь этим оправдать свои слезы. — Ногу подвернула, так больно — ужас просто, прямо до слез. Я посижу у вас немножко, ладно?

— Может, врача позвать? Или «Скорую» вызвать? — заботливо предложил второй парень-охранник, чуть помоложе своего напарника.

— Не нужно, сейчас пройдет, мне бы только умыться, а то куда я пойду такая зареванная...

Катя знала, что помещение охраны состоит из трех смежных комнат: той, в которой она сейчас находилась, комнаты отдыха, где по очереди спали те, кто дежурил в ночную смену, и малюсенькой душевой, где есть раковина и можно умыться, но прежде — нареветься всласть. Она бывала здесь неоднократно, когда договаривалась с Андреем встретиться в издательстве, а он задерживался. Еще в те времена, когда она была едва знакома с Александром Филановским и не осмеливалась торчать у него в приемной или сразу заходить в кабинет директора, Катерина ждала Андрея именно здесь, в помещении охраны, где стояла кофе-машина и всегда вкусно пахло кофейными зернами и принесенными из расположенной неподалеку венской кондитерской пирожными. Охранники в издательстве «Новое знание» все как на подбор были молодыми и симпатичными, к Катиной привлекательности равнодушными не оставались, и проведенное в этой комнате время всегда наполнялось для нее комплиментами, заигрываниями и прочими проявлениями мужского внимания, столь милыми сердцу почти каждой женщины независимо от возраста.

Демонстративно прихрамывая, она зашла в душевую, включила воду в умывальнике, поплакала недолго, но зато от души, и стала приводить себя в порядок. Тушь, конечно, потекла, и пришлось ее совсем смыть, после чего собственные глаза с отекшими покрасневшими веками показались Кате совсем уж непригодными для демонстрации. Открыв сумочку, она принялась неторопливо и вдумчиво изучать ее содержимое. Авось найдется что-нибудь подходящее, например, карандаш, которым можно хотя бы подводку сделать...

* * *

Сотрудник отдела кадров по фамилии Горшков обладал замечательным комплектом личных качеств: он был одновременно очень толковым и очень ленивым. Толковость его проявлялась в том, что он все понимал с полуслова, лень же оборачивалась тем, что он все понимал, но при этом мало что делал. Он сидел в кабинете Наны Ким и терпеливо ждал, пока она ознакомится с анкетными данными новой сотрудницы отдела рекламы, некоей Савицкой Марины Вадимовны, двадцати восьми лет от роду.

— Что-то она давно нигде не работала, — заметила Нана. — На что жила, спрашивается?

— Ну а то ты не знаешь, на что она жила, — ухмыльнулся Горшков. — Ее шеф привел, вот тебе и ответ.

— Степан, — Нана вздохнула и открыла блокнот, куда записывала всякую нужную информацию, — ну-ка вспомни, когда шеф в последний раз приводил к нам на работу свою даму.

— Это ты кого имеешь в виду? Татьяну, что ли, Лозбякову?

— Ага. Так когда?

— Кажется, года два назад или даже три, —

пожал плечами Горшков. — А что? Думаешь, шеф зачастил?

— Нет, не думаю. И хочу тебе напомнить, что Лозбякова у нас работает, — она заглянула в блокнот и убедилась, что память ее не подвела, — с апреля 2005 года. То есть в апреле или в крайнем случае в марте прошлого года роман с Лозбяковой у шефа закончился и наступила очередь Савицкой. А Савицкая не работает с 2003 года. Тебе не интересно, кто ее содержал в течение двух лет, пока шеф ее к себе не пристроил?

— Не-а, — помотал головой Горшков. — Не интересно. Я нашему шефу доверяю, он абы кого в издательство не приведет. А что, у тебя есть основания что-то подозревать?

— Да нет у меня никаких оснований. У меня мозги есть, — с досадой ответила Нана, — и эти мозги имеют дурную привычку просчитывать варианты. Я отвечаю за безопасность всего издательства, в том числе и за то, чтобы отсюда не утекала информация. Ты сам-то, когда беседовал с ней, ни о чем ее не спросил?

Фраза была бессмысленной, ибо и без того понятно, что Горшков, конечно же, никаких вопросов Савицкой не задавал. Но Филановский тоже хорош, черт бы его взял с его любвеобильностью! Взять девицу на работу в отдел рекламы — это ж надо до такого додуматься! Рекламные идеи и программы продвижения новых книг и новых авторов — одно из самых ценных достояний любого издательства, как же можно так безответственно допускать к этой информации кого ни попадя? Ладно бы еще эта Савицкая сама была хорошим рекламщиком или промоутером, она бы выдавала идеи и тряслась над ними, но ведь ежу понятно, что в рекламе она ничего не смыслит со своим образованием, полученным в текстильном институте, и работать не будет, а станет слоняться по коридорам и кабинетам, распивать чаи и болтать с такими же безработно-неприкаянными бездельниками. Наверное, недели через две-три она познакомится с тремя остальными «бывшими», приведенными сюда Александром, и вступит в их маленький «Клуб пристроенных любовниц». Или не вступит? Сочтет ситуацию оскорбительной и взбрыкнет, когда узнает, что она тут не одна такая? Да нет, маловероятно, Саша выбирает женщин с определенным менталитетом и характером, именно таких, которые после завершения романа ведут себя дружелюбно и весело и с удовольствием вливаются в империю Филановского в роли придворных дам. И Марина Савицкая наверняка такая же. Если только она не притворялась, чтобы понравиться Филановскому и оказаться в конце концов в издательстве, потому что это кому-то нужно. Значит, придется проверять ее хотя бы минимально, чтобы Саша не обиделся.

— Нана, — подал голос Горшков, — можно я тебе задам вопрос как лицу, приближенному к императору?

— Ну, рискни.

— Слушай, неужели шеф ничего не видит? Он что, слепой? Или тупой?

— Степан! — укоризненно воскликнула она.

Обсуждать поступки директора дозволялось, но давать оценки самому Филановскому было не принято и считалось нарушением корпоративной этики.

— Да Степан я, Степан, а только у нас количество скоро в качество перейдет. Сотрудники издательства четко разделились на три группы: те, кто просто работает, те, кто просто не работает, и те, кто работает за себя и за «того парня». Ну что я рассказываю, тебе ли не знать? У тебя ж специальные люди есть, которые отслеживают настроения и волнение умов. Количество тех, кто работает за двоих, увеличивается пропорционально количеству тех, кто совсем не работает, и это количество вот-вот приблизится к критической массе, а там и до взрыва недалеко. Народ-то недоволен, Нана Константиновна. Ты, поди, лучше меня об этом знаешь.

— Знаю, Степан Геннадьевич. И что ты предлагаешь?

— Ну пойди ты к шефу, поговори с ним, — принялся увещевать ее Горшков, — вы ж друзья детства, он к тебе прислушается. Ведь вот-вот кто-нибудь один начнет — и пошла цепная реакция! Смолина из отдела продаж уволится — и все продажи рухнут, там все на ней держится, она уверена была, что ее назначат начальником отдела, когда Петров ушел, а шеф привел какого-то заумного редактора, дружбана своего. В редакции «Здоровье и медицина» — то же самое, в редакции биографической и мемуарной литературы — та же картина. А у художников? Стоящие идеи выдают два человека, а зарплату получают, кроме них, еще трое. Терпение лопнет, все они поувольняются к чертовой матери, и с чем Большой Фил останется? Вернее, с кем? С теми, кто останется, наше издательство прогорит за два месяца, и мы с тобой, любезная Нана Константиновна, окажемся на улице в поисках новой работы. И мне ли тебе рассказывать, а тебе ли меня слушать насчет того, как охотно берут на работу тех, кто пришел из прогоревших фирм. Раз фирма прогорела, значит, либо руководитель был мошенником, либо менеджмент у фирмы хреновый, и в любом случае кадры туда набирали не самые лучшие. Нужна нам с тобой такая репутация?

Во всем, что говорил Степан Горшков, была правда, и Нана не могла бы поспорить ни с одним его словом. Ну и что с того? Да, она могла бы пойти к Филановскому и на правах начальника службы безопасности и просто старинной знакомой сказать ему все это. И не только могла бы, но и сделала уже, не далее как полгода назад, только об этом никто не знал, кроме нее самой и директора. Толку-то... Филановский рассмеялся в ответ и заявил, что она может не беспокоиться, потому что никакое даже самое несправедливое распределение работы не заставит сотрудника уволиться, если он знает, что начальство его любит и ценит, и получает этому каждодневное подтверждение. Потому что любовь — это главное в жизни, и ни один нормальный человек не променяет любовь и уважение на более легкую работу. И возразить на это Нане Ким было нечего.

— Дорогой Степан Геннадьевич, — мягко произнесла она, — мои отношения с Александром Владимировичем не таковы, чтобы я могла прийти к нему с подобным разговором. И давай на этом тему закроем.

На ее столе зажужжал телефонный аппарат, загоревшаяся кнопка сообщала, что звонит начальник охраны.

— Да, Володя, слушаю тебя, — сказала Нана в трубку.

— Нана Константиновна, в дежурке Катерина сидит, ну, девушка Андрея Владимировича, говорит, что ногу ушибла. Может, ей машину дать, чтобы до дому доехала?

— И что, сильно ушибла? — скептически поинтересовалась Нана, не забыв еще своего недавнего разговора с Филановским.

— Не знаю. Ребята говорят, она плакала от боли. Сейчас сидит с ними, кофе пьет. Я вам на всякий случай сообщаю, потому что вы ругаетесь, когда в дежурке посторонние находятся.

— Хорошо, Володя, спасибо, я разберусь.

Положив трубку, она задумчиво посмотрела на анкету Марины Савицкой, повертела ее в руках и сунула в ящик стола.

— Пусть пока у меня полежит, — сказала она Горшкову. — Завтра на вечеринке с ней познакомлюсь поближе, а там подумаем.

— О, так она еще на работу не вышла, а шеф ее уже на нашу вечеринку пригласил, — ревниво заметил кадровик.

— Иди, Степа, — Нана улыбнулась, — не занудствуй.

Он уже почти дошел до двери, но остановился и при этом не обернулся, так и стоял спиной к Нане.

— Тебе не кажется, что Большого Фила пора остановить? — проговорил Степан, однако в голосе его вопроса не было. Скорее спокойное утверждение. — Иначе мы все в любой момент можем оказаться без работы.

— Я тебя не понимаю, — сказала Нана, чувствуя, что голос предательски дрогнул.

— Ты все понимаешь. Ты — начальник службы безопасности, то есть возглавляешь силовое ведомство местного разлива. Разведка, контрразведка, спецтехника, боевики и даже агенты для особых мероприятий — у тебя все есть. Кому, как не тебе, подумать над моими словами.

— Даже думать не стану, — резко ответила Нана. — Иди, Степа.

Когда за Горшковым закрылась дверь, Нана потянулась к мобильнику и набрала номер Тодорова. Агент для особых мероприятий. Ну надо же! Впрочем, по большому счету, так оно и было. Она не стала искать его через Владу, как делала в тех случаях, когда ей нужно было, чтобы Тодоров зашел. Сейчас разговор предстоял приватный.

— Ты где, Антон?

— У себя. Зайти?

— Не ко мне. Зайди в дежурку, разберись, что там с Катериной.

— С какой Катериной? — не понял Тодоров.

— Ну с нашей, с какой еще. С подружкой Андрея. Только аккуратно. Шеф не хотел бы с ней встречаться, так что поимей это в виду. Убери ее из издательства, нечего ей здесь толкаться. Если нужно, дай ей разгонную машину, пусть домой едет или куда там ей нужно. Но здесь пусть не высиживает.

— Ясно. Сделаю. Нана...

— Да?

— Что насчет вечера? Я могу приехать?

— Ну конечно, — она улыбнулась. — Конечно. Обязательно.

— Что-нибудь купить?

— Ничего не нужно, у меня все есть.

Ей была приятна постоянная забота Антона, его каждодневные попытки хоть что-нибудь сделать для нее, ну пусть даже ерунду какую-нибудь, пусть только хлеба купить или бутылку воды, но обязательно что-то сделать. Ну почему она такая бессмысленная дура, почему не умеет любить его так, как любит Сашу Филановского?

Никита уехал на сборы, и теперь Антон может оставаться у нее ночевать хоть каждый день. С ним удобно, спокойно, уютно, и поговорить есть о чем, и в постели совсем не плохо. Почему же она никак не научится его любить?

Нана перевела взгляд на стоящую среди кучи бумаг фотографию сына в серебряной рамке. Несколько раз в год Никита уезжает на сборы, а она все никак не привыкнет к тому, что его подолгу не бывает дома, и скучает так отчаянно, и тоскует по нему — прямо сердце разрывается. Только теперь, оставаясь одна, она стала понимать своих родителей, которые требовали, чтобы уехавшая на сборы Нана постоянно звонила им, и сердились, и обижались, и строго выговаривали ей, когда она этого не делала. А она, конечно, не делала, потому что тренировалась, готовилась к соревнованиям и по маме с папой на сборах не скучала, а если не скучаешь — чего звонить? Чтобы не беспокоились? Да что с ней может случиться, когда рядом вся команда: и ребята, и тренеры, и хореографы, и врачи, и массажисты — в общем, взрослых ответственных людей больше, чем самих спортсменов. С базы все равно не уйдешь, днем — времени нет, вечером — нарушение режима, а на самой базе абсолютно безопасно. Нет, в детстве и юности Нана Ким решительно не понимала, почему родители так хотят, чтобы она звонила почаще, хотя бы через день. А теперь вот поняла.

* * *

— Нет, ну что это такое? Что это такое, я тебя спрашиваю? Как ты могла так распуститься? Ты вообще мужем дорожишь или как?

Ксения слушала подругу вполуха, потому что разговоры эти Вика вела уже давно, и возмущение ее было привычным. Ничего нового Ксения услышать не готовилась. Ну да, Викуся права, во всем права, но как же жить, если нет ни денег, ни сил, ни интереса к жизни? Интерес у Ксении только один — здоровье ее ребенка, а все остальное неважно. Нет, неправда, муж — это тоже важно, очень, но он же все понимает, он не хуже ее самой знает, что денег нет и они просто выживают на то, что остается от первоочередных трат на жизнеобеспечение дочки. Он очень любит маленькую Татку, просто обожает ее, и не такой он человек, чтобы разлюбить и бросить жену из-за того, что она ходит в старой одежде, не стрижется у хорошего парикмахера и вообще плохо выглядит.

Поправить здоровье Татки невозможно, диабет не лечится, девочка — инвалид детства, и лекарства ей полагаются бесплатные, но ведь она еще такая маленькая, и нужно постоянно за ней приглядывать, и следить за тем, что она ест и пьет, соблюдать жесткую диету, и уколы делать после каждого приема пищи, и еще один — утром, и смотреть, чтобы не бегала слишком быстро и слишком много. Мать постоянно должна быть рядом, и, значит, ни о какой работе для Ксении и речи быть не может. Вот и живут они втроем на зарплату мужа да на Таткину пенсию, которая не больно-то велика, вся уходит на оплату квартиры и коммунальных услуг. Ну чего Вика от нее добивается? Чтобы при такой-то жизни Ксения выглядела как королева красоты? Смешно!

— Мужчина обязательно должен иметь возможность гордиться своей женой, своими детьми и своим домом, — авторитетно вещала подруга, неодобрительно оглядывая клеенку со стертым рисунком на столе. — Иначе он рано или поздно тебя бросит. Голову даю на отсечение, что он домой уже лет сто никого из друзей не приводил, потому что таким домом гордиться невозможно. Он стыдится нищеты своего дома, ты хоть понимаешь это?

— Понимаю, — покорно кивнула Ксения. — А сделать-то я что могу? Ты же знаешь, я несколько раз пробовала найти надомную работу, чтобы Татку одну ни на минуту не оставлять. Нанималась в какие-то сомнительные фирмы, которым нужны распространители «на телефоне», так ничего же не заработала, они денег не платят. Вернее, платят процент с покупки, которую ты по телефону организуешь, только теперь дураков нет, прошли те времена, когда люди на это велись. Никто ничего не покупает за глаза, в крайнем случае Интернетом пользуются. Я могла бы машинисткой подрабатывать, тексты на компьютере набирать, но и это сегодня мало кому нужно, компьютеры и так почти у всех есть. А у меня, между прочим, его нет. И денег на покупку тоже нет. Сегодня зарабатывают ногами, бегать надо, понимаешь? Бегать, крутиться, вертеться, заводить связи, знакомства, иначе ничего не выходит. И образование у меня для надомной работы неподходящее. Автодорожный институт, — она вымученно улыбнулась. — Кому я нужна с моей специальностью и невозможностью ходить на работу?

— Н-да, — протянула Вика, открывая шкаф и заглядывая внутрь. — С таким настроением впору вешаться. Ты меня вообще слушаешь, подруга, или я так, воздух сотрясаю? Я тебе что сказала?

— Что мужчина должен иметь возможность гордиться своей женой, своими детьми и своим домом, — с готовностью отличницы отрапортовала Ксения.

— Ну и что ты из всего этого услышала? Только про дом. А насчет себя и Татки — мимо ушей пропустила. Слушай, ты только не обижайся, но почему вы назвали ребенка Тамарой? Это же ужас что такое! Кто сегодня девочек Тамарами называет? Кто придумал? Твой благоверный небось?

— Да. Хорошее имя. Мне нравится. Грузинская царица Тамара — разве плохо звучало?

— Так он в честь грузинской царицы дочку назвал? — изумилась Вика. — Он у тебя, оказывается, поклонник истории?

Ксения молча подошла к буфету, которому было лет больше, чем ее матери, и который давно просился на пенсию, выдвинула один из ящиков, покопалась в нем и протянула подруге конверт. Самый обыкновенный почтовый конверт, какие продавались в каждом киоске лет двадцать назад и какие давно уже не выпускали.

— Что это? — с недоумением спросила Вика.

— А ты посмотри.

Вика вытащила из конверта несколько фотографий, нет, не любительских, а вполне профессиональных и отпечатанных в типографии. Такие фотографии с изображениями знаменитых артистов в давние советские времена тоже продавались в любом киоске «Союзпечати».

— Ну и кто это? — продолжала она допрос.

— Не узнаешь?

— Да вроде что-то знакомое... Погоди, погоди, это актриса какая-то, только я фамилию не вспомню...

— Филановская, — негромко подсказала Ксения. — Тамара Филановская.

— Ну точно! — обрадованно воскликнула Вика. — Точно! Филановская. Только я давно ее ни в одном фильме не видела. Она, наверное, уже совсем старая. Или даже умерла. Слушай, — она округлила глаза и понизила голос, — так ты хочешь сказать, что Татку назвали в честь Тамары Филановской? Это с какого же перепугу? Вы что, знакомы с ней? Или, может, родственники?

— Да не знакомы мы с ней, — с досадой бросила Ксения, убирая фотографии в ящик и стараясь ни на миллиметр не нарушить порядок, в котором всегда сложены были бумаги, документы, старые письма и открытки и прочие предметы, в подобных ящиках обычно хранящиеся.

Она давно уже обнаружила этот конверт, но по той тщательности, с которой он был спрятан среди ненужного хлама, поняла: муж не хочет, чтобы Ксения его нашла, и тем более не хочет, чтобы она задавала вопросы. Она и не задавала.

Она всегда была понятливой. И всегда очень боялась рассердить его, вызвать неудовольствие.

— Тогда чего же... — Вика все не унималась, ей хотелось ясности.

Она принадлежала к той породе людей, которые не терпят недоговоренностей, обожают выяснять отношения, задавать массу вопросов и копаться в деталях.

— Я не знаю, — по-прежнему негромко ответила Ксения. — Он ничего не объяснял, он вообще о Филановской ни разу за все годы не упомянул. Ну, кроме тех случаев, конечно, когда мы по телику какой-нибудь фильм с ее участием смотрели. Тогда он говорил, что, мол, прекрасная актриса и красавица редкостная, до преклонных лет красоту сохранила. А в других ситуациях — ни слова. Наверное, он в юности был ее поклонником, фотографии вот коллекционировал... А мне стесняется об этом рассказывать.

— Поклонником он был! — фыркнула Вика. — Можно подумать! Да влюблен он был в свою Тамару по уши, вот что я тебе скажу. Фотки собирал, любовался на них, дочку ее именем назвал. Ну это ж надо! Слушай, Ксюш, а может, он был ее любовником, а?

— С ума сошла, — засмеялась Ксения. — Каким любовником? Сколько ему лет — и сколько ей?

— Ну и что? — не сдавалась подруга. — Ты посмотри вокруг, сколько сценических старух с молодыми мальчиками крутят, это теперь модно. Если у тебя нет молодого любовника, лет как минимум на двадцать моложе, то ты вроде как неуспешная.

— Прекрати, Викуля. Филановской сейчас далеко за восемьдесят. Ты считать-то умеешь или как?

— Вообще-то да, — согласилась Вика, но с явной неохотой, уж больно версия красивая складывалась. — Не получается. Разве что она малолетку совратила, но это вряд ли. Ну ладно, бог с ней, с этой Филановской. Вернемся к делам насущным. Что ты собираешься сделать, чтобы твой муж мог гордиться тобой и дочерью?

— Ничего. А что я должна собираться сделать?

— Ой, господи, да за что же мне это наказание? — запричитала Вика. — Ксюша, ну так же нельзя! Что ты сидишь как клуша? Вот послушай, что ты должна сделать: мы сейчас тебя причешем, оденем, накрасим, и когда Татка проснется, вы вдвоем пойдете на завод. Позвонишь своему ненаглядному прямо с проходной, скажешь, мол, гуляли с девочкой, в парк культуры ездили или еще куда, и решили заехать проведать папочку. Пусть он выйдет на пять минут. Он выйдет и обалдеет! А там же проходная, там люди туда-сюда так и шныряют, так и бегают, и среди них немало тех, кто его лично знает. Они вас заметят, и ему будет приятно, что все видят, какая у него красавица жена и куколка-дочка. Для него это праздник. И ему будет чем гордиться хотя бы перед своими сослуживцами. Это повысит его самооценку. У него, во-первых, поднимется настроение, а во-вторых, он будет тебе благодарен за это. План понятен?

— Понятен, — кивнула Ксения и твердо добавила: — Но глуп.

— Это почему же? — обиделась Вика.

— Потому что причесать меня ты не сможешь, для этого надо идти в парикмахерскую и платить деньги за хорошую стрижку. Допустим, накрасить меня ты сможешь и своей косметикой, допустим, Татку мы оденем красиво, мы ей все-таки хорошие вещи покупаем, но во что ты собираешься меня одевать, хотелось бы спросить. Одевать и обувать. А?

— Балда, — Вика с улыбкой поцеловала ее. — Главное — желание, а уж как его выполнить — вопрос второстепенный. Женщина, которая любит стирать, всегда найдет воду. Шведская поговорка. Кто хочет сделать — ищет возможность, кто не хочет делать — ищет причину. Ты причину ищешь?

Ксения задумалась. То, что предлагала Вика, казалось ей глупым и невозможным, но, в конце концов, почему бы и нет? Она права, нельзя распускаться и, самое главное, нельзя опускать руки. Иначе все выйдет из-под контроля и пойдет наперекосяк. Наверное, и в самом деле надо собраться и сделать что-нибудь... ну хоть что-нибудь, чтобы дать понять мужу, что она все еще женщина, которая его любит. Не просто жена по паспорту, не просто мать его обожаемой дочурки, не просто иждивенец, которого приходится содержать, потому что девать его некуда и избавиться невозможно (кто же будет с ребенком сидеть?), а Любящая Женщина. Да и самой встряхнуться полезно.

— Нет, — наконец ответила она, — причину я не ищу. Но и возможностей не нахожу.

— Об этом не беспокойся, — Вика мгновенно превратилась в деловую женщину, каковой и являлась на самом деле. — Сколько времени еще Татка будет спать?

— Еще полчаса.

— Отлично.

Ксения не совсем поняла, почему это отлично, так же, как не понимала, кому Вика так усердно названивает и о чем договаривается. Она решила не вникать и ушла на кухню готовить обед для дочки. Татка просыпалась рано, и после завтрака и обязательной прогулки засыпала до обеда, зато после обеда ее было никакими силами не уложить.

Вика заглянула в кухню, и Ксения удивилась, потому что подруга была в шубке, которую торопливо застегивала.

— Я убегаю, — деловито сообщила она. — Вернусь через час. К этому времени Татка должна быть накормлена, а ты сама готова к эксперименту.

— Но...

— Потом, потом, время — деньги, — загадочно бросила Вика и исчезла.

Ксения вышла в прихожую, чтобы запереть за ней дверь, и остановилась перед зеркалом. Нет, что-то Вика не то затеяла, ничего ей, Ксении, уже не поможет. Ну как, скажите на милость, как из этого хмурого убожества можно сделать нечто, чем нормальный мужчина мог бы гордиться? Викуська права, в доме давно не бывало гостей, которых приглашал бы муж, заходили только подруги Ксении. Наверное, он действительно стесняется и своего жилища, и своей жены. Любить — любит (господи, только бы это было правдой!), но предъявлять посторонним предмет своей любви не желает. Стыдится. А может быть, дело вообще не в этом? Просто он охладел к ней, у него появилась другая женщина, и с ней вместе он ходит в гости к друзьям и приглашает их к ней домой. Там все красиво и достойно, и там ему стыдиться нечего. Поэтому и друзья перестали приходить сюда: знают, что у него есть другая, и боятся посмотреть в глаза законной жене. Она мусолила в голове горестные мысли, при этом автоматически подсчитывая «хлебные единицы» в приготовляемой для Татки еде, чтобы потом правильно рассчитать дозу инсулина. Так будет всегда, всегда, и никогда не будет по-другому, потому что нищета никуда не денется, и Таткин диабет тоже никуда не денется, и придется до самой смерти считать и считать эти единицы и делать уколы... Врачи говорят, что диабет — это не болезнь, а образ жизни. И на этот образ жизни обречены и маленькая Татка, и она, Ксения, потому что никому и никогда не доверит она следить за здоровьем своего ребенка, даже самой Татке, и придется ей постоянно быть рядом. И никогда в ее дом не вернется радость и не придут гости, и муж не поведет ее в ресторан...

Ей захотелось расплакаться, но из дальней, запроходной, комнаты раздался голосок проснувшейся дочурки, которая звала мать.

— Я здесь, солнышко мое!

Ксения пулей пролетела через комнату, гордо именовавшуюся «большой» и имеющую целых шестнадцать квадратных метров площади, открыла дверь в восьмиметровую «детскую» и опустилась на колени перед кроваткой.

— Ты выспалась? — ласково спросила она, сжимая губами теплые мягкие пальчики девочки.

— Выспалась.

— Кушать будешь?

— Не буду.

Татка капризно надула губы. С кормлением вечно проблемы, аппетит у дочки неважный, да и надоела ей эта еда, ей хочется сладкого, вкусного — тортиков, пирожных, мороженого, шоколадок. А еще дочка очень любит виноград и груши, на которые врач-эндокринолог наложил категорический запрет. Она ведь ребенок, дети любят сладкое, а можно давать его редко-редко и совсем по чуть-чуть.

— Не будешь? — переспросила Ксения.

— Не буду, — звонко повторила малышка.

— Значит, к папе не пойдем?

— К папе? — Девочка моментально выбралась из-под одеяла и села в постели. — А куда к папе?

— Я собиралась пойти вместе с тобой к папе на работу навестить его. Но это только в том случае, если ты поешь. До тех пор пока ты не покушаешь, мы не сможем выйти из дома, ты же знаешь.

— А зачем мы пойдем к папе на работу? Он нас что, в гости пригласил?

— Нет, он не приглашал, но я решила устроить папе сюрприз. Представляешь, как он удивится и обрадуется! Он нас с тобой очень любит, и ему будет приятно нас увидеть, да еще так неожиданно.

Татка размышляла совсем недолго и вынесла свой вердикт:

— Тогда давай будем кушать.

— Только сперва умыться и почистить зубки, — строго произнесла Ксения, вытаскивая из постели теплое худенькое тельце и прижимая дочку к себе.

— Ладно, — согласилась девочка и принялась деловито искать под кроватью свои тапочки.

Вика вновь явилась как раз в тот момент, когда Татка допивала чай.

— Ну, ты готова? — осведомилась подруга.

— Смотря к чему, — осторожно ответила Ксения, которой Викина затея уже снова стала казаться сомнительной по замыслу и невыполнимой по существу.

— Вот к этому! — Вика торжествующе подняла вверх огромный, битком набитый пакет. — Сейчас будем из тебя лепить красавицу. Раздевайся.

Татка со стуком отставила чашку и воззрилась на гостью.

— Тетя Вика, зачем маме раздеваться? Холодно же!

— А ты смотри и запоминай, вырастешь —

пригодится в жизни, — скомандовала Вика. — Учись, пока есть у кого.

Пока Ксения делала дочери обязательный укол, из пакета были извлечены новенькие узкие джинсы, тонкий кашемировый свитер с высоким воротом, изящные модные сапожки на высоких каблуках и — о чудо! — невесомый, нежный, как пух, дивной красоты жакетик из стриженой норки, покрашенной в цвет «кофе с молоком».

— Это чье? — осведомилась Ксения, разглядывая наряд.

— Какая тебе разница? Размер твой. Наденешь, используешь, завтра отдашь.

— Ты думаешь, я в это влезу? — Ксению и без того не покидали сомнения, а тут еще такие миниатюрные вещи. Да они же на ней не сойдутся!

— Ксюша, не валяй дурака! — Вика начала сердиться. — Ты думаешь, у тебя какой размер? Шестидесятый? У тебя всю жизнь был сорок шестой, а сейчас и его нет, вообще непонятно, в чем у тебя душа держится. Давай надевай.

Ксения неуверенно взяла джинсы, показавшиеся ей непомерно узкими и вообще какими-то крошечными, она была уверена, что даже одну ногу не сможет втиснуть, однако все влезло, и все застегнулось, и все сидело как влитое.

— Ну вот видишь? — Вика удовлетворенно улыбнулась. — У тебя просто мания величия какая-то, тебе все кажется, что ты огромного размера. Надевай свитер.

Свитер тоже пришелся впору. Ксения расхрабрилась и попробовала надеть сапожки. Размер подошел, вот только ходить на таких высоких каблуках она давно отвыкла.

— Ой, мамочка, какая ты красивая! — восхищенно произнесла Татка.

— Погоди, — Вика подмигнула ей, — то ли еще будет. Теперь займемся головой.

— Надо было помыть, да? — виновато спросила Ксения, ругая себя за то, что не подумала об этом заранее. Кто же делает прическу на немытых волосах? А стрижку вообще делают только на мокрых... Она так давно не была в парикмахерской, что совсем забыла об этом.

— Зачем? Ничего не надо. Вот, выбирай.

С этими словами Вика выудила из оказавшегося поистине бездонным пакета коробку, открыла ее и достала три парика. Все три имитировали разные прически из волос, точь-в-точь совпадавших по цвету и фактуре с волосами самой Ксении.

— Что это? — Ксения в ужасе смотрела на разложенные на столе парики. — Парики, что ли?

— Нет, пояс невинности! — выпалила Вика и тут же, поймав укоризненный взгляд Ксении, опасливо оглянулась на сидящего рядом ребенка.

Ребенок, впрочем, на ее слова никак не отреагировал, поглощенный разглядыванием удивительного зрелища: волос без головы и лица. Такого она в своей недолгой жизни еще не видела!

— Конечно, парики, — продолжала Вика, немного сбавив тон. — А как еще прикажешь приводить в порядок твою голову? В парикмахерскую мы уже по времени не успеваем, и потом, к хорошему мастеру надо записываться заранее, а если пойти к первому попавшемуся, то неизвестно, в каком виде у него с кресла потом встанешь. Парик — дело безопасное, сразу видишь, что к чему, и ничем не рискуешь. Дешево и сердито. Я специально подбирала под твой натуральный цвет.

— Но я никогда в жизни не носила парики! Я не умею... И вообще...

— Что — вообще? Ну что — вообще? Ксюша, мы теряем время. Выбирай парик, и начнем краситься. Машина через двадцать минут подъедет.

— Какая машина? — испугалась Ксения.

— Обыкновенная, четыре колеса, двигатель, руль, амортизатор, что там еще у них есть... Фары.

— Зачем машина?

— Ксюша, не зли меня, — строго сказала Вика, но глаза ее смеялись. — Ты как собираешься до завода добираться? Он, между прочим, на другом конце Москвы находится, если ты не забыла. Если общественным транспортом добираться, то тебе придется тащиться с больным ребенком на метро с двумя пересадками, в духоте и толпе. На машине вы по Кольцевой проскочите в два раза быстрее. А ты, между прочим, на таких каблучищах даже до метро не дойдешь.

С этим Ксения спорить не собиралась, ей казалось, что она в этих замечательных сапожках не то что до метро — до двери собственной квартиры из комнаты не доковыляет.

Ей вдруг стало весело, словно проснулась много лет спавшая озорная юная девчонка. Она вполне еще ничего, вон в зеркале отражается эдакая длинноногая нимфа с тонкой талией. Нет, положительно, все, что ниже подбородка, выглядит в принесенных Викой одежках очень даже достойно. Правда, все, что выше этого самого подбородка, лучше бы не видеть совсем...

— А ну-ка, Татуся, давай маме прическу выберем, — бодро сказала она. — Тебе какая больше нравится?

— Вот эта, — девочка без раздумий ткнула пальчиком в один из париков, имитирующий стрижку «каре».

Ксения послушно натянула парик, и все трое тут же сошлись во мнении, что это «типичное не то».

— Тогда вот эта, — заявила Татка, показывая на другой.

«Эта» оказалась более удачным вариантом, с

косой челкой, отчего Ксения сразу стала казаться двадцатилетней студенткой. Потом Вика усадила подругу за стол, включила настольную лампу, направив свет прямо в лицо Ксении, и быстро и умело нанесла макияж.

— Чем ты меня красишь? — удивилась Ксения, скосив глаза и увидев странные, на ее взгляд, упаковки. — Это что за фирма?

— Это профессиональная косметика, с такой гримеры работают на телевидении и на киностудиях, — объяснила Вика. — Не дергайся, я же глаза делаю, а ты мне мешаешь.

Когда Ксении разрешили обозреть результаты гримировочных усилий, она увидела в зеркале то, чего не видела уже очень-очень давно: ту самую молоденькую хорошенькую Ксюшу, в которую влюбился самый лучший, самый чудесный и самый единственный на свете мужчина.

Быстро одев дочку, Ксения собралась выходить из дома.

— Куда! — строго одернула ее Вика. — А сумка? Ты что, это свое уродство в руках понесешь?

Сумка у Ксении и впрямь была чудовищной: немодной и изрядно потрепанной. Оказывается, в волшебном пакетике лежала замечательная сумка, подходившая по цвету к норковому жакетику настолько, что казалось, будто их сделали специально и продавали вместе, в одном комплекте. Она торопливо переложила в нее кошелек, мобильник, расческу, лекарство и пакетик сока для Татки.

— Все, — объявила она, хватая ключи, — я готова.

У подъезда их ждал серебристый «Форд Фокус», за рулем сидел приятный молодой парень. Судя по тому обожанию, с которым он смотрел на Вику, стало понятно, что это ее поклонник.

— Я поеду с вами, — Вика уселась на переднее сиденье рядом с водителем.

— Думаешь, без тебя не справимся? — усмехнулась Ксения.

— Конечно, справитесь, но мне самой интересно посмотреть, какая рожа будет у твоего муженька, когда он тебя увидит. Мастер должен знать, как публика воспринимает его творение, поняла?

— Поняла, — ответила Ксения и радостно засмеялась.

У нее давно уже не было такого замечательного настроения. Она забыла, каково это — ощущать себя молодой, красивой, хорошо одетой. Напрочь, оказывается, забыла... Неужели правда, что скоро у них появится много денег, как обещает муж? И тогда она сможет нанять опытную няню с медицинским образованием для Татки, найти себе работу, купить красивую одежду и каждый день чувствовать себя вот так, как сейчас. Или нет, зачем нанимать няню, если будет много денег? Можно ведь и не работать совсем, сидеть с ребенком, но все равно покупать красивую одежду, делать красивую прическу, регулярно ходить к косметологу, сделать человеческий ремонт в квартире, чтобы не стыдно было приглашать гостей... Какой дурак придумал, что не в деньгах счастье? Такое придумать мог только тот, кто не жил в нищете с больным ребенком на руках.

До завода добрались на удивление быстро, час пик еще не начался, и они по дороге ни разу не попали в пробку.

— Ну, — Вика выжидающе посмотрела на подругу, когда машина остановилась возле серого пятиэтажного здания с широким крыльцом — административного корпуса с проходной, — звони.

Ксения вытащила мобильник, набрала номер мужа, с замиранием сердца повторяя слова, которые мысленно придумывала и репетировала всю дорогу. «Аппарат абонента выключен или находится вне зоны действия сети», — хладнокровно сообщил ей неодушевленный голос.

— Наверное, у него батарея села, — растерянно сказала она. — Или он пошел в какой-нибудь цех, где сильное экранирование и нет приема.

— Ну так позвони ему в кабинет, — пожала плечами Вика.

— Я... номера не знаю, — виновато пробормотала Ксения.

— То есть как это не знаешь? Ты что, никогда ему на работу не звонишь?

— Я звоню только на мобильник. Он же мотается целый день по заводу. И потом, он не любит, когда по служебному телефону просто так звонят, по личным вопросам. Ему неудобно... И сослуживцам своим он всегда за это замечания делает...

— Ну ладно, ты не звонишь ему в кабинет, это я понимаю, но номер-то у тебя есть? Должен же быть!

— Есть, — покорно согласилась Ксения. — В записной книжке. Я на память не помню, я же им никогда не пользуюсь.

— Так. А книжка где?

— Дома. То есть... в старой сумке осталась.

Ей стало до слез обидно, что вся эта невероятная затея, которая вот-вот должна была осуществиться, срывается из-за такой глупости, как севшая батарейка в мобильном телефоне мужа. Она так радовалась, что хорошо выглядит, она предвкушала его удивление и то счастье, которое засветится в его глазах, когда он увидит дочку и жену, которыми можно гордиться! И что теперь? Все напрасно?

Ксения решительно вышла из машины.

— Пойду поговорю с вахтером. Они там, на проходной, конечно, церберы, никаких номеров не дают, но вдруг удастся его уломать.

Поднимаясь по ступенькам на крыльцо, она подумала, что можно задуманный сюрприз сделать еще ярче. Ну какой смысл вызывать мужа на улицу? Да, он будет рад увидеть ее и Татку, но не факт, что мимо них в это время пройдут люди, чье мнение для него значимо.

Едва открыв дверь, Ксения чуть не подпрыгнула от радости: возле окошка бюро пропусков стоял Павел, приятель мужа, который несколько раз приходил к ним в гости. Тогда еще, давно... Павел стоял лицом к Ксении и разговаривал с каким-то мужчиной. Повернув голову на стук отворившейся двери, он увидел ее и, как ей показалось, смутился. Или растерялся? Но Ксения решила не обращать внимания. Главное — здесь стоит человек, который поможет ей разыскать мужа и устроить настоящий сюрприз!

— Здравствуй, Паша, — весело произнесла она.

— Здравствуй, — он отвел глаза и сделал такое лицо, словно ужасно занят чем-то необыкновенно важным. Ну, например, ведет устные переговоры о заключении миллиардного контракта с крупной европейской фирмой, и никакие вмешательства сейчас совершенно неуместны.

— Паша, можно тебя на одну секунду? Извините, ради бога, — обратилась Ксения к его собеседнику, и тот приветливо улыбнулся в ответ, мол, пожалуйста, ничего страшного, можно и две секунды, и даже три минуты, я подожду.

Павел сделал извиняющийся жест и подошел к ней.

— Паш, я Митю никак не найду, у него мобильник не отвечает. Как мне ему в кабинет позвонить?

Лицо у Павла стало странным-странным. Настолько странным, что оно показалось Ксении чужим, вроде как она и не знала никогда этого человека. Обозналась и разговаривает сейчас с кем-то посторонним.

— А... его нет, — неопределенно ответил он, глядя куда-то поверх ее головы.

— Что значит — нет? Он по цехам ходит? Или на совещании у руководства? Он же все равно где-то на заводе, я позвоню в кабинет, и ему передадут, что я здесь.

— Ксюша, его нет на заводе, он отъехал по делу.

— Но он вернется?

— Не знаю, — Павел пожал плечами. — Может, вернется к концу рабочего дня, а может, и не успеет, прямо домой поедет.

— А мобильник у него почему не отвечает? — допытывалась Ксения, начиная подозревать недоброе.

— Ну... может, он как раз сейчас в метро едет, — высказал предположение Павел. — Связь же не на всех линиях есть. А ты чего приехала-то? Что-нибудь случилось? С дочкой?

— Нет, у нас все в порядке. Просто гуляли с Таткой, в парк ездили, вот и решили нашего папу навестить. Хотели без предупреждения, чтобы сюрприз получился...

На ее глаза навернулись слезы, и сама себе Ксения в этот момент казалась не просто глупой бабой, а совершенно непроходимой дурой. Вырядилась в чужие шмотки, накрасилась, парик напялила и приперлась к занятому человеку на службу, да еще не позвонила предварительно.

Павел заметно повеселел, видно, обрадовался, что ничего плохого в семье друга не произошло, перестал смотреть на стену и перевел глаза на Ксению.

— Ты хорошо выглядишь, — с улыбкой заметил он. — Просто красавица!

— Да ну... — она махнула рукой и отвернулась, чтобы он не заметил предательских слез, вот-вот готовых выплеснуться на щеки. — Ладно, Паша, извини, что оторвала от разговора. Не говори Мите, что я приходила, хорошо?

— Ладно, не скажу, — с готовностью согласился тот.

Он стал еще веселее, и в этот момент Ксении подумалось, что он испытывает явное облегчение. Ну еще бы, внезапно явившаяся жена товарища по работе не стала отнимать много времени, и такой важный разговор не прерван надолго и не испорчен.

Или тут что-то другое? Может быть, Митя на заводе, но не хочет с ней встречаться? Почему? Что случилось? Если и случилось, то точно не сегодня, а намного раньше, потому что Павел ведь не звонил никуда, не пытался разыскать ее мужа, а сразу сказал, что его на работе нет, значит, о нежелании Мити встречаться с женой он знал заранее, был предупрежден. Но почему? Какая причина может быть у такого странного нежелания? Тем более Ксения никогда не являлась к нему без предупреждения, так что инструктировать друга о том, как себя вести и что делать на тот случай, если жена внезапно явится на завод, у Дмитрия необходимости не было.

Нет, конечно же, Мити действительно нет на заводе. Он уехал по делам. Мало ли куда... Откуда же это смущенное напряжение, которое Павел не сумел скрыть? И последовавшее за ним столь явное облегчение?

«Он у женщины, — в отчаянии подумала Ксения. — Вот и все объяснение. Удрал с работы, чтобы провести время с любовницей. И Пашка об этом знает. Небось прикрывает Митю перед начальством, дескать, уехал куда-нибудь далеко что-нибудь согласовывать. Какие-нибудь патентные вопросы. Или в НИИ, которое по заказу завода разрабатывает новые материалы. Митя мне изменяет. Все. Дождалась. Опоздала Вика. И я опоздала. Надо было раньше шевелиться, не распускаться, не запускать себя, не превращаться в клушу с грязными нестрижеными волосами и с болезненно-серым лицом. Но ведь он так любит Татку! Это невозможно сыграть, невозможно притворяться, это же видно! Да, Татку он любит, а меня — нет. Вот и все».

Она спохватилась, когда поняла, что вышла из проходной на крыльцо и тупо стоит на улице, слизывая слезы. От машины к ней почти бежала Вика, заметившая не вполне адекватное поведение подруги.

— Что, Ксюша? Тебе номер телефона не дали? — быстро и сердито заговорила Вика. — Да не реви ты, я сейчас пойду сама и договорюсь, ты просто не умеешь с этими охранниками разговаривать.

— Его нет, — всхлипнула Ксения.

— Кого нет? Где?

— Мити нет на заводе.

— Вот черт! — в сердцах воскликнула Вика. — А куда он делся? Может, скоро придет? Давай подождем.

— Он у бабы.

— У кого-о-о? — протянула Вика недоверчиво.

— У бабы. У любовницы, — зло повторила Ксения. — Чего тут непонятного?

— Да нет, все понятно. Непонятно только, откуда ты узнала. Он что, записку тебе оставил с указанием адреса?

— Его друг сказал.

— Что, прямо так и сказал, мол, твой Митя к бабе свалил с работы?

— Нет, он сказал, что Митя уехал по делам. Но я знаю, что не по делам. Я точно знаю. Я чувствую. Поэтому у него мобильник и не отвечает. Он его выключил, чтобы звонки не мешали... сама знаешь чему.

— Ладно, — Вика решительно подхватила ее под руку и потащила к машине, — хватит чушь молоть. Сейчас поедем куда-нибудь, кофе попьем и поговорим. Я знаю один прикольный ресторанчик, там есть отдельный зал для детей, с ними затейники занимаются, пока родители вкушают вкусную пищу. Вкусная еда — лучшее лекарство от стресса. Пристроим туда Татку, а сами пообедаем и все обсудим. Ну, хватит реветь, ребенка испугаешь.

С этим аргументом не поспоришь, и Ксения постаралась взять себя в руки. Привычным движением полезла в карман за носовым платком и, когда не обнаружила его, вспомнила, что на ней чужой меховой жакет, и от этого вдруг отчаяние стало еще острее, и вся эта история с превращением себя в красавицу — еще более дурацкой, а сама себе Ксения стала казаться еще более жалкой и никчемной. Неужели это конец? Митя завел другую женщину, он в любой момент может бросить ее, безработную и с больным ребенком на руках. Алименты? Копейки. Да в них ли дело, если она жизни своей не мыслит без мужа, которого любит без памяти!

— Ну что, мам, идем к папе? — звонко прощебетала Татка, когда Вика открыла дверь машины.

Ксения собралась было ответить, но поняла, что голос пропал и губы не слушаются. Вика, как всегда, тут же пришла на помощь:

— Нет, солнышко, мы с папой разминулись,

он уехал по делам. Сюрприз придется отложить до следующего раза.

— Ну-у-у, — проныла девочка, уже приготовившаяся к радостному приключению.

— Не расстраивайся, мы сейчас поедем в одно интересное место, и там ты будешь играть с клоунами, — пообещала Вика.

— А клоуны настоящие? — деловито поинтересовалась Татка.

— Самые настоящие. Вот увидишь, тебе там обязательно понравится.

— А к папе когда? Потом?

— Потом. Давай, Ксюша, садись.

Сидящий за рулем Викин поклонник оказался человеком понимающим, одного взгляда, брошенного на Ксению, ему оказалось достаточно, чтобы не спрашивать, почему она молча глотает слезы, и вообще не задавать никаких вопросов. Получив указание, куда ехать, он всю дорогу развлекал маленькую Татку рассказами о том, как работал когда-то ветеринарным врачом в зоопарке и какие, оказывается, интересные бывают повадки у разных животных.

В ресторане Ксению немного отпустило. Народу в зале было совсем мало, всего два столика заняты, и сидящие за этими столиками дамы одеты были уж никак не лучше, чем она. А мужики при этих дамах и в подметки не годились ее Митеньке. Нет, все-таки она, наверное, не самая завалящая бабенка на этом свете, и муж у нее красавец, и дочка замечательная, ну и что, что у нее диабет, с диабетом люди живут полноценной жизнью, делают прекрасную карьеру и доживают до глубокой старости, если все соблюдают, что предписывают врачи. У нее есть все, чтобы быть счастливой, и нечего раскисать. Подумаешь, денег нет! Жили без них до сих пор — и дальше проживем, лишь бы Митя ее не бросил.

Правда, он говорил о каких-то деньгах, которые у них скоро будут. Много денег. Откуда?

И снова мысли о другой женщине ядовитым жалом впились в ее воспаленный мозг. У него богатая любовница, которая готова давать ему деньги на содержание семьи. Нет, чушь какая-то получается. Зачем ей давать Мите деньги на семью? В чем ее интерес? Наверное, так: у него богатая любовница, и он собирается выманить у нее деньги каким-то хитрым способом. Но тогда получается, что ее Митенька — подлец и мошенник, а это никак невозможно допустить. Он не такой. Тогда как же?

А вот как: у него богатая любовница, которая готова дать ему много денег, а он за это обещал развестись с Ксенией и жениться на своей подружке. То есть она собирается заплатить жене своего любовника что-то вроде отступных. Митя принесет домой эти деньги, соберет вещи и исчезнет навсегда.

Слезы опять закипели в уголках глаз и закапали прямо в тарелку с салатом из морепродуктов.

Литературно-художественное издание

Маринина Александра Борисовна

ЧУВСТВО ЛЬДА

Книга 1

Издано в авторской редакции
Ответственный редактор *С. Рубис*
Художественный редактор *С. Груздев*
Технический редактор *Н. Носова*
Компьютерная верстка *Л. Косарева*
Корректоры *М. Пыкина, З. Харитонова*

ООО «Издательство «Эксмо»
127299, Москва, ул. Клары Цеткин, д. 18/5. Тел.: 411-68-86, 956-39-21.
Home page: **www.eksmo.ru** E-mail: **info@eksmo.ru**

Оптовая торговля книгами «Эксмо» и товарами «Эксмо-канц»:
ООО «ТД «Эксмо». 142700, Московская обл., Ленинский р-н, г. Видное,
Белокаменное ш., д. 1, многоканальный тел. 411-50-74.
E-mail: **reception@eksmo-sale.ru**

Полный ассортимент книг издательства «Эксмо» для оптовых покупателей:
В Санкт-Петербурге: ООО СЗКО, пр-т Обуховской Обороны, д. 84Е.
Тел. отдела реализации (812) 365-46-03/04.
В Нижнем Новгороде: ООО ТД «Эксмо НН», ул. Маршала Воронова, д. 3.
Тел. (8312) 72-36-70.
В Казани: ООО «НКП Казань», ул. Фрезерная, д. 5. Тел. (8435) 70-40-45/46.
В Самаре: ООО «РДЦ-Самара», пр-т Кирова, д. 75/1, литера «Е». Тел. (846) 269-66-70.
В Екатеринбурге: ООО «РДЦ-Екатеринбург», ул. Прибалтийская, д. 24а.
Тел. (343) 378-49-45.

В Киеве: ООО ДЦ «Эксмо-Украина», ул. Луговая, д. 9. Тел./факс: (044) 537-35-52.
Во Львове: Торговое Представительство ООО ДЦ «Эксмо-Украина», ул. Бузкова, д. 2.
Тел./факс (032) 245-00-19.

Мелкооптовая торговля книгами «Эксмо» и товарами «Эксмо-канц»:
117192, Москва, Мичуринский пр-т, д. 12/1. Тел./факс (495) 411-50-76.
127254, Москва, ул. Добролюбова, д. 2. Тел.: (495) 745-89-15, 780-58-34.
Информация по канцтоварам: **www.eksmo-kanc.ru** e-mail: **kanc@eksmo-sale.ru**

Полный ассортимент продукции издательства «Эксмо»:
В Москве в сети магазинов «Новый книжный»:
Центральный магазин — Москва, Сухаревская пл., 12 . Тел. 937-85-81.
Волгоградский пр-т, д. 78, тел. 177-22-11; ул. Братиславская, д. 12, тел. 346-99-95.
Информация о магазинах «Новый книжный» по тел. 780-58-81.
В Санкт-Петербурге в сети магазинов «Буквоед»:
«Магазин на Невском», д. 13. Тел. (812) 310-22-44.

*По вопросам размещения рекламы в книгах издательства «Эксмо»
обращаться в рекламный отдел. Тел. 411-68-74.*

Подписано в печать 31.07.2006.
Формат 84×108 $^1/_{32}$. Гарнитура «Гарамонд». Печать офсетная.
Бумага тип. Усл. печ. л. 16,8.
Тираж 260 100 экз. Заказ № 4309

Отпечатано в полном соответствии
с качеством предоставленных диапозитивов
в ОАО «Можайский полиграфический комбинат».
143200, г. Можайск, ул. Мира, 93.